Chief, Liaison - Services

W9-DAM-911

Provided through the generosity of:
Norma Hélène
TAYLOR - BOUDREAU

Life-Long Learner; Retired
Professor of French; Translator;
CMA ... Crandall Alumna

dictionnaire des anglicismes

GILLES COLPRON

M.A. en linguistique
de l'Université de Montréal

dictionnaire des anglicismes

Beauchemin

Maquette de la couverture:
Productions MAB Enr.

Composition et mise en page:
Compo Em Inc.

ISBN 2-7616-0068-1

© Librairie **Beauchemin** Limitée — 1982
     381, rue Saint-Jacques
     Montréal (Québec) Canada
     H2Y 3S2

Tous droits de traduction et d'adaptation, en totalité ou en partie, réservés pour tous
les pays. La reproduction d'un extrait quelconque de ce livre, par quelque procédé que
ce soit, tant électronique que mécanique, en particulier par photocopie et par
microfilm, est interdite sans l'autorisation écrite de l'éditeur.

Ottawa 1982

Dépôt légal, 4e trimestre 1982, Bibliothèque nationale du Québec

Imprimé au Canada

4   5   6   LBL   7   6   5

« Le Fonds F.C.A.C. pour l'aide et le soutien à la recherche a accordé une aide
financière pour la rédaction et/ou l'édition de cet ouvrage, dans le cadre de sa
politique visant à favoriser la publication en langue française de manuels ou traités à
l'usage des étudiants de niveau universitaire ».

Car je suis fatigué des mots qui se tirent la langue et il ne me paraît point absurde de chercher dans la qualité de mes contraintes la qualité de ma liberté.

Saint-Exupéry

Le même auteur a déjà publié

aux Éditions Beauchemin:

LES ANGLICISMES AU QUÉBEC

répertoire classifié

dont le présent ouvrage

reprend la matière

en la mettant à jour,

en l'augmentant de beaucoup

et en la présentant avec un

plus grand souci pratique et pédagogique.

REMERCIEMENTS

Différentes personnes ont fourni une collaboration au présent ouvrage en faisant pour l'auteur des recherches terminologiques qui l'ont aidé à établir les équivalents français d'anglicismes qui posaient des problèmes de traduction en français. Ces personnes sont les suivantes:

de la Banque de terminologie de l'Université de Montréal (aujourd'hui rattachée à la Direction de la terminologie du Secrétariat d'État du gouvernement canadien):

Monsieur Bruno Couture, qui a réparti le travail demandé entre ses collègues et lui-même et a fait des recherches dans le domaine des assurances et dans celui du droit ;

Mademoiselle Anne Boisvert, qui a fait des recherches sur le vocabulaire du ski ;

Madame Rachel Boutin-Quesnel, qui a travaillé sur des termes de politique et des termes généraux ;

Monsieur Gérard Coupal, qui a fait des recherches sur des termes généraux ;

Mademoiselle Rita Damiani, qui a fait des recherches sur des termes concernant le base-ball et sur des termes généraux ;

Mademoiselle Ghislaine Daoust, qui a travaillé sur des termes de décoration d'intérieur et des termes divers ;

Madame Mariette Grandchamp-Tupula, qui a travaillé sur des termes de billard ;

Madame Éva Mathan, qui a travaillé sur des termes de l'automobile et des termes de gestion ;

de la Régie de la langue française du Québec (devenue aujourd'hui l'Office de la langue française):

Monsieur Jacques Maurais, qui, avec un empressement et un dévouement remarquables, nous a fait une foule de commentaires, très bien informés, sur la terminologie française proposée dans l'ancêtre du présent ouvrage, qui nous a fourni beaucoup de termes français, tirés de sources sûres, dans le domaine de l'alimentation et qui nous a communiqué un bon nombre de termes français normalisés par la Régie de la langue française et appartenant à des domaines divers ;

Mademoiselle Marguerite Montreuil, qui nous a fourni des termes français et nous a aimablement fait parvenir une riche et très utile documentation dans le domaine de l'habillement ;

Mademoiselle Henriette Dupuis, qui nous a fourni des renseignements sur la terminologie des appareils électroménagers ;

de l'Office de la langue française:

Monsieur Louis-Jean Rousseau, chef du Service des travaux terminologiques, qui a accepté notre demande de collaboration et qui a confié aux personnes concernées les recherches terminologiques que nous avons demandées ;

Mademoiselle Micheline Cayer, qui a compilé, révisé et complété les documents terminologiques fournis par le Service des consultations de l'Office et qui nous a ainsi fourni de précieux renseignements dans les domaines du sport et des jeux, de l'industrie et de la technique, du droit et de la politique, ainsi que dans divers autres domaines ;

Madame Thérèse Villa, responsable du secteur de la terminologie de l'étiquetage, qui nous a fourni un exposé très bien informé, très détaillé et très précis sur différents termes du domaine de l'alimentation ;

Madame Marie-Éva De Villers-Sidani, chef de la terminologie de la gestion, qui nous a fourni des termes français dans le domaine de la gestion d'entreprise ;

Madame Raymonde Morand, du Service des consultations, qui nous a fourni un bon nombre d'équivalents français dans des domaines divers ;

Monsieur Claude Poirier, de l'Université Laval, qui nous a donné certains renseignements au sujet des legs gallo-romans dans le parler franco-québécois, qui a complété notre relevé en nous signalant divers anglicismes qui ont cours dans la région de Québec et qui nous a donné certains conseils au sujet de la présentation de notre ouvrage ;

Monsieur Émile Seutin, de l'Université de Montréal, qui nous a aidé à établir l'origine de certains termes propres au franco-québécois ;

Monsieur Yves Morin, de l'Université de Montréal, qui a mis différents ouvrages à notre disposition pour nous permettre de déterminer l'ascendance de divers termes québécois et qui a fourni lui-même quelques réponses à nos questions ;

Monsieur et Madame Léopold Pierre-Auguste, qui ont pris un intérêt chaleureux aux questions de langue que nous leur avons soumises et qui nous ont fourni les équivalents français d'un bon nombre de termes anglo-québécois populaires ;

Monsieur Claude Rossignol, qui nous a renseigné sur les significations précises de mots anglais employés par les consommateurs de stupéfiants et qui dans certains cas nous a indiqué le terme français correspondant.

Mademoiselle Marie-Paule Lemasson, qui a fait des démarches empressées pour nous trouver certains équivalents français de niveau populaire.

Nous adressons nos sincères remerciements à toutes ces personnes, dont la collaboration a été précieuse pour la réalisation du présent ouvrage.

PLAN DE L'OUVRAGE

TABLE DES ABRÉVIATIONS ET SIGNES UTILISÉS

a.	aussi
A.A.	anglicisme-archaïsme (voir l'Introduction, section « Remarques sur la première partie », 9ᵉ paragraphe)
abrév.	abréviation
abs.	employé absolument (sans complément d'objet direct)
Acad. fr.	Académie française
A C E F	(le terme anglais) a cours en France
adj.	adjectif
adm.	administratif, -ive
adv.	adverbe
A M C E F	(l'anglicisme de sens) a maintenant cours en France
amér.	américain
angl.	anglais
approx.	équivalence approximative entre les réalités désignées respectivement par l'expression québécoise inspirée de l'anglais et l'expression française proposée en remplacement
approxᵗ	approximativement
arg.	argotique *ou* argotiquement
a.s.d.	au sujet de
	(+ *le*, = *au sujet du* ; + *les*, = *au sujet des* ; + *un(e)*, = *au sujet d'un(e)* ; + *des* (article indéfini), = *au sujet de, au sujet d'* (lorsque le nom ou l'adj. qui suit commence par une voyelle ou un h muet)
auj.	aujourd'hui
auto.	domaine de l'automobile
B E	exemple(s) de bon emploi (du mot cité)
Bibl.	Bibliographie (voir l'Introduction, section « Objet de l'ouvrage et conventions particulières », 5ᵉ paragraphe)
brit.	britannique
c.-à-d.	c'est-à-dire
cap. us.	caprice de l'usage (voir l'Introduction, section « Remarques sur la première partie », 5ᵉ paragraphe)
cf.	confer, se reporter à *ou* à rapprocher de
coll.	collection
dict.	dictionnaire(s)
éd.	édition
équiv.	équivalent
ex.	exemple
expr.	expression(s)
ext.	extension
f.	féminin (voir l'Introduction, section « Remarques sur la deuxième partie », 13ᵉ paragraphe)
fam.	familier, familière *ou* familièrement
fig.	figuré
fr.	français
habit.	habituellement
humor.	humoristique *ou* humoristiquement
ibid.	ibidem, de la même source
id.	idem, la même chose
ind.	industrie
interj.	interjection
inv.	invariable
iron.	ironique *ou* ironiquement
lg.	langue
lg. cour.	langue courante
lg. techn.	langue technique
lgg.	langage
litt.	littéraire
litᵗ	littéralement
m.	masculin (voir « f. » plus haut)
n.	nom
néol.	néologisme
nᵒ	numéro
OLF	Office de la langue française
oppos.	opposition
p.	page(s)
parf.	parfois
p.c.q.	parce que

péj.	péjoratif, -ive, -ivement
pers.	personne(s)
p. ex.	par exemple
pl.	pluriel
pop.	populaire *ou* populairement
p. p.	participe passé
p. pr.	participe présent
pr.	prononcé
prnm.	forme pronominale
probabl.	probablement
pron.	prononciation
qch.	quelque chose
qcq.	quelconque
qn	quelqu'un
qual.	qualificatif
québ.	québécois
rem.	remarque
resp.	respectivement
R.P.	rappels du passé (voir l'Introduction, section « Objet de l'ouvrage et conventions particulières », 4ᵉ paragraphe)
S.	Source: (voir l'Introduction, section « Objet de l'ouvrage et conventions particulières », 5ᵉ paragraphe)
sing.	singulier
s.o.	someone
souv.	souvent
sth.	something
surt.	surtout
syll.	syllabe
syn.	synonyme
techn.	technique
v.	voir (l'ouvrage cité ou indiqué par un symbole renvoyant à la bibliographie, ou, à son rang alphabétique dans le chapitre concerné, le terme mentionné ; peut être placé sans complément après une phrase ou un membre de phrase dans une note et se rapporte en ce cas au terme en caractères différenciés qu'il suit)
var.	variante
vb in.	verbe intransitif
vb tr.	verbe transitif
Vi	vieilli (quand ce symbole est placé **avant** un des équivalents français plutôt qu'après le terme anglais ou après un de ses équivalents français, il se rapporte à l'acception du terme anglais que cet équivalent représente: il veut dire que le terme anglais n'est plus très employé dans cette acception)
vol.	volume
voy.	voyelle
vulg.	vulgaire
Vx	vieux (même remarque qu'au sujet de « Vi »)
=	signifie
+	suivi de
/	S'emploie pour signifier « ou » lorsque deux expressions équivalentes données à la suite comportent un début commun qui n'est pas répété dans la deuxième expression ou un élément final commun qui n'apparaît qu'après l'élément initial de la deuxième expression. S'emploie aussi entre deux termes (ou séparant tous les termes d'une suite de plus de deux) pour signifier qu'une remarque, une mention quelconque ou un signe qui suit ou qui précède l'ensemble de termes s'applique à chacun de ces termes. S'emploie également pour indiquer que dans une suite de termes anglais (ou calqués de l'anglais) et une suite d'équivalents français, les éléments de chaque suite se correspondent un à un.
.	Ce point en position élevée, qui suit une voyelle dans la notation d'un emprunt assimilé, veut dire que la voyelle est prononcée allongée.
,	Dans la reproduction en italiques de la prononciation d'un emprunt anglais assimilé, l'apostrophe après une consonne en fin de mot veut dire que cette consonne se prononce.

Note: Les abréviations qui représentent des ouvrages où sont puisés les équivalents français des anglicismes, et qui sont habituellement précédées des symboles « S », « D'après » ou « V. », se trouvent expliquées dans la bibliographie placée à la fin du dictionnaire et intitulée « Ouvrages et périodiques généraux consultés ». Les abréviations de domaine d'activité, qui sont précédées de l'abréviation « Bibl. », se trouvent expliquées dans une deuxième bibliographie figurant sous le titre « INDEX PAR DOMAINE des termes spécialisés avec BIBLIOGRAPHIE élémentaire pour chaque domaine ». Voir à ce sujet l'Introduction, section « Objet de l'ouvrage et conventions particulières », 5ᵉ paragraphe.

INTRODUCTION

Objet de l'ouvrage et conventions particulières

Ce dictionnaire des anglicismes donne toutes les formes d'emprunt à l'anglais qu'on rencontre au Québec: anglicismes de sens, expressions calquées de l'anglais, termes anglais ou dérivés de l'anglais, anglicismes de syntaxe, de morphologie, de prononciation et de graphie, selon un classement qui sera exposé plus loin. Bien qu'ouvrage de référence exact, il ne se veut pas qu'un dictionnaire des difficultés ; il se veut un répertoire le plus complet possible des marques de l'influence anglaise dans la langue des Québécois francophones. C'est un ouvrage à la fois descriptif et normatif.

Les anglicismes cités sont pris dans toutes les régions du Québec. On notera, toutefois, que la région d'emploi n'est mentionnée que lorsqu'il s'agit d'un territoire relativement limité. Ainsi, la grande région de Montréal, comme lieu d'emploi, n'est jamais mentionnée.

Le dictionnaire donne les anglicismes d'une certaine diffusion dans la langue écrite aussi bien que dans la langue parlée et dans les couches inférieures de la société aussi bien que dans la classe plus cultivée. Il ne nous a paru utile, cependant, de mentionner le niveau de langue en cause qu'au sujet de l'origine anglaise et des équivalents français.

Dans la ligne de la dimension descriptive dont nous avons parlé, nous avons inclus dans le dictionnaire, outre les anglicismes de la langue moderne, ceux qui sont en régression (marqués de la mention « Vi », pour *vieilli*), ceux qui sont nettement anciens (marqués de la mention « Vx », pour *vieux*) en ce sens qu'ils ne sont plus maintenant employés que par des gens âgés — sauf dans quelques régions reculées du Québec — ou bien d'une façon humoristique ou dépréciative, ou en ce sens que la chose désignée ne se rencontre plus guère, et enfin ceux qui rappellent des réalités d'autrefois et qui ne s'emploient plus que dans des conversations sur le passé (marqués par la mention « R.P. », pour *rappels du passé*).

Portant sur la langue courante, ce dictionnaire ne se limite toutefois pas aux termes généraux: il donne aussi les termes techniques ou spécialisés qui sortent quelque peu du cercle restreint des techniciens ou spécialistes pour pénétrer dans le public. Pour établir les équivalents français de ce dernier genre de termes, l'auteur a suivi les méthodes de la recherche terminologique rigoureuse et a puisé aux traités, aux périodiques spécialisés et aux dictionnaires reconnus généralement comme sources autorisées. La source de l'équivalent français est indiquée à l'aide du symbole « S. » suivi d'une forme de code (ou suivi du titre complet si l'ouvrage, d'un intérêt trop particulier, ne figure pas dans la bibliographie). Lorsque nous n'avons pas trouvé telle quelle l'expression française équivalente dans la source mais que nous nous sommes seulement inspiré de celle-ci, la mention est « D'après » plutôt que « S. ». Le code qui suit ces mentions renvoie à l'une ou l'autre des deux bibliographies données à la fin du livre. La première contient les ouvrages généraux et s'intitule « Ouvrages et périodiques généraux consultés ». Lorsque la source fait partie de celle-ci, ledit code qui suit le « S. » ou le « D'après » est un mot, une expression ou une abréviation qui représente le titre ou l'auteur et qu'il suffit d'aller trouver à son rang alphabétique dans la bibliographie si l'on veut la référence complète. La deuxième bibliographie contient les ouvrages spécialisés, répartis par domaine, et est intégrée à un index des anglicismes par domaine, sous le titre « INDEX PAR DOMAINE des termes spécialisés avec BIBLIOGRAPHIE élémentaire pour chaque domaine ». On reconnaît qu'une indication de source renvoie à cette bibliographie à ce que le « S. » ou le « D'après » est suivi de « Bibl. » et d'une abréviation de domaine suivie d'un numéro. En effet, les ouvrages de chacun des domaines sont numérotés et les domaines sont classés dans l'index par ordre alphabétique d'après leur abréviation, placée devant leur énoncé au long. La mention « S. OLF » veut dire qu'il s'agit d'un terme choisi par l'Office de la langue française du Québec et qui nous a été communiqué oralement par des terminologues de cet organisme. Cette mention est suivie de la source écrite en question lorsqu'il s'agit d'un terme normalisé par l'OLF et publié dans un numéro de la Gazette officielle du Québec. Il n'y a pas d'indication de source quand le terme français, bien qu'appartenant à un domaine particulier, fait partie des connaissances communes, ni quand il s'agit d'une source orale (c'est-à-dire lorsque nous avons obtenu le terme français de la bouche de personnes bien informées, à savoir des gens, Français ou Québécois, qui ont été longtemps en contact avec l'usage linguistique de France dans le domaine concerné) ou d'une source « visuelle » (c'est-à-dire lorsque nous avons constaté nous-même en France, par exemple à l'aide de l'affichage administratif ou commercial, quel était l'usage français).

Il y a un point d'interrogation entre parenthèses à la suite de l'équivalent français donné lorsque l'auteur n'a pu trouver de solution satisfaisante dans les ouvrages disponibles et propose lui-même un terme français.

Les équivalents français d'un même anglicisme sont séparés par une virgule lorsqu'il s'agit de synonymes et par un point-virgule lorsqu'il s'agit de mots de sens différent.

Dans un anglicisme, une désignation anglaise d'origine ou un équivalent français, un élément entre parenthèses est un élément qui peut se sous-entendre. S'il s'agit, cependant, d'un simple e dans un affixe français accolé à un emprunt, les parenthèses marquent que le e est muet. S'il s'agit, d'autre part, de mots français faisant suite à une entrée anglaise, les parenthèses indiquent que les mots français se placent au début de l'expression formée de mots français et anglais. Dans l'index par domaine, les parenthèses servent également à indiquer que des éléments placés à la fin d'une expression, à cause des nécessités du classement alphabétique, doivent se lire au début de cette expression.

Quant aux niveaux de langue indiqués au sujet des équivalents français, il est important de connaître leur signification sur le plan normatif. Signalons d'abord que le niveau soutenu, ou soigné, qui est le niveau normal, n'est jamais mentionné ici, étant à sous-entendre à chaque fois qu'il n'y a pas de niveau de langue d'indiqué (sauf lorsque l'anglicisme est une expression imagée familière et que la seule expression française correspondante est nécessairement et évidemment de ce même niveau familier). Lorsque, pour un anglicisme donné, on a un choix de niveaux de langue quant à l'équivalent français, le lecteur doit choisir le niveau qui convient aux circonstances dans lesquelles il a à s'exprimer. Le niveau familier (indiqué par « fam. ») est celui (pour citer le dictionnaire Robert) « qu'on emploie naturellement en tous milieux dans la conversation courante, et même par écrit, mais qu'on évite dans les relations avec des supérieurs, les relations officielles et les ouvrages qui se veulent sérieux ». Le niveau populaire (noté par « pop. ») est le niveau, pour ainsi dire, des « termes de la rue » ; il représente un langage encore moins distingué que le niveau familier, mais il est légitime, même de la part de gens cultivés, pour faire image ou pour frapper l'interlocuteur. Le niveau argotique (noté par « arg. ») se situe à un cran plus bas que le niveau populaire sur le plan social et il marque un degré élevé de familiarité entre les interlocuteurs. Le niveau vulgaire (noté par « vulg. ») correspond aux termes qui pèchent ordinairement contre les règles de la bienséance ; ce genre de termes ne peut s'employer que pour marquer des sentiments particulièrement intenses (colère, révolte) que seuls des mots spéciaux peuvent rendre. Enfin, pour revenir au sommet de la pyramide, au-dessus du niveau soigné, il y a le niveau littéraire (indiqué par « litt. »), qui, cela va de soi, convient aux oeuvres littéraires. Aucun des niveaux de langue n'est donc à rejeter en soi ; tout est une question de circonstances dans lesquelles on parle.

Subdivisions du dictionnaire

Le dictionnaire est divisé en deux parties principales ; on peut appeler la première celle des mots français et la deuxième celle des mots anglais. Dans le premier cas, il s'agit de mots français qu'on emploie dans un sens qu'ils n'ont pas en français, sous l'influence de mots anglais ressemblants, ainsi que d'expressions faites de mots français mais non attestées dans la langue française et créées chez nous par traduction littérale d'expressions anglaises ; ce sont ces deux sortes d'anglicismes que nous appelons respectivement « anglicismes de sens » et « locutions calquées ». Dans l'autre partie, il s'agit, pour une première catégorie formant le premier et principal chapitre, d'emprunts directs de l'anglais, sans traduction, donc de termes anglais ou d'expressions anglaises, soit empruntés tels quels, soit munis d'affixes français, soit phonétiquement assimilés, et, pour une deuxième catégorie formant un deuxième et court chapitre, de mots créés, sous l'influence de l'anglais, par union d'un radical et d'un affixe tous les deux français mais qu'on ne trouve pas réunis dans le français standard ; ces catégories consistent toutes les deux en des mots étrangers au lexique français et c'est pourquoi nous les avons réunies sous la désignation « anglicismes de vocabulaire ».

Ainsi, la personne qui doute du bon emploi d'un terme français ou du bien-fondé d'une locution française consultera la première partie du dictionnaire, et celle qui veut connaître l'équivalent français d'un terme anglais ou d'un mot d'apparence française qui ne figure pas aux dictionnaires français, se reportera à la deuxième partie.

Une troisième partie complémentaire, intitulée « Autres anglicismes », donne les anglicismes moins nombreux, à savoir les anglicismes syntaxiques, morphologiques, phonétiques et graphiques. On aura intérêt à lire cette partie systématiquement, tout comme d'ailleurs la première partie, car il s'agit là des sortes d'anglicismes qui sont les moins apparents, donc qu'on est le moins susceptible de soupçonner dans son langage.

Remarques sur la première partie

Un *anglicisme de sens* (ou « anglicisme sémantique » selon une terminologie très courante) est donc un mot français employé dans le sens qu'a son « sosie » anglais et que n'a pas le mot dans le français universel, ou « français standard ». Il peut s'agir d'un sosie de forme, c'est-à-dire d'un mot anglais dont la plupart des lettres sont identiques à celles du mot français en question (comme par exemple *control* par rapport à *contrôle*), ou bien d'un sosie de sens général, c'est-à-dire d'un mot anglais qui, au point de vue du sens, est l'équivalent habituel du mot français concerné, bien qu'il ne lui ressemble pas par la forme (comme par exemple *broken* par rapport à *cassé*). C'est à cause de cette ressemblance formelle ou de cette correspondance sémantique générale qu'on traduit automatiquement un mot par l'autre et qu'on commet ainsi des anglicismes de sens, car les champs de signification des deux mots ne se recouvrent pas complètement, sinon pas du tout dans le cas des sosies de forme.

Une *locution calquée* (qu'on peut appeler aussi « anglicisme locutionnel ») est une expression traduite littéralement de l'anglais et non existante, ou bien existant dans un autre sens, dans le français universel.

Ce d'après quoi sont déterminés les véritables champs de signification des mots français et la légitimité des locutions formées de mots français, c'est l'usage français « authentique » (c'est-à-dire non imprégné de l'influence anglaise), celui qui est consigné dans les dictionnaires français, celui qu'on découvre dans les journaux français et chez les auteurs français ; c'est le « français universel », ou « français standard ». C'est là l'usage qui est généralement reconnu comme la norme dans le monde de la linguistique au Québec. Il saurait d'ailleurs difficilement en être autrement tant que nous voudrons appartenir à la communauté linguistique française. Dans tous les pays et à plus forte raison dans les grandes communautés linguistiques, la norme ne se détermine pas au gré des préférences des individus — ce qui instaurerait la jungle et la tour de Babel — mais se fonde sur le parler d'une région, plus ou moins étendue, que des facteurs économiques, politiques et autres ont hissé au rang de capitale culturelle et de chef de file linguistique. Le critère géographique ne fait donc pas loi pour les seuls habitants de la francophonie. Aussi nous sentons-nous parfaitement fondé à adopter pour norme l'usage français que nous avons décrit plus haut.

Les différents anglicismes cités dans le dictionnaire s'écartent à des degrés divers du sens que confère aux mots concernés l'usage français. À la lumière des remarques faites et en s'aidant au besoin d'un dictionnaire français, le lecteur pourra juger lui-même du degré de gravité des différents anglicismes ; nous lui avons laissé ce soin, d'autant plus que les anglicismes sont en principe tous à éviter.

Il arrive qu'un emploi de mot ou une expression cités comme anglicismes soient conformes à la définition que les dictionnaires donnent du mot ou des composantes de l'expression en question, qu'ils concordent avec le sens général français du mot ou des éléments de l'expression. Mais, pour le sens particulier dans lequel le mot est employé dans le contexte cité, ou pour désigner la réalité que l'expression veut désigner, l'usage a consacré un autre mot ou une autre expression. C'est ce genre de phénomènes que nous voulons signaler par la mention « Cap. us. », abréviation de *caprice de l'usage*, placée parmi les remarques.

Dans d'autres cas, l'anglicisme ne contrarie pas la sémantique ni le lexique français, mais il ne cadre pas avec le contexte ou constitue une formule non conforme au génie du français bien que licite lexicalement, grammaticalement et au point de vue de la construction ; en somme, il pèche contre le style plutôt que contre la langue même. Dans ce genre de cas, nous faisons la remarque « Anglicisme de style ».

Dans la définition des anglicismes de sens et des locutions calquées, nous avons parlé de sosie et de traduction littérale mais aussi, il ne faut pas l'oublier, de non-conformité au français standard. Il ne suffit donc pas qu'un terme ressemble à l'anglais pour qu'il soit impropre. Une foule de mots et d'expressions français se trouvent à ressembler à des mots et expressions anglais et ils ne constituent pas pour autant des anglicismes. On peut citer comme exemples les termes suivants, qui, malgré leur pendant anglais, figurent dans les dictionnaires français avec le sens dans lequel ils sont couramment employés: *briseur de grève*, *capitale* (lettre majuscule), *chèque certifié* (portant une attestation de suffisance de provision et dont la somme est immédiatement prélevée dans le compte du client de la banque et virée dans un compte de certification), *costume de bain*, *entrées* d'un dictionnaire, *générer* (engendrer, produire), *lister* (mettre en liste), *patient* (qui reçoit les soins d'un médecin), *pine* (membre viril), *plaider coupable / non coupable*, *promotion des ventes*, *promotion immobilière*, *vente promotionnelle*, *station* (radiophonique), *téléphone public*, *TV* (comme abréviation de *télévision*, bien que *télé* soit plus courant), *volume* (d'une radio, d'un téléviseur, pour désigner l'intensité du son). Ce qui compte, ce n'est pas la non-ressemblance avec l'anglais, c'est la conformité à l'usage français. Autrement, il faudrait se priver de dire « bonsoir » parce qu'en anglais on dit « good evening » ou « joyeux Noël » pour éviter de calquer « merry Christmas ». La prise de connaissance des nombreux calques qui ont cours au Québec amène souvent une volonté automatique de s'éloigner de la façon de dire anglaise. C'est pourquoi nous croyons devoir souligner qu'il ne faut pas rejeter de prime abord tous les termes qui ont un sosie dans la langue anglaise, mais simplement avoir « la puce à l'oreille » lorsqu'on constate la ressemblance et voir au dictionnaire si le terme est français dans l'emploi qu'on veut en faire.

Un mot n'est jamais un anglicisme sémantique en soi ; il ne l'est qu'employé dans un certain sens ; ceux qui sont cités dans la première partie du dictionnaire, en l'occurrence, ne sont des anglicismes sémantiques que dans le sens où ils y sont donnés, et qui se reconnaît par le contexte (la phrase ou la partie de phrase) dans lequel ils sont placés. Un mot du lexique français qui est un anglicisme dans un certain sens reste un mot français en soi et est donc correct dans d'autres sens. Après avoir constaté qu'un mot s'emploie comme anglicisme, on est souvent porté à bannir ce mot de son vocabulaire comme s'il était mauvais en soi ou impropre dans tous les contextes. On se prive ainsi de moyens d'expression utiles sinon nécessaires. Afin d'éviter au lecteur cet appauvrissement regrettable de ses moyens d'expression, ou encore le sentiment de commettre constamment — et fatalement — des impropriétés de langage, nous précisons, dans chaque cas où ce n'est pas généralement connu, quels sont les sens français (du moins les plus courants) du mot cité. Au lieu de définitions, nous donnons parfois des exemples de bon emploi du mot, c'est-à-dire des phrases — introduites par les lettres « B E », pour *bon(s) emploi(s)* — où le mot est employé dans ses véritables significations. Lorsqu'un mot donné comme anglicisme dans une certaine acception figure ailleurs comme équivalent français d'un autre anglicisme, un renvoi est fait, dans le premier cas, à cet autre anglicisme, comme façon de montrer le caractère français dudit mot dans une acception bien définie et de bien marquer la distinction entre son emploi abusif et son sens français. Malgré ces précisions et indications, le lecteur ne verra pas nécessairement clair tout de suite ni pour toujours. Il doit prendre le temps de bien distinguer le sens incorrect et le sens correct du mot et les mémoriser, au besoin, par des moyens mnémotechniques. Il doit retenir l'équivalent français, c'est-à-dire le terme français correspondant au mot-anglicisme, et le vrai sens français de ce dernier. À cause des habitudes linguistiques bien ancrées qu'elle vient contredire, la prise de connaissance des anglicismes sémantiques qui s'emploient au Québec n'amène habituellement que confusion au début. Mais avec le temps, en revenant sur les significations des mots français et sur les équivalents français des anglicismes (à l'aide de l'instrument tout désigné que constitue ce dictionnaire), on finit par clarifier les choses pour de bon et on en vient à s'exprimer à la fois correctement et avec facilité.

Le présent ouvrage entend par anglicisme: usage qui nous vient de l'anglais. C'est dire qu'il ne donne pas les usages étrangers au français standard qui ressemblent à l'anglais sans nous être venus de lui. Il s'agit là des acceptions ou expressions qu'on pourrait prendre pour des anglicismes au sens traditionnel mais qui viennent effectivement du vieux français ou des vieux dialectes de France. Ces vocables se rangent parmi ce qu'on appelle les « legs gallo-romans ». En voici une liste (qui ne veut pas exhaustive) à titre d'exemple: *appartement* (pièce d'une maison ou d'un logement), *avant-midi* (matinée, matin), *berniques / barniques* (lunettes, bésicles), *bote* (employé aux Iles-de-la-Madeleine et en Gaspésie au sens de bateau), *bouette* (employé aux Iles-de-la-Madeleine au sens d'appât pour la pêche), *cant* (pour chant, côté ou dévers), *canter* (pour incliner ou pencher), *conseil de ville* (conseil municipal), *consomption* (au sens de phtysie ou de tuberculose pulmonaire), *couper* (un animal mâle, le châtrer), *couvert* (d'un pot, d'une marmite, pour couvercle), *criquet* (au sens de grillon), *cru* (froid et humide, en parlant du temps), *dame* (au sens de barrage sur un cours d'eau), *être d'opinion que* (être d'avis que), *gravelle* (au sens de gravier), *insister à* faire quelque chose (insister pour), *marier* (au sens d'épouser), *moulin à scie* (pour scierie), *musique à bouche* (harmonica), *paire de pantalons* (pour pantalon), *patate* (au sens de pomme de terre), *pissou* (lâche, peureux), *plâtreur* (pour plâtrier, vient plus probablement du dialectisme *plastreur* que de l'anglais *plasterer*), *pomper* (tirer les vers du nez à), *ponce* (au sens de boisson faite de gin et d'eau chaude, auxquels peuvent s'ajouter différents ingrédients, tels que muscade, jus de citron, sucre ; cette acception québécoise représente une extension de sens par rapport au vieux terme français ponce, qui désignait un mélange d'eau-de-vie, d'eau, de sucre, de jus de citron et parfois d'autres ingrédients secondaires), *poque* (bleu sur la peau, meurtrissure sur un fruit, marque de coup sur un corps dur), *se darder sur* (se précipiter, foncer sur), *souper* (pour désigner le troisième repas de la journée), *trappe* (pour piège — à souris, à rat). Nous avons pu établir que ces vocables étaient des legs gallo-romans à l'aide de divers ouvrages de dialectologie et des renseignements que nous ont fournis des linguistes. À part ces termes, il y en a d'autres dont le « statut » est moins net: ils correspondent à des usages anciens mais il semble que les Québécois les tiennent plutôt de l'anglais, ou tout au moins que, s'ils les ont conservés du vieux français, l'anglais ait fortement concouru à les maintenir en usage chez eux. Ce genre de terme est qualifié d'*anglicisme-archaïsme*, à l'aide su symbole « A.A.».

La première partie est présentée en colonnes, la première contenant l'anglicisme, la deuxième l'anglais d'origine, la troisième l'équivalent français et la quatrième les remarques qui peuvent s'imposer. Quand une remarque s'applique à un seul des trois éléments contenus dans les colonnes précédentes, celui-ci porte un numéro de renvoi qui se retrouve aussi au début de la remarque. Lorsqu'il n'y a pas de numéro, la remarque s'applique à l'ensemble de l'article.

Dans la première colonne, le mot qui constitue l'anglicisme de sens dans le contexte donné est en caractères **Serif Gothic extra-gras.** Les locutions calquées ou anglicismes locutionnels, eux, sont en **Clarendon Heavy** ; toutefois, si l'un des mots de la locution se trouve employé dans un sens non français et tenant de l'anglais, de sorte qu'il constitue un anglicisme sémantique, il est imprimé en **Serif Gothic.** Dans la deuxième colonne, le terme ou le groupe de termes anglais d'où procède l'anglicisme est en **Optima gras** ; si ces termes sont situés dans un contexte, celui-ci est en Optima Medium, comme d'ailleurs tous les termes anglais cités dans le corps du dictionnaire sans figurer comme entrées ou comme termes d'origine des anglicismes. Dans la troisième colonne, les équivalents français sont en **Helvetica Black Roman**. Dans la quatrième colonne, lorsqu'un renvoi est fait à un anglicisme figurant ailleurs comme entrée, cet anglicisme est noté dans son caractère distinctif. Dans cette colonne *remarques* de la première partie comme dans les notes des autres parties, l'usage des caractères distinctifs dans les renvois permet au lecteur de savoir de quelle sorte d'anglicisme il s'agit et donc à quelle partie du dictionnaire se reporter.

Dans les articles où plusieurs acceptions, ou emplois, sont donnés du terme-anglicisme, le lecteur doit, dans la première colonne, lire jusqu'au point-virgule, qui marque la fin du premier emploi (comme cela a été signalé dans le cas des équivalents français, le point-virgule sépare deux acceptions ou sens différents), puis aller à ce qui est placé vis-à-vis dans les deux colonnes suivantes et revenir ensuite à la première colonne pour traiter de la même façon l'emploi suivant. C'est après avoir ainsi pris connaissance de tous les emplois du terme-anglicisme, de leurs origines dans la langue anglaise et de leurs équivalents français, que le lecteur lira les remarques de la quatrième colonne, qui, elles, ne se subdivisent pas par acception mais concernent la globalité du terme — à moins qu'il n'y ait des numéros de renvoi, auquel cas il n'y a pas d'inconvénient à lire de même toutes les remarques à la fin pourvu qu'on se reporte, en les lisant, aux éléments concernés par les numéros.

Remarques sur la deuxième partie

1° Mots anglais et expressions anglaises

On trouvera dans cette section les emprunts intacts, les emprunts munis d'un ou de deux affixes français et les emprunts phonétiquement assimilés.

Les emprunts intacts sont les termes anglais adoptés tels quels, sans transformation phonétique, comme par exemple le mot *kick* ou le mot *switchboard*.

Les emprunts munis d'affixes français sont les mots anglais auxquels on donne une terminaison française (qui peut s'ajouter au mot entier ou se greffer sur son seul radical) et parfois aussi un préfixe français, comme par exemple les mots *checker, settler, déclutcher*.

Les emprunts phonétiquement assimilés sont les termes anglais auxquels on fait subir des transformations phonétiques qui en font des mots d'apparence française, qui font de tous les sons et suites de sons qu'ils comportent des sons et suites de sons français, ou plus exactement « québéco-français ». C'est le cas, par exemple, de *blagne* (en anglais *blind*), de *conistache* (en anglais *corn starch*) et de *mofleur* (en anglais *muffler*). Les emprunts assimilés, en plus des transformations au niveau des phonèmes constitutifs, peuvent avoir subi en même temps une adjonction d'affixe français.

Ces trois sortes d'emprunts, classés dans un ordre alphabétique unique, sont distingués par des caractères différents. Les emprunts intacts sont en **Optima gras,** comme le sont les termes anglais d'origine dans la première partie, les emprunts avec affixes français sont en **Optima gras** pour leur partie anglaise et en **Serif Gothic extra-gras** pour leur élément français. Les emprunts assimilés sont en *Optima italiques gras*. Ainsi, les exemples cités plus haut sont imprimés de la façon suivante: **kick, switchboard, checker, settler, déclutcher,** *blagne, conistache, mofleur.*

À l'intention des usagers qui pourraient chercher un emprunt assimilé plutôt sous sa forme originelle anglaise, nous inscrivons aussi comme entrée, à son rang alphabétique, la forme anglaise intacte qui correspond à l'emprunt assimilé, avec renvoi à ce dernier pour la connaissance de l'équivalent français ; si cette forme intacte n'est aucunement employée par les Québécois, elle est mise entre parenthèses. Quand un mot a cours sous sa forme anglaise et sous une forme assimilée, nous « traitons » (c'est-à-dire définissons s'il y a lieu et traduisons en français) celle qui nous est apparue la plus courante, nous contentant de renvoyer à cette dernière dans le cas de l'autre.

Il nous faut préciser que le qualificatif d'« intact » au sujet des emprunts est relatif et ne tient pas compte de légères adaptations, qui sont de l'ordre de l'allophonie plutôt que de la phonématique et ne sont pas comparables aux véritables transformations qu'on trouve chez les emprunts assimilés. Ces adaptations sont les phénomènes de « dérétroflexion » (p. ex. passage du r anglais au r français ou franco-québécois), de « dévélarisation » (passage du l vélaire anglais au l dental français), d'arrondissement labial (passage du o ouvert de l'anglais « flush » à celui du français « roche »), d'ouverture (passage du i intermédiaire au é, du a postérieur anglais plus fermé au a postérieur français plus ouvert), de fermeture (passage du i intermédiaire au i cardinal), de « dédiphtongaison » finale (comme dans « sleigh » prononcé slé et « low » prononcé lo, sans double son final), de non-aspiration des consonnes que l'anglais aspire, d'explosion des consonnes qui sont en anglais implosives, d'affrication des t et des d, de raccourcissement de voyelle et de déplacement des accents toniques. La ligne de démarcation a parfois été difficile à établir entre simple « adaptation » et « transformation » véritable ; nous croyons l'avoir établie le moins arbitrairement possible en la fixant à la frontière des phénomènes précis que nous venons de mentionner, excluant ainsi ceux qui en sont même très voisins en importance. Les phénomènes d'adaptation ou de transformation phonétique comme critère de classement sont considérés indépendamment de leur nombre dans un mot: il suffit d'un seul phénomène de transformation dans le mot pour le faire classer comme assimilé, et plusieurs phénomènes d'adaptation dans un mot ne le font pas pour autant considérer comme assimilé (nous avons toutefois fait exception pour quelques mots qui, bien que ne subissant que des adaptations, sont tellement intégrés à la culture franco-québécoise qu'il était difficile et aurait paru artificiel de les présenter sous une forme orthographique anglaise). Ces critères précis ou analytiques de classement nous ont paru préférables à des critères globaux et plus vagues, tels que l'aspect familier du terme sur le plan phonétique ou sa naturalisation grammaticale par l'emploi au féminin. Beaucoup de mots anglais sont composés d'allophones de phonèmes français (c'est-à-dire de sons très semblables à eux, de sons qui n'en paraissent que des variantes), de sorte qu'il suffit d'adaptations comme celles qui sont énumérées plus haut pour en faire des mots à physionomie parfaitement française ; ce que nous avons considéré, comme critère d'assimilation, ce n'est pas la concordance des sons des emprunts avec le système phonétique français, c'est le **changement** subi par les mots anglais.

Nous avons trouvé plus pratique pour le lecteur non linguiste que les emprunts assimilés soient notés en alphabet ordinaire plutôt qu'en alphabet phonétique. Ceux-ci sont donc écrits selon les règles de correspondance grapho-phonétiques qu'observe le français (plus précisément, celui parlé au Québec). Il y a des « e » muets en fin de mot et en fin de syllabe là où on en mettrait en français et le digramme « ou » représente la voyelle de « boule » ou de « roue », tout comme les quatre voyelles nasales « phonétiques » sont représentées par les digrammes « in », « un », « an », « on » et comme le digramme « eu » représente la voyelle de « feu » ou la diphtongue de « fleur » selon la nature de l'environnement d'après les mêmes règles que celles suivies dans le français du Québec. L'accent circonflexe sur le « o » indique qu'il s'agit du o fermé (celui de « côté » ou de « sauvé ») et sur le « a » il indique qu'il s'agit du a postérieur (celui de « pâté » ou de « tassé »). Évidemment, il s'agit là du a québécois (qui se distingue considérablement du a français) et en syllabe accentuée terminée par une consonne, ces deux phonèmes deviennent les diphtongues québécoises que l'on connaît plutôt que des voyelles longues comme en français.

Les signes « t$_s$» et « d$_z$» notent les consonnes affriquées qu'on rencontre dans la prononciation québécoise des mots « tu » et « du ». Les signes « qu$_i$ » et « gu$_i$ » notent le k palatalisé et le g palatalisé qu'on trouve dans la prononciation québécoise populaire de la deuxième syllabe de « choqué » et du monosyllabe « guêpe » respectivement.

Lorsque, dans un mot anglais pluriel figurant comme entrée, le s final n'est pas prononcé en québécois, il est imprimé en caractère Optima Medium. Lorsque, dans un mot anglais figurant comme forme originelle d'un emprunt assimilé, la consonne finale est imprimée en Optima Medium, cela indique au lecteur que cette consonne n'est pas prononcée en anglais populaire. Cette indication est de nature à expliquer mieux comment ce mot anglais a pu aboutir à la forme citée comme emprunt assimilé.

Pour ce qui est de la présentation, on trouvera sur une première ligne l'emprunt, accompagné d'une précision phonétique ou autre lorsqu'il y a lieu et suivi, quand il s'agit d'un emprunt assimilé, du terme anglais dans sa forme originelle, placé entre crochets et accompagné parfois d'une précision quelconque (ce terme anglais est en **Optima gras**). En dessous entre parenthèses peuvent se trouver une définition ou simplement un élément de délimitation sémantique du mot, un exemple d'emploi, la mention du domaine d'emploi, la mention de la région d'emploi ou du genre d'endroit où l'on trouve l'emprunt écrit. Ensuite viennent les équivalents français (imprimés, toujours, en **Helvetica Black Roman**), accompagnés des distinctions et remarques nécessaires.

Lorsqu'un emprunt s'emploie au féminin chez nous, cela est indiqué par la mention « f. ». La précision du genre, par « f. » ou par « m. », est parfois donnée aussi à propos d'un équivalent français qu'on serait facilement porté à croire d'un autre genre.

Les emprunts munis d'affixes français existent seuls dans la langue ou bien y existent à côté d'emprunts intacts dont ils sont des dérivés. Parmi les dérivés, nous nous sommes limité à citer ceux qui présentent une variation sémantique par rapport au mot-souche et ceux qui sont très employés, car il est possible de former des dérivés (verbe, adverbe, adjectif) pour presque tous les noms et il n'aurait guère été utile d'illustrer ce fait dans le présent dictionnaire. Parfois, notamment dans l'index par domaine, les dérivés ne sont notés que par la terminaison française précédée d'un tiret qui représente le radical anglais.

Les termes empruntés à l'anglais sont parfois employés chez nous dans d'autres sens que ceux qu'ils ont en anglais. Qu'il soit entendu que l'équivalent français que nous donnons n'est pas nécessairement la traduction du mot anglais comme tel mais représente le sens dans lequel celui-ci est employé au Québec.

Sont donnés parmi les anglicismes de vocabulaire les mots que le français a empruntés à l'anglais (donc qui figurent dans les dictionnaires français) et que le parler québécois a empruntés dans un autre sens que le français.

Sont considérés et cités comme anglicismes les mots ou expressions que l'anglais a empruntés au latin ou à d'autres langues et que les Québécois ont empruntés à l'anglais.

Beaucoup de mots composés anglais s'écrivent avec ou sans trait d'union selon la source qu'on consulte. Nous avons, en la matière, suivi l'usage du dictionnaire Harrap (voir la bibliographie générale). Dans le cas des mots relevés dans la langue écrite, nous avons adopté l'usage le plus courant. D'autre part, toujours dans les mots composés, qu'on peut appeler expressions, ou articles à plusieurs mots au point de vue graphique, les différents mots « graphiques » sont considérés isolément aux fins du classement alphabétique, le premier seulement déterminant la place de l'expression parmi les autres articles (qui ne comprennent pas ce mot graphique). Ainsi, on trouvera **back-hand, back-house, back-lash, back order** et **back-pay** avant **backer** et **background,** le deuxième mot graphique marquant le début d'un ordre alphabétique interne dans le groupe des composés.

2° Mots formés d'un radical français et d'un affixe français par calque de mots anglais ressemblants

Ces mots sont d'aspect parfaitement français parce qu'ils sont des dérivés d'un radical français et que l'affixe qu'on joint à celui-ci fait partie des morphèmes qu'on trouve dans le français (la physionomie française ne se situe pas ici sur le plan des phonèmes pris individuellement mais sur le plan de la familiarité de l'essentiel du mot, elle n'est pas due à l'assimilation phonétique du mot anglais mais à sa traduction — littérale — par un radical français et un affixe français, lesquels ne se trouvent pas réunis dans le français universel) ; ces mots ne présentent donc aucune apparence de parenté avec l'anglais et nous avons cru pour cela devoir les classer à part des emprunts directs. D'ailleurs, une catégorie distincte, signalée dans le plan de l'ouvrage, était de nature à attirer l'attention du lecteur sur l'existence de ce genre de mots.

Ces mots n'existant pas dans le lexique français, il est évident, d'autre part, qu'ils ne pouvaient figurer que dans les anglicismes « lexicaux » (terme assez courant qui désigne ce que nous appelons ici anglicismes de vocabulaire).

Les caractères d'imprimerie utilisés sont les mêmes que dans le cas des emprunts assimilés.

Remarques sur la troisième partie

Pour ne pas multiplier le nombre de caractères, les nombreuses catégories d'anglicismes de cette partie sont imprimées dans le même caractère que les anglicismes sémantiques, à l'exception des anglicismes morphologiques de désinence et des anglicismes d'orthographe, qui sont, eux, dans le même caractère que les emprunts assimilés vu qu'ils constituent des formes phonétiquement françaises mais absentes du lexique français. Cette absence de caractère distinctif ne pose pas de problème car il n'est pas fait de renvoi, dans les parties précédentes, aux anglicismes de cette partie et aucun de ces derniers ne figure dans l'index par domaine (l'emploi de caractères différents dans le dictionnaire ayant pour principal but de rattacher un anglicisme mentionné en note ou dans l'index à une catégorie et à une partie du dictionnaire).

Remarques sur l'index par domaine

Ceux qui consulteront l'index par domaine sont susceptibles d'y chercher la traduction française de termes qu'ils rencontrent dans le secteur d'activité où ils oeuvrent et donc qu'ils connaissent sous leur forme intacte. C'est pourquoi seules les formes intactes des emprunts assimilés figurent comme entrées, avec à côté la forme assimilée qui a cours au niveau de la langue courante. La même convention est utilisée ici, c'est-à-dire que les formes anglaises originelles qui ne sont pas employées dans la langue courante sont mises entre parenthèses. Également, les mêmes caractères représentent la même sorte de termes que dans le corps du dictionnaire. Les numéros de page ne sont donc pas donnés, le lecteur n'ayant qu'à se reporter à la partie concernée et à y chercher à son rang alphabétique l'anglicisme dont il veut connaître l'équivalent français.

PREMIÈRE PARTIE

ANGLICISMES

DE SENS

ET

LOCUTIONS

CALQUÉES

anglicisme	anglais	français	remarques
abréger 50 cageots par jour	v. **average** et **averager**		
abus physiques sur les enfants,	physical **abuses**,	**mauvais traite-ments, sévices,**	B E : Faire des abus dans le boire et le manger. Abus d'autorité. Abus de pouvoir. Abus de confiance. L'usage abusif d'un médicament. Emploi abusif d'un mot (= dans un sens qu'il n'a pas). Mère abusive (= qui maintient son enfant dans une trop grande dépendance affective). Veuve abusive (= qui exploite la notoriété du défunt à son profit). On dit cependant *abuser d'une femme*, au sens de la posséder sexuellement quand elle n'est pas en situation de refuser et, par euphémisme, de la violer.
abus sexuels	sexual **abuses**	**outrages** sexuels	
parents **abusifs**	**abusive** parents	**qui maltraitént les enfants, dénaturés, pervers**	
académie Saint-X / Sainte-Y	**academy**	**école (secondaire)**	Ne peuvent s'appeler *académie* que des établissements où l'on apprend un art ou un sport: *académie de peinture / de danse / d'équitation / de billard*.
académique: année matières formation activités, dossier fonctions, tâches ouvrages, littérature	**academic** year subjects training activities, record duties books, literature	**scolaire ; universitaire théoriques générale scolaire pédagogiques didactique**	B E : fauteuil, réception académique (= de l'Académie) ; inspecteur académique (= d'une académie. v. plus haut la note sur ce mot) ; style académique, (= compassé, froidement ou prétentieusement conventionnel). - V. **formel.**
la compagnie paie la nourriture et l'**accommodation** ; pour l'**accommodation** des visiteurs ; les **accommodations** des hôtels montréalais étaient insuffisantes	**accommodation**	le **logement** : l'**hébergement** : la **capacité d'accueil/de logement**	B E : Le pouvoir d'accommodation de l'oeil permet la vision distincte à des distances différentes.
ça été l'**accomplissement** de sa carrière ; ses **accomplissements** comme administrateur	**accomplishment** ; **accomplisments, achievements**	**couronnement ; réalisations, oeuvres**	B E : L'accomplissement des devoirs religieux, d'une tâche (= l'exécution). L'accomplissement d'une prédiction, d'un voeu, d'un souhait (= leur réalisation).
hôpital **accrédité** (par le ministère de la Santé, par la Commission des normes hospitalières)	**accredited** hospital	**agréé**	*Accrédité* veut dire : qui a reçu l'autorité, par des lettres de créance, pour agir en qualité de représentant (*ambassadeur accrédité auprès d'un État*) ; qui a un crédit (*être accrédité auprès d'un banquier*) ; rendu croyable (*légende accréditée par des témoignages mensongers*).
intérêts **accrus**	**accrued** interest	**courus**	
acheter une assurance	to **buy** insurance	**contracter, souscrire** une assurance	S. Bibl. ASS 5.
prendre de l'**acide**	to take **acid**	du **lysergamide**, du **LSD**	A M C E F.

anglicisme	anglais	français	remarques
actif tangible,	tangible asset,	**bien corporel, élément d'actif corporel,**	S. Bibl. AFF 7.
actifs tangibles,	tangible assets,	**actif corporel,**	
actif intangible,	intangible asset,	**immobilisation incorporelle, bien incorporel, élément d'actif incorporel,**	
actifs intangibles	intangible assets	**actif incorporel**	
c'est le ministère des Finances qui **administre** l'arrêté ministériel	to **administer** a law, a decree	**appliquer**	B E : Administrer des biens, un pays, une municipalité.
administrer un questionnaire	to **administer** a questionnaire	**faire répondre** (qn) **à**	B E : Administrer le baptême à un enfant. Administrer (l'extrême-onction à) un malade. Administrer un antidote, un remède à qn. Administrer une correction, une raclée à un rival. Administrer un test (néol., = faire passer à)
prix d'**admission** (à un spectacle)	admission	**entrée**	B E : Admission au sein d'un club / d'une association / dans une école.
admission: **Pas d'admission**	No admittance	**Entrée interdite, Défense d'entrer**	
Pas d'admission sans affaire	No admittance without business	**Interdit au public, Entrée interdite sans autorisation, Défense d'entrer (sauf pour affaires)**	
affidavit[1] affirmant qu'il était absent	affidavit	**déclaration sous serment**[2]	(1) *Affidavit*, en français, ne désigne qu'une déclaration qui exempte des impôts du pays où elles arrivent des valeurs mobilières déjà imposées dans le pays d'où elles proviennent. (2) S. Thomas A. Quemner, *Dictionnaire juridique français-anglais, anglais-français*, Ed. de Navarre, Paris, 5ᵉ réédition, 1974.
affirmative: répondre **dans l'affirmative, dans la négative**	to answer in the affirmative, in the negative	**par l'affirmative, affirmativement, par la négative, négativement**	
les ministères et **agences** du gouvernement	agency	**organisme, société**	Une agence a essentiellement un rôle d'intermédiaire (*agence matrimoniale, agence de presse, agence de coopération*).
agenda de la réunion ; des journées d'étude	meeting, session agenda	**ordre du jour ; programme**	B E : Ce rendez-vous est inscrit au 7 mars dans mon agenda.

anglicisme	anglais	français	remarques
un vendeur **agressif** ;[1] une politique de vente **agressive** ;[1] un couple où c'est la femme qui est **agressive**	aggressive salesman policy partner	**dynamique, énergique, persuasif ;** **vigoureuse ;** **entreprenante**	(1) A M C E F. *Agressif* veut dire *qui marque la volonté d'attaquer, qui a tendance à attaquer.* Ce mot comporte donc une idée d'hostilité.
Est-ce que je peux vous **aider**?[1]	Can I **help** you?	vous **être utile** ; vous **servir**	(1) Mot d'accueil des commis dans les magasins. On aide quelqu'un qui a des ennuis ou qui a une tâche à exécuter.
ajustement (assurances)	adjustment	**changement** — ex.: « La prise d'effet de cette garantie ou de ce *changement*. (The effective date of such insurance or adjustment.) »[1] ; **expertise** — « L'*expertise* fait partie du règlement du sinistre. (Claim settlement adjustment). Ex.: Les frais d'*expertise* sont à la charge de la Compagnie. (The Company will pay the adjustment expense.) »[1] ; **normalisation** — « *Normalisation* de l'assurance-vie temporaire du participant en cas de déclaration inexacte de l'âge (ou d'erreur sur l'âge). (Adjustments in Employee Term Life Insurance because of age misstatements.) »[1]	(1) S. Bibl. ASS 5. Dans le domaine de la technique ou de la mécanique, la différence entre *ajuster* et *régler* est que le premier désigne le travail technique de l'ouvrier spécialisé ou du technicien lors de la fabrication, de l'assemblage ou de la réparation de l'objet en question, tandis que le second s'applique à une opération simple de mise au point de la part d'un ouvrier pour mettre un instrument de travail dans l'état de fonctionnement approprié, ou à l'action, par un utilisateur, de réaliser chez un appareil ou un autre objet des états virtuels en fonction de l'usage qu'il veut en faire sur le moment. Cette nuance de technicité est présente dans les acceptions suivantes du verbe *ajuster*: **mettre en état de fonctionner convenablement** — *ajuster une machine, un ressort* ; **assembler, adapter pour un but déterminé** — *ajuster les différentes pièces d'une machine.* La distinction s'applique aussi aux dérivés *ajustage, ajustement, réglage* et *réglable*. Noter qu'*ajuster* veut dire aussi: a) **mettre en état d'être joint, faire qu'une chose s'adapte exactement à une autre** et, par extension, **harmoniser** — *ajuster un tuyau à un robinet, un manche à un outil, un couvercle à une boîte, un vêtement à la taille de qn, (au fig.) l'expression admirablement ajustée à la pensée. ajuster les faits à sa théorie, ajuster un air à des paroles (l'y accommoder), ajustement d'un tracé statistique, d'une courbe (régularisation, correction de certaines données pour faire apparaître plus clairement la tendance générale), (par ext.:) ajustez vos flûtes, ajuster deux personnes (les concilier), il est habile à trouver des ajustements qui mettent tout le monde d'accord (des accommodements), ajuster un différend (le terminer à l'amiable), ajuster des citations qui paraissent opposées (les démontrer en accord)* ; b) **mettre aux dimensions convenables, rendre conforme à un étalon** — *ajuster les rênes, les étriers, les flans d'une monnaie, une pièce mécanique ; ajustement libre, bloqué, serré, tournant, glissant (degré de serrage ou de jeu entre deux pièces assemblées) ; ajuster un kilo-*
ajuster une demande de prestations d'assurance	to **adjust** a claim	**examiner**[1]	
ajusteur d'assurance	adjuster	**expert (en assurances)**[1]	
ajuster son appareil de télévision, le son, l'image de son téléviseur, un tour, le régime d'un moteur, la flamme d'une lampe, le temps de pose de son appareil photographique ; son microscope, l'objectif de son appareil photographique ; son compas, la route d'un navire, d'un avion ;	to **adjust**	**régler** ; **mettre au point** ; **corriger** ;	

5

anglicisme	anglais	français	remarques
un outil qcq., une pièce usinée, la voilure d'un bateau ; un compte, une facture ; le salaire de qn		**rectifier**[2]; **rectifier** ; **rajuster, redresser**	*gramme, un mètre sur l'étalon ; ajuster une balance, un instrument de précision* (les rendre justes) ; c) **adapter** — *ajuster son visage, sa physionomie* (les composer), *il faut s'ajuster à son temps* (se conformer, s'accommoder) ; d) **embellir par une harmonisation des éléments constituants** — *ajuster sa maison, son jardin* ; e) **arranger, disposer avec soin** — *ajuster sa cravate, ses cheveux* ; f) **habiller, parer** — *ma femme est en train de s'ajuster pour le gala, sa compagne avait un ajustement de bon goût à la soirée* ; g) **préparer** — *ajuster son fusil pour tirer, un coup de fusil, un tir,* (par ext.) *un faisan* (le viser). Quant à ce dernier cas, il faut remarquer qu'on dit *rajuster le tir* s'il s'agit d'une correction à la première visée. On voit ici qu'*ajuster* désigne une opération première de mise en place ou d'adaptation et non une reprise de cette opération. Ainsi, *ajuster un salaire* voudrait dire l'établir (le fixer une première fois, et non le réviser), proportionnellement au coût de la vie. (2) Dans le cas de la voilure, on dit *tuer* en argot du métier.
alignement des roues (d'une automobile)	wheel alignment	**réglage du train avant**	S. R.C.
aller en grève	to go on strike	**faire la grève, déclencher la grève, se mettre en grève**	
aller sous presse (de la part des responsables d'une publication: « Nous allons sous presse à 11 heures »)	to go to press	**mettre sous presse**	
portefeuille, sac à main en **alligator**	**alligator** wallet, purse	en **crocodile**, en **croco** (fam.)	
La maison Leneuf vous offre pour vos vieux appareils de généreuses **allocations d'échange**	trade-in allowance	**reprise**[1]	(1) S. Le Petit Robert à *reprise*, I, 7°.
le plan aurait besoin de certaines **altérations** ; Fermé pour **altérations** ; **Altérations** faites pendant que vous attendez	the sketch would need some **alterations** ; Closed for **alterations** ; **Alterations** while you wait	**modifications**, **changements** (à un plan, à un projet, etc.) ; **transformations**, **réfection**, (mieux:) **rénovations** (à, d'une pièce, d'un magasin) ; **retouches** (à un vêtement)	À part quelques emplois spécialisés (comme dans la musique et la géologie), *altération* veut dire dégradation ou détérioration (« l'altération que le climat d'Édimbourg a faite à votre santé » — J.-J. Rousseau) et, en droit, falsification (*l'altération des monnaies, de marchandises*).

anglicisme	anglais	français	remarques
il existe des **alterna-tives**[1] : la première **alternative** est ceci et la deuxième est cela	there are **alterna-tives** ; the first **alternative**	des **solutions de re-change**, d'**autres possibilités** : le premier **terme de l'alternative**, la pre-mière **possibilité**	(1) A M C E F. B E : Nous sommes dans l'alternative suivante: ou le laisser se fourvoyer ou lui apprendre cruellement la vérité.
amalgamation de deux compagnies	amalgamation	**fusion ; association**	*Amalgamation* veut dire « Opération mé-tallurgique consistant à combiner le mer-cure avec un autre métal, ou à extraire l'or et l'argent de certains minerais au moyen du mercure. » (Le Petit Robert)
amender un contrat d'as-surance	to **amend** an insurance contract	**modifier**	B E : On lui a souvent signalé ses défauts mais il ne veut pas s'amender. Amender un projet de loi. Amender un sol par le chaulage.
ami de garçon, amie de fille	boy friend, girl friend	**ami, amie**	Sans doute peut-on dire dans la langue parlée, lorsque la clarté l'exige, *ami homme, amie femme.*
amour: être / tomber / un gars **en amour**[1]	to be / to fall / a man **in love**	**amoureux**	(1) A.A.
amusement: **magasin d'amuse-ments** **parc d'amusement** **taxe d'amusement**	amusement store amusement park amusement tax	**magasin d'appa-reils de jeu** **parc d'attractions** **taxe sur les spec-tacles**	S. Dagenais.
année fiscale	fiscal year	**exercice (finan-cier), année fi-nancière**[1]**, année budgétaire**[1]	(1) Syn. qui n'est utilisé que dans le do-maine de la comptabilité du secteur pu-blic. S. OLF, Gazette officielle du Québec, 113e année, n° 30.
anticiper[1] de bonnes af-faires, une régression, une relance économique	to **anticipate**	**augurer** (Vi), **prévoir**	(1) *Anticiper* veut dire exécuter avant le temps déterminé ou éprouver (un senti-ment, une sensation) à l'avance: *le terme n'est pas échu, il a préféré anticiper le paiement ; le coeur anticipe les maux qui le menacent ; anticiper sur ce qu'on doit dire, sur un récit à venir* (l'entamer à l'avance) ; *anticiper sur ses revenus* (les dépenser par avance).
appeler: **Qui appelle?** (au télé-phone)	Who is calling?	**Qui est à l'appa-reil?, De la part de qui?**	
appeler une pénalité (au sport, de la part de l'arbi-tre) ; **appeler** l'ascenseur	to **call** a penalty ; to **call** the elevator	**signaler, annoncer ; infliger, imposer, donner ; faire venir**	

anglicisme	anglais	français	remarques
une formule d'**application**,	application form,	de **demande** (**d'emploi, d'admission**, etc.),	B E : l'application d'un cataplasme, d'un enduit (sur une jambe, sur un mur), l'application de la loi, l'application des sciences à l'industrie, les applications d'un produit, d'un remède (les usages), l'application à l'étude.
j'ai reçu votre **application** ;	I have received your application ;	votre **demande** ;	
application d'assurance ;	application for insurance ;	**proposition** d'assurance[1];	(1) S. Bibl. ASS 5.
faire application	to make application	**postuler (un emploi), offrir ses services, faire une demande d'emploi ; faire la demande** (d'une subvention, d'une bourse)	
appliquer pour un emploi, une subvention	to apply for a job, a grant	**demander** un emploi, une subvention, **faire / adresser / présenter une demande de**	V.a. *applicant*.
appointement chez le dentiste, chez la coiffeuse	appointment with the dentist	**rendez-vous**	A.A.: il s'agirait ici à la fois d'un anglicisme et d'un archaïsme. On trouve *apointement* au sens de rendez-vous chez Froissart et Villon.
appointement comme capitaine, comme gérant (Vi)	appointment as captain	**nomination**	B E : Il tire des appointements (une rétribution, un salaire) considérables de sa fonction.
approbation: envoyer des marchandises **en approbation**	on approbation	**à l'essai**	
approcher qn (au sujet d'un projet formé pour lui, d'un marché, de fonctions à lui proposer)	to approach s.o.	**en parler à, en faire la proposition à, faire une démarche auprès de, pressentir**	Emploi assez séduisant à cause de son caractère métaphorique. A M C E F.
avoir un **argument** avec qn (Vi)	to have an argument	**prise de bec, dispute**	B E : argument irréfutable / de poids / de taille / massue.
armature de génératrice, d'alternateur, de dynamo	armature	**induit**	B E : armature du condensateur, d'un électro-aimant, d'aimant, d'un relais à aimant, d'un câble. S. Bibl. TCH 1.
arrêt: avant de **mettre sous arrêt** le dangereux bandit	to put under arrest	**mettre en état d'arrestation, arrêter**	
arrêt-court (au base-ball)	short stop	**inter**[1]	(1) Abrév. d'*intercepteur*. S. R.C. C.A.D. vol. XI, n° 1, p. 17.
artiste commercial	commercial artist	**dessinateur publicitaire**	

anglicisme	anglais	français	remarques
assiette froide	cold plate	**viandes froides, mets froids, plat froid**[(1)]**, assiette anglaise**	(1) V. Le Petit Robert à *buffet*.
on va vous **assigner** à cette tâche	we will **assign** you to this duty	on va vous **affecter** à cette tâche, cette tâche vous sera assignée	
assistant-mécanicien,	assistant-mechanic,	**aide-mécanicien,**	Le mot *assistant* s'emploie comme nom autonome en français. Dans l'Église, par exemple, on appelle assistant un prêtre qui en aide un autre à dire la messe, ou un religieux qui aide le supérieur. Il y a aussi les *assistantes dentaires*, les *assistantes de police*, les *assistants sociaux* (v. **travailleur social**). Le mot s'emploie aussi comme déterminant d'un autre nom et il se place après ce nom lorsque celui-ci désigne une fonction à caractère intellectuel ou une profession (*médecin assistant*, *professeur assistant*) et avant dans le cas des fonctions à caractère artistique (*assistant-réalisateur*, *assistant-caméraman*). Le mot *adjoint*, lui, s'emploie avec des noms de fonction administrative et comporte l'idée de suppléance occasionnelle du titulaire, tandis que *aide* s'emploie avec des noms de métier ou de profession pour désigner celui qui exécute des tâches manuelles ou remplit des fonctions plutôt terre-à-terre par comparaison avec le travail de l'adjoint et a un statut moins prestigieux par rapport à l'assistant.
assistant-comptable,	assistant-accountant,	**aide-comptable,**	
assistant-chirurgien,	assistant-surgeon,	**aide-chirurgien,**	
assistant-gérant,	assistant-manager,	**sous-gérant** (journal), **sous-directeur** (banque),	
assistant-secrétaire,	assistant-secretary,	**secrétaire adjoint,**	
assistant-greffier,	assistant-clerk,	**greffier adjoint,**	
assistant-directeur	assistant-manager	**directeur adjoint, chef adjoint**	
x' représente l'écart entre le point-milieu d'une classe et la moyenne **assumée**	assumed	**hypothétique, théorique**	B E : La fonction, la responsabilité qu'il a assumée. To assume something: **supposer** quelque chose.
assurance-feu	fire-insurance	**assurance contre l'incendie**	S. Bibl. ASS 3.
assurance-santé (Vi)	health insurance	**assurance-maladie**	S. Robert et Quillet à *assurance*.
attachements d'une machine (Vi)	attachments	**accessoires**	
attention: Mon client m'a remis votre mise en demeure du 2 août dernier **pour attention et réponse.**	for attention and reply	Mon client m'a **confié** votre mise en demeure du 2 août dernier.	Les substantifs en cause sont incorrects d'un point de vue syntaxique, parce qu'ils sont dérivés de verbes transitifs indirects (donc non employables au passif): on *porte attention* et on *répond* à quelque chose. S'il s'agissait de verbes transitifs directs, la construction avec *pour* + substantif serait bonne. Ainsi, on peut lire dans *Défense de la langue française* (n° 58, juin 1971, p. 3), sous la plume de René Georgin: « Ce projet... actuellement soumis, **pour examen**, au Conseil international de la langue française... »

anglicisme	anglais	français	remarques
			C'est que la structure qui est à la base de l'expression est: *pour être examiné*.
se tenir à l'**attention**	to stand at **attention**	au **garde-à-vous**	
l'**audience** a applaudi	the **audience** applauded	**assemblée, assistance, auditoire, public**	A.A.
nous soumettons nos comptes à un **auditeur**	**auditor**	**vérificateur, expert-comptable**	A M C E F. B E : Les auditeurs d'un conférencier, d'une station de radio. V.a. *auditer*.
la saison **augure** bien, mal ; ça n'**augure** rien de bon ; ça **augure** bien, mal	the season **augurs** well, ill ; this **augurs** no good ; it **augurs** well, ill	la saison **s'annonce** bien, mal, **on augure** bien, mal **de** la saison ; ça ne **présage**, n'**annonce** rien de bon ; ç'**est de** bon, de mauvais **augure**	*Augure* veut dire faire une conjecture (*les observateurs n'augurent pas bien de l'avenir*), tirer une prévision de (*que pouvons-nous augurer de cet incident?*). A.. v. **anticiper**.
les montres X coûtent **aussi peu que** 15 $	as little as	**seulement, la modique somme de**	Anglicisme de style.
autant: **en autant que** ça vous intéresse, qu'il y songe, qu'il s'en souvient	inasmuch as	**(pour) autant que, dans la mesure où, en tant que ; pourvu que**	
en autant que je suis concerné	in so far as I am concerned, as far as I am concerned	**en ce qui me concerne**	
avant: il est arrivé / il est **en avant de son temps**	ahead of his time	**en avance, d'avance, avant l'heure (prévue / fixée)**	
la commission a besoin d'experts pour l'**aviser**	to **advise**	**conseiller**	B E : Veuillez nous aviser de tout changement d'adresse. V. a. *aviseur*.
avocat de la Couronne	Crown lawyer	**avocat du Gouvernement**	
Jean Beaujeu, **avocat et procureur**	John Fairgame, Barrister and Solicitor	**avocat**	
avoir à faire avec: as-tu qch. **à faire avec** cette affaire-là?, j'ai rien **à faire avec** ça	I have nothing to do with that	je n'**ai** rien **à voir dans** cela	S'il s'agit d'une personne, on emploiera cependant la préposition *avec*. Ex.: « Je n'ai rien à voir avec lui. »

anglicisme	anglais	français	remarques
balance d'un compte ; de la semaine, du matériel, etc. ; entre une somme et sa fraction utilisée (« vous nous rapporterez la balance »)	balance of the account ; of the week, of the stock ; of the amount	**solde ;** **reste ;** **différence**	B E : balance des paiements internationaux. balance des comptes (différence entre les créances et les dettes d'un pays envers les autres pays). balance commerciale (différence entre les importations et les exportations d'un pays. comparaison de l'actif et du passif d'un commerçant). mettre en balance (peser les avantages et les inconvénients). faire entrer en balance (en ligne de compte). mettre dans la balance (en parallèle). tenir la balance égale (être impartial). mettre. tenir l'esprit en balance (dans l'incertitude). être en balance (en suspens. dans l'indécision). balance (équilibre) des forces. jeter qch. dans la balance (amener comme argument décisif). peser dans la balance (compter pour beaucoup). faire pencher la balance (susciter une décision). Noter que *balance d'un compte* veut dire différence entre le crédit et le débit mais pas nécessairement somme restant à payer.
balance en main (comptabilité commerciale)	balance in hand	**solde en caisse**	S. Bibl. COMM 8.
balancement des roues (auto.)	wheel **balancing**	**équilibrage**	S. les documents de la régie Renault.
banc : jugement rendu **sur le banc**	passed on the bench	**sur le siège, sans délibéré**	D'après Bibl. DRT 1 et 2. et Henri Capitant. *Vocabulaire juridique*. Paris. Les Presses Universitaires de France. 1930.
être sur le banc	to be on the bench	**être magistrat ; siéger au tribunal**	
monter sur le banc	to ascend to the bench	**entrer dans la magistrature, être nommé juge**	
banc de scie (scie circulaire à moteur, fixée à un établi)	bench saw	**scie circulaire fixe, scie à table, scie d'établi**	S. R.C.
la **bande** du 22ᵉ Régiment (Vx)	band	**corps de musique, fanfare**	A.A.
bande indienne	Indian **band**	**bourgade**	
le conseil municipal de cette **banlieue**	this **suburb**	**municipalité de banlieue**	*Banlieue* désigne **l'ensemble** des agglomérations qui entourent une grande ville, et non pas l'une d'entre elles.
mets tous tes sous dans ta **banque**	bank	**tirelire**	
banque à charte	chartered bank	**banque**	Il s'agit ici des seules vraies banques. Les autres sortes d'établissements, caisses

11

anglicisme	anglais	français	remarques
			d'épargne et de crédit, sociétés de fiducie, ne sont pas des banques.
Paul s'en va chez le **bar-bier**	barber	**coiffeur (pour hommes)**	A.A.
barre de savon ; de chocolat	bar	**pain ; tablette**	*Barre de chocolat* désigne l'une des sub-divisions longitudinales de la tablette de chocolat.
va te laver les mains dans le **bassin**	(wash-hand-) basin	**évier**	A.A. On a conservé le nom de l'ancien objet pour désigner le moderne. Cf. la définition du dictionnaire Bescherelle: « Plat creux de forme ordinairement ronde ou ovale... *bassin à laver les mains* ».
ce **bâtard**-là!	that **bastard!** (vulg.)	ce **pendard**, cette **rosse**	
bateau: **être dans le même bateau**	to be in the same boat	**être dans le même cas, être logé à la même enseigne**	
manquer le bateau	to miss the boat	**perdre l'occasion, manquer le coche**	
batterie de « flash-light »	flash-light **battery**	**pile** de lampe de poche	B E : La batterie de mon poste de radio se compose de quatre piles. La batterie de ma voiture est à plat.
beaucoup: traction avant, moteur lon-gitudinal, suspension indé-pendante aux quatre roues **et beaucoup plus!**[1]	and much more!	**et bien d'autres choses encore!**	(1) Cette expression publicitaire donne l'impression qu'il s'agit de qualité plutôt que de quantité. Elle vient de l'oubli de ce que « more » veut souvent dire « autres » en français. Ex.: « There are three more passengers » — « Il y a trois autres voya-geurs ».
la chatte est avec ses **bébés**, la pigeonne ap-porte de la nourriture à ses **bébés** ; cette étude / ce service, c'est un peu mon **bébé**, ce secteur-là, c'est votre **bébé**	her **babies** ; my **baby**, your **baby**	ses **petits** ; mon **oeuvre**, ma **créa-tion**, votre **domaine favori**, l'**objet privilégié de** votre **sollicitude**, votre **enfant chéri**	
bénéfice: nous transporterons nos caméras au stade **pour le bénéfice de** nos télés-pectateurs ; jouer une pièce **pour le bénéfice des** malades ; collecte **pour le béné-fice des** invalides	for the benefit of	**à l'intention de, en faveur de** nos téléspec-tateurs ; **au bénéfice des** ma-lades ; **au profit des** invalides	

anglicisme	anglais	français	remarques
bénéfices dus en vertu de la police d'assurance ;	**benefits** payable under this insurance policy ;	**indemnités** ;	S. Bibl. ASS 2 et 5, et Le Petit Robert. B E : Cette société a réalisé de gros bénéfices l'an passé. Le bénéfice net de la société Fax pour l'an dernier se chiffre à plus de 6 millions. Le marchand ne fait que 2 cents de bénéfice sur cet article. Vous aurez là le bénéfice (l'avantage) d'un climat tempéré. Jouer une pièce au bénéfice d'une œuvre de charité (V. **pour le bénéfice de**). Bénéfice d'inventaire. Accorder le bénéfice du doute.
bénéfices de décès ;	death **benefits** ;	**bénéfices** en cas de décès ;	
bénéfices d'incapacité ;	disability **benefits** ;	**prestations** pour incapacité ;	
bénéfices d'invalidité ;	invalidism **benefits** ;	**prestations** d'invalidité ;	
bénéfices de maternité ;	maternity **benefits** ;	**prestations** de maternité ;	
bénéfices de maladie	sickness **benefits**	**prestations** de maladie	
bénéfices marginaux	fringe benefits	**avantages sociaux**	
la mesure va **bénéficier à** tout le monde	the measure will benefit everybody	la mesure va **profiter à** tout le monde, tout le monde va bénéficier de la mesure, tous vont pouvoir profiter de cette mesure	
bicycle de garçon, de fillette	bicycle	**bicyclette**, **vélo** (fam.), **bécane** (f., fam.)	Un bicycle est un vélocipède (qui n'est d'ailleurs plus en usage) dont la roue avant est beaucoup plus haute que la roue arrière.
vivre du **bien-être (social)**	to be on (social) welfare	vivre de l'**assistance publique / sociale**, toucher les prestations sociales	
bien faire: « Tom Dickers a bien fait au cours de la première manche ; il a bien fait dans ses études cette année ; vous avez bien fait pendant toute votre période d'essai	**to do well**: « Dickers has been doing well during the first round ; our son is doing well at school ; you have done well during all your probation period	**bien jouer** ; **réussir**, **bien aller** (dans ses études) ; **fournir un bon rendement** (au travail)	
Merci. — **Bienvenue**	welcome	**(il n')y a pas de quoi, c'est un plaisir, à votre service, ce n'est rien, de rien, je vous en prie**	
tu vas avoir un **billet** si tu stationnes là	a ticket	une **contravention**, un **procès-verbal (de contravention)**, fam.: un **P.-V.**, un **papillon**	V.a. *t iquette*
billets de saison (pour assister aux parties de hockey)	season tickets	**abonnement**	
billets payables,	bills payable,	**effets à payer**,	
billets recevables	bills receivable	**effets à recevoir**	

anglicisme	anglais	français	remarques
blâmer sur: « il blâme ça sur moi »	to blame sth. on s.o.	**blâmer qn** de qch., **imputer** qch. à qn, **rejeter la faute / la responsabilité** de qch. **sur** qn	
blanc de chèque, de mandat ; de commande	blank	**formule** de chèque, de mandat, chèque en blanc ; **bon** de commande	B E : Lorsque vous ne savez pas la réponse, laissez un blanc et passez aux questions suivantes.
blanc de mémoire	blank	**trou, absence**	
il avait si peur qu'il était **blanc comme un drap**	as white as a sheet	**pâle comme un linge**	
blanc-mange	blanc-mange	**blanc-manger**	Correspondance approximative. Le mets québécois diffère considérablement du blanc-manger français. Selon Dagenais, il faudrait même conserver le terme *blanc-mange*.
bleus: **avoir les bleus**	to have the blues	**avoir le cafard, avoir des idées noires, broyer du noir, avoir le noir**	
bloc à appartements	apartment block	**immeuble d'habitation, immeuble résidentiel**	
bloc de quinze étages ; c'est à trois **blocs** d'ici ; faire le tour du **bloc**	a fifteen-story **block** ; it's three **blocks** from here ; walk around the **block**	**immeuble** ; **rues** ; **quadrilatère**	B E : bloc d'habitations (= « pâté de maisons entre des rues perpendiculaires », Le Petit Robert).
mettre un chapeau sur le **bloc** (de la part d'une modiste) ; **bloquer** un chapeau	to place a hat on the **block** ; to **block** a hat	la **forme** ; **mettre sur la forme**	
jeu de **blocs** (pour enfants)	blocks	**cubes**	V. stopper.
bois rouge (ébénisterie, décoration)	redwood	**séquoia**	
boîte aux témoins	witness-box	**barre des témoins**	
boîte d'alarme	alarm-box	**avertisseur d'incendie**	
bol des toilettes	bowl	**cuvette**	
bon: **faire du bon** à qn	to make good to s.o.	**accorder un rabais / une réduction de prix / un prix de faveur**	

anglicisme	anglais	français	remarques
boni du coût de la vie	cost-of-living bonus	**prime de vie chère**	
bonnet boudoir (bonnet de matière légère que les femmes portent pour protéger la mise en plis ou camoufler les bigoudis)	boudoir cap	**charlotte**	S. Bibl. HAB 2.
mettre son peigne dans sa **bourse**	purse	**sac (à main)**	La bourse est ce qui contient la monnaie et est habituellement elle-même contenue dans le sac à main (aussi appelé « sacoche » — v. **satchel** — au Québec).
le bébé veut sa **bouteille**	his bottle	son **biberon**	
notre **branche** de Montréal-Est	branch	**succursale**	
brassière (pour soutenir les seins)	brassiere	**soutien-gorge**	
bref d'assignation, de saisie-arrêt, de saisie-exécution ;	**breve** (ancien terme remplacé aujourd'hui par *writ*)[1]	**exploit**[2];	(1) V. Dagenais. (2) D'après Bibl. DRT 5. (3) D'après Bibl. DRT 1. (4) Lg. adm. S. Bibl. POL 4. (5) Lg. cour. S. R.C.
d'habeas corpus, de quo warranto, de certiorari		**ordonnance**[3]	
bref d'élection	writ of election, election brief	**décret de convocation des électeurs**[4], **décret d'élections**[5]	
qu'est-ce que vous allez prendre comme **breuvage**?	beverage	**boisson**	A.A. — Le Petit Robert définit ainsi le mot *breuvage*: « Boisson d'une composition spéciale ou d'une vertu particulière. » De fait, *breuvage* ne désigne plus qu'un liquide fortifiant ou curatif donné à boire aux animaux, ou une tisane ou autre boisson médicamenteuse préparée pour un malade. Se rappeler, toutefois, que *breuvage* a déjà eu le sens général de boisson. Cf. ces vers de Lafontaine: Qui te rend si hardi de troubler mon breuvage? Dit cet animal plein de rage.
brider un animal femelle	to breed	**accoupler**	
briser un record	to break a record	**battre**	
lampe, ampoule **brûlée**	burnt out	**grillée**	
brûleur de lampe	burner	**bec**	B E : Les brûleurs d'une cuisinière à gaz. Brûleur à mazout.
bureau-chef	head office	**siège social**	
Bureau de santé (administration municipale)	Board of Health	**Conseil de salubrité**	

anglicisme	anglais	français	remarques
Bureau de systèmes et procédures (gestion d'entreprise)	Systems and Procedures Bureau	**Bureau des méthodes**	
Bureau du revenu (administration publique)	Revenue Office	**Bureau de perception**	
cabinet (A.A.) à boisson ; de radio, de téléviseur	cabinet	**armoire ; bar ; coffret** (en matière plastique, pour petits récepteurs), **ébénisterie** (dans le cas des meubles en bois), **meuble**	L'emploi de *cabinet*, au sens de meuble à plusieurs compartiments, est sorti de l'usage français.
calculer partir lundi ; je **calcule** que c'est un coup monté	to calculate	**projeter de, compter** ; je **crois**, j'**estime**	
calendrier: semaine, mois, année **du calendrier**	**calendar** week, month, year	**civil(e)**	
caméra (pour photographies fixes)	camera	**appareil photographique, appareil-photo**	V. **ciné-caméra**.
ils ont un beau **camp** dans les Cantons de l'Est ; ils envoient leurs enfants à un **camp** de vacances cet été	country **camp** ; holiday, summer **camp**	**maison de campagne, chalet ;** **colonie** de vacances	B E : Découvrir le camp des troupes ennemies (leur cantonnement, leurs baraquements). Camp de prisonniers. Camp de réfugiés. Établir le camp (emplacement de camping), feu de camp, faire un camp dans les Alpes (y camper). Lever / ficher le camp (s'en aller). Changer de camp (de faction, groupe, parti).
canal 2, 7, 10 (télévision)	channel	**chaîne**	
canceller un rendez-vous, une réunion, une réservation, une commande, un chèque ; un repas, un taxi ; un ordre ; un acte juridique ; un timbre-poste	to cancel	**annuler ;** **décommander ;** **contremander ;** **révoquer ;** **oblitérer**	*Canceller*, verbe peu usité, veut dire annuler en biffant (un écrit, un acte qcq.).
canne de conserve de confiture de peinture de bière des légumes en **canne**	can canned vegetables	**boîte** **pot** **bidon** **can(n)ette** en **conserve**	À part ses acceptions appartenant au français général, le mot *canne* a désigné, dans les dialectes de l'ouest de la France, un récipient en cuivre servant au transport du lait.
canner des légumes, garder des tomates pour **canner**,	to can	**mettre en conserve, faire des conserves,**	*Canner*, en français, veut dire garnir (le fond ou le dossier d'un siège) avec des cannes de jonc ou de rotin entrelacées. *Cannage* désigne l'action de garnir de cette façon. Quant à *cannerie*, c'est un mot forgé au Québec et qui correspond à *conserverie* en français.
le **cannage** du blé d'Inde, faire les **cannages**	canning	la **mise en conserve,** les **conserves**	

anglicisme	anglais	français	remarques
cap de soulier de travail ; **cap** d'une bouteille ; **cap** de roue (d'automobile)	cap	**embout** (d'acier) ; **capsule** ; **enjoliveur**	B E : Le cap Diamant, le cap de Bonne Espérance. Mettre le cap sur Douvres. Avoir passé le cap de la quarantaine.
capacité d'un véhicule, d'un ascenseur	capacity	**charge utile**	B E : La capacité d'un récipient, d'une cale, mesures de capacité. Capacité électrostatique d'un conducteur isolé, capacité d'un accumulateur.
capacité: **en sa capacité de** gérant, **en ma capacité de** président	in his / my capacity of	**en sa / ma qualité de**	
le **capitaine** de l'avion	the captain	le **commandant**	
capital: **se faire du capital politique avec** qch.	to make political capital out of sth.	**utiliser** qch. **pour favoriser ses intérêts politiques**, **exploiter** qch. **à des fins politiques**, **se gagner des faveurs / des avantages politiques avec** qch.	
les différents **caractères** de la pièce de Tremblay, tous les **caractères** de cette émission sont fictifs	the characters of the play	les **personnages**	
carré Phillips ; Viger, Saint-Louis, etc.	square	**place**(1); **square**(2)	(1) Espace public découvert, environné de bâtiments et généralement situé au carrefour de plusieurs rues. (2) (Le a étant prononcé comme dans *guitare*) Place (au sens donné ci-dessus) dont le centre est occupé par un jardin, par une espèce de petit parc public, généralement entouré d'une grille.
carton de cigarettes ; de boissons gazeuses	carton	**cartouche ; panier**	B E : carton à chapeaux, à chaussures, à dessin, son dossier dort dans les cartons du Ministère.
c'est un **cas**, ce garçon-là	he is a case	un **numéro**, un **original**, un **phénomène**	
j'étais **cassé** comme un clou	broke	**fauché, sans le sou, à sec, désargenté, raide comme un passe-lacet, fleur**(1)	(1) Arg., S. DFAP.
casser sa parole ; sa promesse ; son bail ;	to break	**manquer à ; ne pas tenir, violer ; résilier ;**	

anglicisme	anglais	français	remarques
son voyage ; une soirée, le plaisir ; un dollar ; son automobile ; le français		**interrompre ; mettre fin à, gâcher ; entamer, écorner ; roder**[1]**; écorcher, parler avec un accent**	(1) Ne pas prononcer le *o* comme dans *rôder* mais comme dans *broder* ou dans *commode*.
casser égal (de la part d'une entreprise)	to break even	**faire ni profit ni perte, simplement rentrer dans ses fonds**	
casserole de poulet, de boeuf	chicken, beef **casserole**	**gratin** de	S. OLF.
nous voulons le progrès de **ce** pays, de **cette** province	**this** country, **this** province	**notre** pays, **notre** province	B E : J'ai visité l'Espagne et j'ai trouvé ce pays en pleine expansion économique.
X et Cie ont fait une offre. **Ceci** est un fait capital.	**This**	**Cela**	*Cela* se rapporte à une chose déjà énoncée et *ceci*, *à une chose qu'on va énoncer* (**ex.:** *Retenez bien ceci: plus aucune incartade ne sera tolérée*), sauf dans l'expression figée *ceci dit*.
Cédez (signalisation routière)	**Yield**	**Priorité à gauche, à droite**	
cédule des parties de hockey ; des courses de chevaux pour la journée ; des travaux, des activités ; des effets à payer ou à recevoir ;	schedule	**calendrier ; horaire ; programme ; échéancier**	Le terme *cédule* se limite aux sens suivants: en droit, dans l'expression *cédule de citation* (de témoin, d'expert), il désigne une ordonnance du juge de paix ; en fiscalité, il veut dire: feuillet de déclaration de revenus, par catégorie d'origine, ou encore: catégorie d'impôt. — V.a. *céduler*.
centre d'achat	shopping centre	**centre commercial**	S. Bibl. COM 4 et 9.
centre de table	table-centre	**rond / carré de table**[1]**; chemin de table**[2]	(1) Espèce de napperon décoratif, ou protecteur (placé sous un vase ou un pot de fleurs), que l'on met sur le milieu d'une table. — Lorsque par « centre de table » on veut désigner une pièce de vaisselle ou d'orfèvrerie décorative, les termes propres sont *milieu de table* ou *surtout*. (2) « Bande d'étoffe disposée sur une table » (Le Petit Robert).
certificat de baptême, de naissance	**certificate** of baptism, birth-**certificate**	**extrait** de baptême, de naissance, **acte** de naissance	
chambre 305 (d'un édifice public, d'un immeuble commercial)	room	**salle** (p. ex. du Palais de Justice) ; **bureau**	
chambre de bain	bathroom	**salle de bains**	

anglicisme	anglais	français	remarques
chambre des joueurs (hockey)	players' room	**vestiaire**	S. Bibl. SP HCK 1.
chambre simple, **chambre double**	single bedroom, double bedroom	**chambre à une personne**, **chambre à deux personnes**	S. les documents d'information publiés par le Comité de tourisme de Paris.
champ: les agents, les fonctionnaires **dans le champ**	in the field	**sur place, attachés aux bureaux locaux ou régionaux**, fig.: **sur le terrain**	
on a besoin de **change** pour les machines distributrices	change	**monnaie**	A.A.
la partie défenderesse demande un **changement de venue**	change of venue	**renvoi devant un tribunal d'un autre district, changement de district**	D après Bibl. DRT 1.
changement d'huile et lubrification (auto.), **changer** l'huile	oil change and lubrication, to change oil	**vidange et graissage**, **vidanger**	
changer pour le mieux / le pire	to change for the better / the worse	**changer en mieux, s'améliorer, changer en pire, empirer**	
chanson: on a eu ça **pour une chanson**	for a song	**pour une bouchée de pain**	
chanson-thème (d'un film, d'une opérette)	theme song	**mélodie principale ; leitmotiv** (fragment mélodique qui revient à plusieurs reprises pour marquer un état d'âme)	V. thème.
chapeau: **Si le chapeau vous fait, mettez-le!**	If the cap fits, wear it!	**Qui se sent morveux se mouche!**	
le **chapitre** de Montréal de cette association	the Montreal chapter	la **section**	
les clés du **char**, conduire son **char**	car	**(voiture) automobile**[1], **auto**[2], **voiture**	(1) Emploi plutôt technique. (2) Terme vieillissant. B E : char funèbre (corbillard), char de carnaval, régiment de chars (de combat, d'assaut).
nous sommes dans le dernier **char** (du train)	car	**wagon, voiture**	En langage technique de chemin de fer, le terme de *wagon* est réservé aux marchandises ou au matériel et celui de *voiture* est réservé aux voyageurs.

anglicisme	anglais	français	remarques
char à fret	freight-car	**wagon à / de mar-chandises**	
char à malle	mail-car	**wagon-poste**	
char à passagers	passenger car	**voiture de voya-geurs**	
char-dortoir	sleeping-car	**wagon-lit, voiture-lit**	
char-palais	palace car	**voiture de luxe**	
char-parloir	parlour car	**wagon-salon, voiture salon**	
charbon dur, charbon mou	hard coal, soft coal	**houille maigre, houille grasse**	
charge: il est **en charge de** l'organisation, du recrutement ;	in charge of ;	**directeur / responsable / chargé de** ;	
il faut voir la **personne en charge** ; **prendre charge de** qch. / qn	the person in charge ; to take charge of	le **préposé**, le **responsable** ; **prendre en charge, prendre à sa charge, se charger de**	
il y a une **charge** de cinq dollars pour ce service ; **charge extra** ; un appel / appeler **charge renversée**	there is a **charge** ; extra charge ; reversed charge	des **frais** ; **supplément, frais supplémentaires** ; appel **payable à l'arrivée**[1] / **payable contre vérification**[1], appeler en **P.C.V.**[1] / **à frais virés**[2]	*Charge* est exact dans le sens de « ce qui met dans la nécessité de faire des frais, des dépenses » (Le Petit Robert): *charges de famille, personne à la charge de quelqu'un, les frais sont à sa charge, le loyer comprend les charges* (d'entretien de l'immeuble, de chauffage). Voir au dictionnaire les autres sens du mot *charge*. (1) S. l'*Annuaire officiel des abonnés au téléphone* de Paris, in L'act. term., vol. 1, n° 1. (2) Traduction québécoise donnée par Bibl. TEL 6.
il a deux **charges** contre lui	he faces two **charges**	**chef d'accusation**	Sens assez proche mais quand même différent de celui qui est exprimé dans l'exemple suivant: « De lourdes charges pesaient sur lui », car *charge* y veut dire indice, preuves apportées, « fait qui pèse sur la situation d'un accusé » (Le Petit Robert).
la **charge** de l'avocat de la Couronne ;	the attorney's **charge** ;	le **réquisitoire** ;	D'après Bibl. DRT 1 et 5.
la **charge du juge** (résumé des débats et instructions générales données au jury par le président du tribunal avant la délibération)	the judge's **charge**	l'**exposé du juge (au jury)**[1]	

anglicisme	anglais	français	remarques
charger: **charger** dix dollars ;	to **charge**	**demander, compter** ; **compter, facturer** ;	
charger le temps, la peinture ;			
charger des prix fous ; **charger** tant de l'heure ;		**demander, faire** ; **demander, prendre** ;	
charger les frais de poste aux clients ;		**débiter** les clients **des** frais, **imputer** les frais à ;	
charger qch. à une tierce personne ;		**mettre, porter au compte de, sur la note de** ;	
charger le montant d'un achat ;		**porter au compte du** client ;	
charger une dépense sur le compte des frais de déplacement ;		**imputer / passer / mettre** au compte ;	
Pour payer ou **charger**? (question que posent les commis de magasin)	To pay or **charge**?	Comptant ou **crédit** / ou **à terme**?	
charrue (à neige)	**snowplow**	**chasse-neige**	*Déneigeuse* est un terme générique désignant tout appareil à déneiger.
chat: **le chat est sorti du sac**	the cat is out of the bag, the cat came out of the bag	**la mèche est éventée, on a éventé / découvert la mèche, on a découvert le pot aux roses**	
chèques de voyageurs	traveller's cheques	**chèques de voyage**	
travailler sur les **chiff(r)es**	v. shift		
chiquer la guenille	to chew the rag	**ronchonner, rognonner**	
chose: il n'a pas montré d'intérêt, **pour une chose**, et puis on voulait une personne d'expérience	for one thing	**d'abord, entre autres raisons, entre autres facteurs**	
chute de courrier d'ordures ménagères de linge sale	chute	**descente** **descente** **descente, glissoir**[1]	(1) Si le conduit est incliné.
ciné-caméra	cine-camera	**caméra**	Le mot *caméra* désigne l'appareil de cinématographie et non celui qui sert à prendre des photos (v. l'article **caméra** pour le nom de ce dernier). L'expression *ciné-caméra* n'existe pas en français.

anglicisme	anglais	français	remarques
journal à grosse **circulation**	circulation	**tirage**	
cire à skis, **cirer** ses skis, **cirage** des skis	ski **wax**, to **wax** one's skis, **waxing**	**fart, farter, fartage**	
La Loi des **cités** et villes, **Cité** de Lassalle (panneau routier)	towns and **cities**, New York **City**, **City** of Riverside	**(grande) ville, Ville** de Lassalle	En français, on ne fait pas la distinction, quant au terme employé pour les désigner, entre une ville de moins de 6 000 habitants (ou tout autre chiffre) et une ville qui atteint ou dépasse ce chiffre. Les deux sont une *ville* (ou une *municipalité* sur le plan juridique). On peut parfois, cependant, préciser en disant *grande ville* ou *petite ville*, lorsqu'on sent le besoin de faire une telle distinction. De plus, *cité* n'est pas un terme des vocabulaires administratif et juridique. Il ne faut donc pas l'employer sur les documents officiels et les panneaux de signalisation routière. B E : cité universitaire, cité-jardin, la Cité de Carcassonne / de Londres (partie la plus ancienne de la ville), droit de cité, les cités grecques.
je suis tombé sur un vrai **citron** (auto.)	I got a **lemon**	une **chignole**[1]	(1) V. ce mot aux dict. Robert et Quillet.
hôpital **civique**	civic	**municipal**	B E : droits civiques, vertu civique, sens civique.
il gagne 150 $ **clair** par semaine, c'est son revenu **clair** ; un bien **clair** d'hypothèque	he earns 150 $ **clear** a week, this is his **clear** income ; an estate **clear** of mortgage	il gagne 150 $ **net**, c'est son revenu **net** ; **franc**, **libre** d'hypothèque	B E : Clairs deniers, argent clair (l'argent, les deniers qu'on peut toucher quand on veut, qu'on est assuré de toucher). Il a dépensé le plus clair de son bien, il passe le plus clair de son temps au jeu (la plus grande partie de). V.a. *clairer*.
classe: tissu **de première classe**	first **class** material	**de première qualité**	
il est dans la **classification** des techniciens I, des techniciens II	**classification** I, II	**classe**	*Classification* veut dire l'action d'établir des classes, des catégories.
travail, personnel **clérical**, erreur **cléricale**	**clerical** work, staff, mistake	travail, personnel **de bureau**, erreur **de transcription, d'écriture**	*Clérical* veut dire relatif au clergé ou au cléricalisme.
clés d'une machine à écrire	keys	**touches**	
tout employé souffrant ou victime d'un accident susceptible de suites doit se présenter à la **clinique** médicale de la compagnie ; **clinique** de vaccination, de radiographies pulmonaires ;	clinic	au **dispensaire**[1], à l'**infirmerie** de ; **séance** ;	Le mot *clinique* a en français les sens suivants: a) établissement privé dirigé par un médecin, ou chef de clinique, et dans lequel les malades sont opérés ou soignés ; b) enseignement médical qu'un professeur donne à ses élèves auprès du lit des malades (*cours de clinique, clinique ophtalmologique*) ; c) ensemble des connaissances acquises de façon pratique

anglicisme	anglais	français	remarques
clinique de culture du maïs, de jardinage, de relations publiques, de vente promotionnelle, **clinique** d'architecture ;		**conférence pratique**[1] sur, **démonstration** de, **cours pratique**[1], **stages** ;	au chevet des malades par l'observation directe des phénomènes morbides. (1) S. R.C. (2) L'expression *journée du sang* (relevée dans la revue *Postes et Télécommunications*) correspond à la même notion, tout en marquant une nuance particulière. (3) S. OLF MD, 5ᵉ année, nᵒ 8.
clinique de hockey		**école**[1]	
clinique de donneurs de sang	blood donor clinic	**collecte de sang**[2]	
clinique externe (d'un hôpital)	outpatient clinic	**consultations externes**[3]	
club de nuit	night **club**	**boîte** de nuit	
clubs d'expansion (nés de l'élargissement de la LNH)	expansion clubs	**clubs / équipes recrues**	
club-ferme (hockey)	farm club	**club d'aspirants, club-école**	S. Bibl. SP HCK 2.
code criminel	criminal code	**code d'instruction criminelle**[1], **code pénal**[2]	(1) Ancienne appellation en France. V. Petit Robert. (2) S. Bibl. DRT 6.
collecter la part due par chacun (p. ex. dans l'achat d'un cadeau en commun) ; un chèque ; une créance ; un effet de commerce ; des contraventions, des notes d'avertissement **collecter** la radio, le fer à repasser (v. **connecter**)	to **collect** everyone's share ; a cheque ; a debt ; a bill ; tickets, warning notes	**percevoir, recouvrer ; encaisser ; récupérer, recouvrer, faire rentrer ; encaisser ; collectionner**	*Collecter* veut dire réunir par une collecte, par une quête (*collecter des fonds, des dons*) et ramasser en se déplaçant (*collecter le lait*). Malgré cette dernière acception, cependant, on dit plutôt *lever les lettres* que « collecter les lettres ». *Collection* et *collecteur*, dans les contextes mentionnés, sont à remplacer respectivement par *perception* ou *recouvrement*, *garçon de recettes* ou *encaisseur* (de créances, de comptes, d'effets). À noter toutefois que *collecteur* est français au sens de « Celui qui recueille cotisations, taxes. *Collecteur d'impôts.* » (Le Petit Robert). Quant à l'expression « Il faut que je te collecte » (c.-à-d. il faut que je perçoive ta part), on peut sans doute la remplacer, comme certains font, par « Il faut que je te voie ».
comité conjoint (représentant patrons et salariés)	joint committee	**commission paritaire**	
comité des Voies et Moyens du Parlement ; d'une chambre de commerce, d'un organisme qcq.	committee of Ways and Means	**commission du Budget ; comité des méthodes de financement, comité des ressources financières**	

anglicisme	anglais	français	remarques
comme question de fait	as a matter of fact	à vrai dire, à la vérité, en réalité, en fait ; effectivement, de fait	
créer un **commercial** pour la télévision	a commercial	une **annonce (publicitaire)**, une **réclame**	
compagnie de finance	finance company	**société de crédit**	
compensation des accidentés du travail ; des accidents de travail	workmen's **compensation**	**indemnisation ; réparation**	V. a. **compenser** (qn) **pour**.
compenser les producteurs **pour leurs** pertes,	**compensate** the producers **for their** losses,	**compenser les** pertes **des** producteurs, **dédommager / indemniser** les producteurs **de leurs** pertes,	V.a. **compenser pour** au chapitre sur les anglicismes syntaxiques, dans la partie AUTRES ANGLICISMES.
les producteurs comptent qu'on va **les compenser pour leurs pertes**	the producers expect they will be **compensated for their losses**	les producteurs comptent qu'on va **compenser leurs pertes**	
les travaux commenceront en mars et seront **complétés** en deux ans ;	will be **completed** ;	seront **exécutés** ;	On ne complète que ce qui était resté incomplet, ce à quoi il manque quelque chose. *Compléter une formule* voudrait donc dire y ajouter des questions ou des rubriques manquantes et non répondre aux questions posées ou fournir les renseignements demandés par les rubriques.
il a **complété** sa 8ᵉ année ;	he has **completed** grade 8 ;	il a **fait** ;	
veuillez **compléter** cette formule	to **complete** a form	**remplir**	
Compliments de la saison	**Compliments of the season**	**Nos voeux de joyeux Noël et de bonne année, Nos meilleurs voeux, Joyeuses fêtes**	
assurance **compréhensive**	**comprehensive** insurance	assurance **globale / combinée / tous risques** (dans le cas d'une assurance automobile) / **multiple / multirisque**	S. Bibl. ASS 7. B E : C'est un homme compréhensif, il vous excusera sûrement.
comprendre: Je **comprends** que vous vous intéressez à notre nouveau produit...	I **understand** that...	Je **crois savoir**, J'ai **appris**	
comptes payables ;	accounts payable ;	**créditeurs, comptes-fournisseurs, fournisseurs, créanciers ;**	S. Bibl. AFF 7. *Comptes-fournisseurs* et *comptes-clients* semblent les expr. préférables. Pour concevoir clairement leurs sens respectifs, on peut les considérer comme vou-

anglicisme	anglais	français	remarques
comptes recevables	accounts receivable	**débiteurs, comptes-clients, clients, créances**	lant dire resp.: comptes vis-à-vis des fournisseurs et comptes s'adressant aux clients.
conditions de contrat	conditions of contract	**cahier des charges**	
conducteur de train	train **conductor**	**chef** de train	
conduire une enquête auprès des parents des élèves	to **conduct** an inquiry	**faire, mener**[1]	(1) Cap. us.
conférencier invité	guest lecturer	**conférencier**	
confesser jugement ;	to **confess judgment** ;	**reconnaître les droits du demandeur, faire un aveu** ;	D'après Dagenais et Bibl. DRT 1.
confession de jugement	confession of judgment	**reconnaissance des droits du demandeur, reconnaissance de droits, aveu**	
confiance: motion / vote **de non-confiance**	**non-confidence** motion / vote	**de censure, de blâme** ; vote **de confiance**[1]	(1) = qui pose la question de la confiance.
confiant: **être confiant que**	to be **confident that**	**avoir bon espoir que, être persuadé que, ne pas douter que**	
êtes-vous **confortable** dans ce fauteuil?	are you **comfortable**	êtes-vous **à l'aise**, êtes-vous **bien**	Ce sont les choses, les états ou les situations qui sont confortables, non les personnes qui les possèdent ou les occupent, puisque *confortable* veut dire: qui procure, offre, présente du confort (*siège, voiture, maison confortable, mener une vie confortable*), qui assure une tranquillité psychologique (*la perspective de son retour au bercail lui était une pensée confortable*).
un **confortable** sur chaque lit	a **comfortable**	un **édredon** ; une **courtepointe**	
congrès à la chefferie, congrès au leadership	leadership convention	**congrès de désignation du chef du parti**[1], **congrès d'investiture**[2]	(1) S. Bibl. POL 4. — À noter que *chefferie* désigne le territoire sur lequel s'exerce l'autorité d'un chef de tribu. (2) La première expression étant bien longue pour des contextes où il faudrait la répéter souvent, celle-ci peut sans doute la remplacer dans la langue courante lorsqu'il est suffisamment clair qu'il s'agit du poste de chef de parti et non pas de n'importe quelle fonction élective. D'ailleurs, le risque de confusion est faible puisque les rassemblements ayant pour but de désigner les candidats aux postes de député

anglicisme	anglais	français	remarques
			doivent s'appeler *assemblées d'investiture* (v. **convention**).
les parents et les maîtres ont décidé de former une commission **conjointe** ; après leur entretien, les deux chefs d'État ont remis à la presse une déclaration **conjointe** faisant état des progrès accomplis ; les résidents du quartier ont présenté aux autorités municipales une requête **conjointe** en ce sens	a **joint** committee ; **joint** statement ; **joint** petition	une commission **mixte ;** **commune ;** **collective**	*Conjoint* veut dire, dans la langue générale, intimement lié (*problèmes conjoints*). En droit, on trouve les acceptations suivantes: *légataires conjoints*, unis dans le même droit — par dérivation: *legs conjoint* ; *obligation conjointe*, qui comporte plusieurs créanciers ou débiteurs. En économie, *produits conjoints* veut dire produits liés entre eux soit par une origine, soit par une destination communes. *Conjoint* s'emploie aussi en minéralogie (*aragonite conjointe*), en paléographie (*lettres conjointes*, accolées), en musique (*degrés conjoints*), en arithmétique et en finance (*règle conjointe*). V. a. **comité conjoint**.
connaître mieux: « il **connaît** pas **mieux** », « voyons, tu **connais mieux** que ça »	he doesn't **know better,** you **know better** than that	il n'**est** pas **plus fin**, tu **es plus sensé** / **mieux avisé** / **plus gentil** / **mieux éduqué** que ça	
connecter le fer à repasser, l'aspirateur, etc.	to **connect**	**brancher**	On dit *connecter* lorsqu'il s'agit de liaison entre deux ou plusieurs systèmes conducteurs ou entre un appareil et un circuit. Lorsqu'on parle de la liaison par conducteur flexible d'un appareil d'usage domestique à un circuit électrique, c'est *brancher* que l'on dit. (V. Dagenais). La remarque vaut pour *déconnecter* et *débrancher*.
il a des **connexions** dans la pègre, dans la politique	connections	**relations, influences, ficelles**	
il avait perdu sa **conscience** / repris **conscience** à l'arrivée de l'ambulance, il était **conscient** à son arrivée à l'hôpital ; avec de l'eau sur la figure, elle a vite repris **conscience**	to lose / regain consciousness, to be conscious	avait perdu / repris **connaissance**, avait sa **connaissance ;** a repris **ses sens**, a repris **connaissance**, est revenue à elle	La conscience est une faculté intellectuelle, non un sens physique (*il a conscience de son talent, il a agi avec beaucoup de conscience* — de lucidité, de réflexion — *dans cette situation délicate*). V. a. **inconscient**.
conseil exécutif	executive council	**conseil des ministres**	
conseiller d'orientation	guidance counsellor	**orienteur (professionnel)**	
des chiffres **conservateurs**, une évaluation **conservatrice**	conservative figures, estimate	**modérés, prudente, plutôt faible, en deçà de la vérité**	

anglicisme	anglais	français	remarques
considération: **pour aucune consi-dération**	on no consideration	**à aucun prix, pour quelque motif que ce soit, pour rien au monde ; sous aucun prétexte**	
accusé de **conspiration** re-lativement à un vol	conspiracy	**entente délic-tueuse**[1] / **crimi-nelle**[2]	(1) S. Bibl. DRT 5. (2) S. Bibl. DRT 1.
cela est conforme à la **constitution** de notre so-ciété, de notre association	the **constitution** of our association	les **statuts**	B E : Constitution d'un club sportif, d'une société (= création, formation). Consti-tution de rente, de pension (= établisse-ment, institution). Constitution monar-chique, républicaine (d'un pays). Consti-tution civile du clergé (décrétée par une loi). Constitutions papales (bulles). Constitution d'un corps, d'une substance (= structure, composition). Constitution robuste, chétive (d'une personne). V. **incorporation**.
Johnny Liston a refusé de **contester** ce combat	to **contest** a fight	**disputer**	*Contester* veut dire discuter, mettre en doute, prétendre faux.
les sketches seront rem-placés par une **continuité**	a **continuity**	un **feuilleton**	
contrat: travail **à contrat**	contract work	**à l'entreprise, à for-fait**	
contrôle: situation, circonstances **au delà de notre contrôle** ;	beyond our control ;	**indépendant(es) de notre volonté, échappant à notre action** ;	
l'incendie / l'épidémie étant **sous contrôle** ; **Tout est sous con-trôle?** (a.s.d. l'applica-tion d'un plan d'action, la direction du travail d'une équipe, d'un bureau)	under control ; Everything **under** con-trol?	**maîtrisé, circons-crit** ; Tout **se déroule bien?**, Tout **marche bien?**, Vous avez **vu à tout?**, La situation est **en mains?**	
contrôles d'une cuisinière électrique, d'une ma-chine ; levier, manette de **contrôle** ; câbles de **contrôle**	controls ; control lever; control wires	**commandes** ; de **commande** ; de **manoeuvre**	
convenance: Nous vous saurons gré de nous faire parvenir votre réponse **à votre pro-chaine convenance**[1]	at your earliest conve-nience	**dès que ce vous se-ra possible**	(1) Cette expression, inexistante en fran-çais, ne dit pas ce qu'elle vise à dire puisque *à votre convenance* signifie *à votre bon plaisir*.

anglicisme	anglais	français	remarques
dans Rosemont, la **convention**[1] va avoir lieu le 15 octobre	convention	**assemblée d'investiture**[2]	(1) *Convention* se dit d'une assemblée exceptionnelle des représentants d'un peuple, ayant pour objet d'établir une constitution ou de la modifier ; le mot peut se dire aussi du congrès plénier d'un grand parti politique américain, pour distinguer la chose d'avec le Congrès constituant le parlement des U.S.A. ; mais ce terme est impropre lorsqu'on veut désigner, comme c'est le cas ici, une assemblée qui se tient dans une circonscription pour choisir le candidat d'un parti au poste de député. (2) Cf. le G.L.E. au mot *investiture*: « Acte par lequel un parti politique désigne un candidat à une fonction élective ».
appareils **conventionnels**, méthodes **conventionnelles**	conventional appliances, methods	**classiques, traditionnelles**	B E : valeur conventionnelle de la monnaie (= dont on a convenu) ; formule conventionnelle de politesse (= conforme aux conventions, aux ententes — tacites ou non —, non aux traditions comme telles). A M C E F.
droit de **conversion** d'une police d'assurance, assurance **convertible**	conversion privilege, convertible insurance	**transformation, transformable**	S. Bibl. ASS 7. — B E : Conversion d'une obligation en rente viagère, conversion de saisie immobilière en vente volontaire, conversion de monnaies, conversion des âmes, la conversion des métaux, etc., un billet de banque doit toujours être convertible en espèces, l'eau est convertible en vapeur, etc.
ils se sont acheté une **convertible** (auto.)	a convertible	une **décapotable**	B E : Le convertible, cet aéronef tenant à la fois de l'hélicoptère et de l'avion.
favoriser la **coopération** entre les syndicats et le patronat	to promote **cooperation** between labour and management	**collaboration**	La différence entre les deux mots français semble celle-ci : la *coopération* est la participation à une oeuvre ou une réalisation commune sentie comme un but choisi, tandis que la *collaboration* consiste surtout à prêter son concours dans une activité quelconque, sans que le but poursuivi soit senti comme une oeuvre particulière que l'on a choisie ou entrepris soi-même de réaliser.
copie d'un journal, d'une revue, d'une brochure, d'un livre	copy (of a paper, magazine, booklet, book)	**exemplaire**	B E : La secrétaire a expédié l'original de la lettre au client et en a envoyé une copie à notre bureau régional.
le gouvernement favorise les grandes **corporations** au détriment de la population laborieuse ; la **corporation** de Saint-Lin, de Saint-Janvier ; la **corporation** d'un CEGEP, d'un hôpital ;	corporation	**compagnie, société ;** **municipalité ;** l'**association**[1];	En français, *corporation* désigne l'ensemble des personnes qui exercent le même métier, la même profession (p. ex. « la corporation des notaires »). (1) S. OLF MD, 6ᵉ année, nᵒ 8, qui donne aussi comme équiv. de *corporation*: personne civile, établissement étatique autonome, association d'utilité publique, « etc. ».

anglicisme	anglais	français	remarques
une commission scolaire est une **corporation publique** ;		un **organisme public** / une **personne morale** / un **corps constitué**⁽¹⁾;	
cette école privée est une **corporation à but lucratif** ;		une **société commerciale**⁽¹⁾;	
cette école est une **corporation sans but lucratif**		une **société civile**⁽¹⁾	
corriger le compte d'un concessionnaire ; facture **corrigée**	to **correct** an account ; **corrected** invoice	**redresser ; rectifiée, rectificative**	Cap. us.
comptoir des **cosmétiques**	cosmetics	**produits de beauté**	Comme adjectif, *cosmétique*, en français, a le sens de « propre aux soins de beauté » ; comme nom, sons sens se limite au suivant: « Produit servant à fixer et lustrer la chevelure. » (Le Petit Robert). — V. a. **cosméticienne**.
les fournisseurs doivent soumettre leurs **cotations** d'ici le 5 mai	their **quotations**	leurs **prix**	B E : La cotation des titres en Bourse.
coton à fromage	cheese-cloth	**étamine** (pour les usages ménagers), **gaze** (en chirurgie, pour faire des pansements)	
coupe-vent	windbreaker	**blouson**	S. Bibl. HAB 2. — *Coupe-vent* désigne le pare-vent d'une locomotive, ainsi qu'un poignet fixé à la doublure d'une manche de vêtement et terminé par une bande élastique empêchant le vent et la neige de pénétrer sous la manche. Comme néol., *coupe-vent* désigne aussi « un anorak sans doublure, en nylon, avec capuchon qu'on enfile par-dessus la tête et garni souvent d'une poche kangourou sur le devant » (R.C. C.A.D., vol. XII, nᵒ 3).
couper: **pour couper court**	to cut short	**en bref, pour être bref, pour résumer**	*Couper court à*, suivi d'un complément, s'emploie en français, avec le sens d'interrompre au plus vite. Ex.: *couper court à un entretien / à une intrigue.*
couper les dépenses ; **couper** dans le budget, faire des **coupures**	to **cut** the expenses ; to **cut** the estimates, to make cuts	**réduire, comprimer, sabrer dans** (fig.) ; **faire des amputations** dans, **amputer** (abs.)	*Couper les dépenses* ne peut vouloir dire que supprimer les dépenses, comme dans *couper les vivres, couper l'eau.* Remarquer toutefois ce sens très voisin de *faire des amputations* qu'a le verbe *couper* dans: *couper qch. dans un texte, dans un discours* ; « J'ai coupé quelques redondances » (Jules Romains). Aussi, sans doute pourrait-on dire correctement: *couper certaines dépenses* (les retrancher, les supprimer) — mais non *couper les dé-*

anglicisme	anglais	français	remarques
			penses, à moins qu'on veuille dire les supprimer toutes.
couper les prix	to cut prices	**réduire les prix au plus bas, faire des prix de concurrence, faire des rabais**	
coupures de presse	press clippings	**coupures de journaux**	
cour à bois	timber-yard	**chantier (de bois de charpente)**	
cour criminelle ; Cour du Banc de la Reine (matière civile) ; Cour du Banc de la Reine (matière criminelle) ; cour juvénile (Vx) ; cour municipale ; Cour supérieure ; Cour Suprême	criminal court ; Court of Queen's Bench ; Court of Queen's Bench ; juvenile court ; municipal court ; Superior Court ; Supreme Court	**cour d'assises**[1]; **Cour d'appel**[1]; **tribunal de jugement**[2]; **tribunal pour enfants**[3]; **tribunal pour mineurs** (?) ; **tribunal de police**[1]; **Tribunal de Grande Instance**[1]; **Cour de cassation**[4]	(1) Les équivalences que nous donnons ici (établies d'après Bibl. POL 3) au sujet des noms des tribunaux ne sont qu'approximatives, car même si l'ensemble de notre appareil judiciaire se retrouve, quant à sa substance, en France, le découpage des attributions et des juridictions n'est pas le même. (2) Cette expression, en France, n'est pas le **nom** d'un tribunal en particulier, c'est plutôt une appellation générique s'appliquant à plusieurs tribunaux qui ne semblent pas avoir de dénominations spécifiques et dont la fonction correspond à celle de notre Cour du Banc de la Reine (domaine criminel). (3) Défini dans Le Petit Robert, à *tribunaux pour enfants*, comme « chargé(s) de juger les enfants et les adolescents délinquants ». (4) *Cour suprême* figure au dictionnaire français et l'expression s'emploie effectivement en français pour désigner le tribunal de plus haute instance d'autres pays, notamment la *Supreme Court* des États-Unis. Nous avons simplement voulu signaler que l'instance en question porte aujourd'hui le nom de Cour de cassation en France.
courir un cheval	to **run** a horse	**faire courir, engager dans une course**	Noter que *courir* a par contre certains emplois transitifs: courir le cerf, le sanglier, deux lièvres à la fois, le cent mètres ; les honneurs, le cachet ; les aventures, un danger, le risque de, sa chance ; les rues, la campagne, le monde ; le théâtre, les bals, les filles, le jupon ; qn (l'ennuyer, lui casser les pieds).
course sous harnais	harness race	**course attelée**	S. R.C. et d'après Bibl. SP GEN 7.
vous gagnez une magnifique lampe, une **courtoisie** de la maison Beauclair	a **courtesy** of	une **gracieuseté** (Vi), un **hommage** de, **offert** par	
il nous ont donné une **coutellerie** en cadeau de noces	a **cutlery** cabinet	un **service de couverts**, une **ménagère**	B E : La coutellerie est chez nous une industrie prospère. Cette entreprise fabri-

anglicisme	anglais	français	remarques
			que de la grosse coutellerie. Il a trouvé un emploi dans une coutellerie.
un bien **couvert** d'une hypothèque ;	**covered** by a mortgage ;	**grevé** ;	B E : L'armée couvrait les frontières (= protéger, garantir). Ce criminel couvre son complice ; ce chef couvre toujours ses subordonnés (= abriter, protéger). Elle se donne du mal pour couvrir le larcin de son ami (= compenser, effacer). Couvrir un agent de charge (= approvisionner). Prière de nous couvrir par chèque ; couvrir ses frais (= rembourser, régler, payer). Couvrir un emprunt, une souscription (= saillir).
les sujets qui ne sont pas **couverts** par notre rapport ;	**covered** by this report ;	**touchés** par, que notre rapport ne **recouvre** pas, auxquels notre rapport ne s'**applique** pas ;	
couvrir un joueur	to **cover** a player	**marquer, talonner, contrer, surveiller**	
craque dans un mur, un plancher, une surface qcq, ; dans le sol ; dans la glace, un vase, une assiette, un verre, une bouteille, une vitre ; dans un ouvrage de maçonnerie ; dans le vernis, l'émail	**crack** (in wall, ground, etc.)	**fente, fissure** (petite fente) ; **fente, crevasse** (fente profonde) ; **fêlures** ; **lézarde** (crevasse profonde, étroite et irrégulière) ; **craquelure**	Le *Dictionnaire encyclopédique Quillet* donne la définition suivante du mot *craque*: « cavité d'une roche, pleine de cristaux ». Ce sens n'est pas donné dans les différentes éditions des dictionnaires Robert et Larousse. V. article suivant.
il passe son temps à lancer des **craques**	to pass (wise) cracks	**pointe, vanne, pique**	*Craque* veut dire: hâblerie, mensonge par exagération (« il nous a raconté des craques », « conter des craques »). C'est là la seule acception que donnent de ce mot Robert et Larousse. Quillet donne une définition analogue, avec en plus le sens donné ci-dessus.
les commentateurs accordent le **crédit** de la victoire à Cournoyer	the **credit** for the win	le **mérite**	B E : Ce haut fonctionnaire jouit d'un grand crédit auprès du premier ministre (d'une grande influence, de beaucoup de confiance).
crédit aux consommateurs	consumer **credit**	**crédit à la consommation**	S. Bibl. AFF 1.
crédit: Les contenants ne peuvent être retournés **pour crédit**	are not returnable **for credit**	Ne pas **rapporter** les contenants, Les contenants ne sont pas **repris**	
des saucisses coupées en **cubes**	cut in **cubes**	en **rondelles**	
cubes de glace (pour refroidir une boisson)	ice **cubes**	**glaçons**	Les morceaux de glace en question sont rarement de forme cubique.
cuiller à table	**tablespoon**	**cuiller à soupe**	On invoquera que « cuiller à table », dans les recettes culinaires, indique une mesure très précise. Mais il devrait être évident, dans ce genre de contextes, qu'il s'agit de la cuiller à mesurer à contenance standardisée. Dans les textes de recettes

anglicisme	anglais	français	remarques
			français, on emploie *cuiller à soupe* (v. Bibl. DIV 9, n° 1715) et cela semble suffisamment clair.
cuiller à thé[1]	teaspoon	**cuiller à café, cuiller à moka, petite cuiller**	(1) Cette expression est tout à fait défendable en soi. Il s'agit d'une simple question de civilisation et d'héritage culturel.
le **curateur** du musée, de la bibliothèque, de la collection (d'objets d'art / d'exposition)	museum, library, collection **curator**	**conservateur**	
cylindre d'une arme à feu	cylinder	**barillet**	
Danger (signal routier)	Danger	**Attention**	
danse carrée	square dance	**quadrille**	
jeu de **dards**[1]	darts	**fléchettes**	(1) Petites flèches qu'il s'agit de lancer à la main dans une cible.
date: les intérêts **à date** ; mettre son travail / un livret de banque **à date** ; **à date**, il est rentré 250 $; **jusqu'à date**	the interest **to date** ; to bring one's work / to put a bank-book **to date** ; **to date** ; up to date	**à ce jour** ; **à jour** ; **à ce jour, jusqu'à maintenant** ; **jusqu'à maintenant, jusqu'à présent, jusqu'ici**	
De: M. Jean Roi **À:** M. Pierre Valet (en tête d'un mémo, d'une note de service)	**From:** John King **To:** Peter Lackey	**Exp.:** (pour *expéditeur*) **Dest.:** (pour *destinataire*)	Au dos d'une enveloppe, on devrait également mettre *Exp.* plutôt que *De*.
dedans: **en dedans de** trois mois tout doit être terminé	within three months	**en moins de, dans l'espace de, d'ici** trois mois	L'expression *en dedans* peut s'appliquer à l'espace mais non au temps.
dedans: **n'être pas dedans**: « y'est pas dedans, t'es pas dedans »	he's not in it	il **n'y est pas**, il **en est loin**	
assurance qui comporte un **déductible** de 100 $	a deductible	une **franchise**	S. Bibl. ASS 7. — *Déductible* est un **adjectif** qui veut dire pouvant être déduit (*dépenses déductibles des revenus*).
c'est **définitivement** mieux comme ça ; il va **définitivement** tenir sa promesse ; **définitivement**, ça promet d'être intéressant ;	definitely	**indiscutablement, indéniablement** ; **hors de tout doute, très certainement** ; **décidément** ;	B E : Il s'est établi définitivement (= pour de bon).

anglicisme	anglais	français	remarques
il s'est montré **définitivement** intéressé		**nettement**	
défrayer les dépenses de qn	to defray s.o.'s expenses	**défrayer** qn	
nous ne tolérerons aucun **délai**	we shall accept no **delay**	**retard**	B E : Le travail a été exécuté dans le délai fixé. Comme la maladie l'a empêché de présenter son travail à la date prévue. nous lui avons accordé un délai de cinq jours.
délivrer: **Nous délivrons** (affiche d'établissements commerciaux)	We deliver	**Livraison à domicile / chez le client / gratuite, Livraison**	
demande: article très **en demande**	in demand	**recherché, demandé**	*En demande* désigne la situation de celui qui est demandeur dans une cause judiciaire.
la société Productex a décidé de **démanteler** l'usine qu'elle possède à Saint-Roland pour la reconstruire à Beaupré et le **démantèlement** commencera dès ce mois-ci ; **démanteler** d'abord la charpente, les montants, le **démantèlement** doit être méthodique	to **dismantle** a plant, an equipment, etc., **dismantlement** of a building, of machines ; to **dismantle** a frame, posts, the **dismantling** of the framework	**démonter,** **démontage ;** **désassembler,** **désassemblage**	Les dictionnaires définissent le verbe *démanteler* comme voulant dire. au sens propre, **démolir les murailles, les fortifications** (d'une place de guerre, d'une ville, d'un fort) et, au figuré, **abattre, détruire**. Voici des exemples de ces deux sens: 1" « L'attaque brutale de l'ennemi eut tôt fait de démanteler le fort ». (par ext.) « La corniche toute démantelée par l'infiltration des eaux fluviales » ; 2" « Les grandes monarchies qu'avaient démantelées les guerres de Napoléon », « Démanteler un réseau d'espionnage, une cellule terroriste ». Le *démantèlement* consiste donc en la destruction comme telle et le mot a de fait une forte connation militaire ou, par analogie, policière.
demeurer: **Je demeure** Votre tout dévoué (en fin de lettre)	I remain	**Je vous prie de me croire, Veuillez me croire**	
j'ai acheté un **démonstrateur**[1] pour payer moins cher	a **demonstrator**	une **voiture d'essai**[2]	(1) Voiture dont se servent les vendeurs pour faire éprouver aux clients le fonctionnement des véhicules de la marque ou du modèle en question. (2) S. R.C.
en **dénominations** de 10 et de 20 dollars	**denominations**	**coupures**	
catholiques, protestants, et membres des autres **dénominations**	**denomination**	**religion, église, confession**	

anglicisme	anglais	français	remarques
département commercial, d'ingénierie ; de la comptabilité, des achats, etc. (d'une entreprise) ; administratif (de l'État) ; de la lingerie, des parfums (d'un magasin) ; d'un hôpital	department	**bureau** commercial, d'études ; **service** ; **division** ; **rayon, comptoir** ; **service**	Dans la langue traditionnelle, *département* ne désigne que le secteur des affaires de l'État dont s'occupe un ministre (« c'est le ministre qui connaît le mieux son département ») et une division administrative du territoire français (« le département de la Seine »). À remarquer toutefois que *département* est maintenant quelque peu implanté en France au sens de service ou subdivision administrative quelconque d'une entreprise (ex.: « département des machines comptables »). Il s'emploie quelque peu aussi pour désigner une subdivision de faculté universitaire et désigne même parfois, à toutes fins pratiques, l'équivalent d'une faculté.
dépenses capitales (gestion d'entreprise)	capital expenditure	**frais d'équipement**[1]**, (dépenses en) immobilisations**[2]	(1) S. Bibl. GST 3. (2) S. Daviault.
en tant qu'étranger ou immigrant, on est passible de **déportation** pour cette infraction	**deportation** of a foreigner, of an immigrant	**expulsion**	La déportation est une peine politique très sévère, qui s'applique plutôt aux nationaux qu'aux étrangers.
donner un **dépôt** sur l'achat d'un manteau ; le candidat du P.C. a perdu son **dépôt** ; il faut payer un **dépôt** de 3¢ la bouteille	deposit	des **arrhes**, un **acompte**, un **versement** ; son **cautionnement** ; une **consigne**	B E : Dépôts bancaires. Confier un dépôt à un dépositaire (pour qu'il le garde et le restitue ultérieurement). Caisse des dépôts (servant de garanties juridiques) et consignations.
Pas de dépôt ni (de) retour (inscription figurant sur des emballages à jeter)	No deposit - No return	**Non consigné, Non repris, Emballage perdu, Emballage non retournable**[1]	(1) S. G.L.E.
Distillerie Butler Ltée, **Depuis** 1880[1]	O'Connor's Limited, **Since** 1905	**Fondé(e) en**	(1) Genre de mention qui apparaît souvent sous le nom qu'affiche un établissement.
député-protonotaire[1]	deputy-protonotary	**sous-protonotaire, greffier**(?)	(1) Il n'y a pas d'exemple, en français, où *député* s'adjoigne à un autre mot pour former un nom composé.
député-registrateur	deputy-registrator	**adjoint au conservateur des hypothèques**	V. a. *registrateur*.
le « choke » / le frein est encore **dessus** ; les lumières, les phares sont **dessus**	the choke, the brake is still **on** ; the lights are **on**	**en action, tiré, mis / engagé, serré ; allumés**	
détailler (v. *taille*)			
le **détective** Jean Ledoux, de la police de Montréal	detective	**inspecteur (de police)**	*Détective* désigne un policier chargé des enquêtes ou des investigations **en Angleterre**.

anglicisme	anglais	français	remarques
détenteur de police d'assurance	policy**holder**	**titulaire, contractant**	S. Bibl. ASS 7.
Détour (signal routier)	**Detour**	**Déviation**	Cap. us.
dette sur un contrat d'assurance	indebtedness	**somme due**	S. Bibl. ASS 7.
dette préférentielle	preferential debt	**créance privilégiée**	
instrument **développé** aux États-Unis, le **développement** de nouveaux modèles d'automobiles, le **développement** d'un nouveau procédé ; le **développement** d'un plan ; le **développement** des ressources naturelles ; ils s'en viennent habiter dans le **développement**	**developed,** the **development**	**inventé,** la **création,** la **mise au point ;** l'**élaboration ;** l'**exploitation,** la **mise en valeur ;** le **lotissement,** le **nouveau quartier**	Le mot *développement* exprime plutôt l'idée de **croissance** (*développement des microbes, d'un embryon, d'une plante, d'un enfant, de l'intelligence*) que celle de création - ou de mise à profit ou en valeur. Il exprime aussi l'idée de **progrès**, en extension ou en qualité (*développement économique, des pays du tiers-monde, du commerce, des sciences, de l'esprit, d'une religion*), et celle de déploiement ou d'explicitation (*développement d'un thème musical, d'un raisonnement — v.* **élaborer** *—, d'une fonction ou d'une expression algébrique*). N'oublions pas non plus les sens plus concrets de *développer*, comme dans: *développer un colis, un coupon de tissu* (le dérouler ou déplier), *une pellicule photographique*. Autres B E : *les développements* (la suite, le prolongement) *d'une affaire ; vélo qui développe 7 mètres* (parcourt 7 mètres par tour complet des pédales). V. a. **développeur**.
devenir dû (billet, effet de commerce)	to become due	**échoir**	
dévoilement d'une statue, d'une plaque commémorative	unveiling	**inauguration**	
devoir: être **en devoir** de 8 h à 16 h ; il est venu voir pendant que j'étais **en devoir**	on duty	**de service ;** **en service**[1]	(1) Veut dire: en train de s'acquitter des devoirs de sa charge.
diète végétarienne, naturiste	diet	**régime**	Selon la langue courante, une diète consiste en une privation, une forte réduction de nourriture: *Il s'est mis à la diète.*
dîner à la dinde (menus de restaurant)	turkey dinner	**assiette de dinde**	D'après Bibl. ALM 3.
il a été élu **directeur** de l'Association des assistants sociaux, de la Société des comptables, de Naval Industries	director	**administrateur, membre du conseil d'administration**	Noter que *board of directors* se traduit par *conseil d'administration*. V. **gérant** et **exécutif**.

anglicisme	anglais	français	remarques
direction(s) d'un médicament, d'un produit qcq.	directions	**mode d'emploi**	
cette décision est une **disgrâce** pour notre association	a **disgrace** for our association	une **honte**	B E : On était frappé par la disgrâce de ses gestes brusques et saccadés ; percevoir la disgrâce d'une architecture mal harmonisée. Tomber en disgrâce (en défaveur) auprès d'un personnage puissant.
ce produit est **disponible** dans toutes les couleurs ; dans tous les magasins	is **available** in all colours ; in all stores	est **offert** ; est **en vente**, vous trouverez ce produit dans...	*Disponible* veut dire dont on peut disposer, faire usage: *somme, valeurs disponibles d'une entreprise*. Toutefois, les deux exemples suivants, donnés par le Petit Robert — *nous avons deux places disponibles ; appartement disponible* — nous indiquent que c'est un caprice de l'usage qui fait que le mot ne s'emploie pas dans le domaine commercial proprement dit. Noter que *disponible* veut aussi dire: qui n'est pas en activité et demeure à la disposition de ses supérieurs (*officier, fonctionnaire disponible*), ainsi que: d'esprit libre et accueillant envers ce qui est nouveau (*tous les nouveaux courants d'idées devraient nous trouver disponibles*).
disposer de (une affaire ; un problème ; une question, un différend ; une objection ; un adversaire, au sport ; un objet inutile ; un stock ; des déchets industriels ; la **disposition** des déchets ; d'un outillage)	to dispose of ; disposal	**régler, liquider ; résoudre ; trancher, régler ; réfuter ; vaincre, battre, avoir raison de ; se débarrasser de ; se défaire de, écouler, liquider ; détruire ;** l'**élimination**, la **destruction ;** la **liquidation** la **désaffectation**	*Disposer de* veut dire: avoir à sa disposition (*il dispose de plusieurs serviteurs pour entretenir son domaine*), faire ce qu'on veut de (*disposez de cet argent comme bon vous semble*), se servir de (*vous pouvez disposer de l'escabeau, je n'en ai plus besoin*).
nous espérons que nos négociateurs et ceux du syndicat vont arriver bientôt à régler la **dispute**	labour **dispute**	**différend, conflit**	Une dispute est une discussion violente, une querelle.
disqualifier, disqualification d'un conseiller, d'un magistrat ; d'un citoyen, d'un candidat	to **disqualify, disqualification**	**dégradation civique, déchéance, dégrader, frapper d'incapacité civique ; mise en état d'inéligibilité, rendre inéligible**	*Disqualifier* est un terme de sport et veut dire exclure d'une compétition (un concurrent qui ne répond pas aux conditions ou qui a commis une infraction). Le mot s'emploie aussi au figuré, au sens de frapper de discrédit (celui qui s'est rendu coupable d'une incorrection, d'un manquement aux devoirs de sa charge).
division: décision prise, proposition adoptée **sur division**	on division	**à la majorité**[1], **avec dissidence**	(1) Par oppos. à: *à l'unanimité*.

anglicisme	anglais	français	remarques
le **docteur** J.-H. Legrand, de la faculté des Sciences sociales[1]	**Dr.** W. A. Smith	M. J.-H. Legrand, **D.Ph.**[2]	(1) Le titre de docteur est réservé aux docteurs en médecine. (2) Il semble que l'usage préfère la formule *Ph.D.*, bien que *D.Ph.* soit intrinsèquement plus correct.
dôme d'un taxi	**dome**(-light)	**enseigne, lumineux(-taxi)**[1]	(1) D'après R.C.
commerce, marché **domestique** ; culture **domestique**	**domestic** trade, market ; **domestic** culture	**intérieur ;** **indigène, du pays, canadienne, américaine,** etc. (selon le cas)	*Domestique* veut dire relatif au foyer, à la maison (*le calme de la vie domestique*, avec ce qu'elle comporte de douce chaleur : *travaux domestiques* ; *économie domestique*) et vivant auprès de l'homme (*animaux domestiques*).
donner de la merde à	to give shit to (vulg.)	**attraper, enguirlander** (fam.), **engueuler** (pop.)	
donner franc-jeu (Vi)	to give fair-play	**laisser les coudées franches**	
donner le diable à	to give the devil to, to give hell to	**réprimander, tancer** (litt.), **semoncer, savonner** (fam. et Vx)	
les **dormants** sont des pièces de bois placées en travers de la voie pour maintenir l'écartement des rails	the **sleepers**	les **traverses**	B E : Le dormant d'un châssis, d'une fenêtre ou d'une porte est la partie fixe de la menuiserie dans laquelle vient s'emboîter la partie mobile du châssis ou de la porte. Dormant d'une manoeuvre (son extrémité fixe), d'un cordage (le point où il est fixé).
dos: **avoir le dos large**	to have a broad back	**avoir bon dos**	
il va falloir prendre des mesures, des moyens **drastiques** pour enrayer la fraude, pour freiner la hausse des prix ;	**drastic** measures ;	**énergique, rigoureux, radical, draconien ;**	*Drastique* signifie: qui exerce une ation énergique sur le fonctionnement des intestins (*purgatif, remède drastique*).
des réductions **drastiques** de crédits	**drastic** reductions	**formidable, colossal**	
dû pour une cuite, pour partir à l'aventure, etc.	due	**mûr**	
être dû (« le train est dû à 7 heures »)	to be due	**devoir arriver, être attendu**	
être dû à: c'était dû à venir / à arriver	it was due to come	ça **devait** venir, c'**était appelé à** venir	
cette mention constitue une **duplication** ;	duplication	une **répétition**, fait **double emploi** ;	*Duplication* n'a que les sens spécialisés suivants. En chimie: réunion de deux mo-

anglicisme	anglais	français	remarques
cette méthode-là amène une **duplication** de travail ; dans la répartition du travail, il faut éviter la **duplication** des tâches		une **reprise**, un **recommencement** du même travail, une **répétition** de travail ; le **chevauchement**	lécules ou de deux radicaux sous l'influence d'un condensant. En géométrie: *duplication du cube*, problème qui consiste à chercher un cube dont le volume soit double de celui d'un cube donné. En musique: sorte de cadence particulière au plain-chant. En radiodiffusion: duplex.
eau: **être dans l'eau bouillante**	to be in hot water	**être au supplice, être sur le gril, être sur des charbons ardents**	
il y a des frais d'**échange** qui s'appliquent à votre chèque	**exchange** charge	de **change**, d'**encaissement**	
échange 522, 301, etc. (secteur de réseau téléphonique)	**exchange** 522, 301	**central, indicatif local**	S. R.C.
après la Noël et le Jour de l'An, beaucoup de gens vont dans les magasins **échanger** leurs cadeaux (pour des raisons de taille)	purchase **exchange**	**changer**	*Échanger* ne se situe pas sur le plan commercial et indiquerait ici un geste gratuit, se situant dans un cadre d'amitié ou de gentillesse, entre personnes qui ne sont ni acheteuses ni vendeuses.
échantillon de plancher (marchandise exposée dans une salle de magasin)	floor sample	**article en montre**	S. Bibl. COM 7.
école de réforme (Vx)	reform-school	**maison de correction**	
écrire pour des renseignements	**to write for** information	**écrire pour demander** des renseignements, **envoyer une demande de** renseignements, **demander** des **renseignements par écrit**	
éditeur d'un film ; **éditeur** d'un cahier à collaboration multiples, d'une publication collective ; **éditeur** des textes d'une revue ; **éditeur** d'un journal ; **éditeur** technique, sportif ;	editor	**monteur ;** **surveillant de la publication, directeur ;** **responsable, réviseur ;** **rédacteur en chef ;** **rédacteur ;**	B E : Éditeur d'un texte ancien (= celui qui le fait paraître en le présentant et l'annotant). L'éditeur (= personne ou société qui assure la publication et la mise en vente ; correspond à l'anglais *publisher*) ne fait pas beaucoup de profits avec les oeuvres d'auteurs débutants.

anglicisme	anglais	français	remarques
éditer un texte (en vue de son impression) ; **éditer** des textes pour une revue	to **edit**	**apprêter** ; **sélectionner**	
la loi deviendra **effective** le 15 juillet	will become **effective**	entrera **en vigueur**	*Effectif* veut dire réel (*croyant que les mots avaient un pouvoir effectif ; apporter une aide effective*).
effet: il a reçu une lettre **à cet effet** ; règlement, décret **à l'effet que** ; rumeur **à l'effet que**	he received a letter to **this effect** ; regulation, order to the **effect that** ; report **to the effect that**	**en ce sens** ; **statuant que, portant que** ; **voulant que, selon laquelle**	*À cet effet* veut dire **pour produire cet effet** et marque donc le but. Le Petit Robert définit d'ailleurs cette expression ainsi : « en vue de cela, dans cette intention, pour cet usage ». De même, l'expression *à l'effet de* équivaut à **en vue de** ; quant à *à l'effet que*, cette expression n'est pas attestée en français.
le juge le pria d'**élaborer**, il n'a pas voulu **élaborer** ; c'est un outil **élaboré** ; un travail **élaboré** ; un style **élaboré** ; une oeuvre **élaborée** ; une toilette **élaborée**	he asked him to **elaborate**, he didn't want to **elaborate** ; **elaborated** tool ; **elaborated** work ; **elaborated** style ; **elaborated** work of art ; **elaborated** costume	**développer sa pensée, préciser sa pensée, s'étendre là-dessus** ; **compliqué** ; **soigné, fini, détaillé** ; **travaillé** ; **fouillée, raffinée** ; **recherchée, étudiée**	*Élaborer* veut dire préparer par un long travail (*élaborer le plan d'une dissertation, élaborer un projet de loi*), ainsi que, sur le plan biologique, transformer ou produire (*élaboration des aliments par l'estomac, des hormones par les glandes*). *Élaborer* comme verbe intransitif et *élaboré* comme adjectif n'existent pas en français.
éléphant blanc	white elephant	**cadeau inutile** ; **acquisition superflue**	
prenez l'**élévateur**, à gauche	elevator	**ascenseur**	B E : Dans l'Ouest canadien, on peut voir beaucoup d'élévateurs à grain.
éligible à un emploi, à une assurance	eligible	**admissible** à, **qualifié** pour, **qui a droit** à	*Eligible* veut dire: qui peut être élu (p. ex. au conseil municipal ou scolaire, à l'Assemblée nationale).
émettre un permis ; un décret	to **issue** a permit ; an order	**délivrer** ; **prendre, rendre**	B E : Émettre des emprunts, des billets, un chèque, un voeu, une opinion, des ondes, des radiations, des signaux, des images (télévisuelles).
le premier ministre a mis l'**emphase** sur la décentralisation des services ; le verbe est au début de la phrase pour plus d'**emphase** sur l'action en cause ; M. Drapeau a protesté avec **emphase**	to lay **emphasis** on ; **emphasis** on an element of a message ; with **emphasis**, **emphatically**	mettre l'**accent** sur ; **insistance** ; **force, énergie**	L'emphase, c'est l'enflure, la pompe dans le style: *l'emphase de tous ses discours avait fini par lasser ses fidèles.*
être, entrer **à l'emploi de**	in the employ of	**au service de**	

anglicisme	anglais	français	remarques
les dépenses **encourues** l'an passé s'élèvent à...	the expenses incurred	**engagées, faites, supportées**	Encourir qch., c'est s'exposer à qch. (de fâcheux): *si tu t'aventures dans la campagne à la tombée du jour, mon petit, tu encours la colère de ta mère.*
endosser une opinion, un projet, une décision	to **endorse** an opinion, a plan, a decision	**souscrire à, approuver**	*Endosser* a un sens beaucoup plus fort: celui de prendre à son compte, d'assumer la responsabilité de (*endosser une erreur*).
enfant de chienne	son of a bitch[1]	qualificatif: **salaud, charogne** (pop.) ; juron: **nom d'un chien!**	(1) V. a. cette entrée.
la ligne (téléphonique) est **engagée** ; je suis **engagé** au bureau ; je regrette, j'ai un **engagement** avec un ami à 1 h 30	the line is **engaged** ; I am **engaged** at the office ; I have an **engagement**	**occupée** ; **retenu** ; un **rendez-vous**	B E : Il s'est engagé (lancé) dans la bataille. M. Lapiastre ne reniera pas les engagements qu'il a pris pendant la campagne électorale.
l'**engin** du laminoir ; du train	**engine** of an equipment ; of a train	**moteur ; locomotive**	
marque de commerce, modèle **enregistré**	**registered** trade mark, model	**déposée, breveté**	V. **checker**.
lettre, colis **enregistré**	**registered** letter, parcel	**recommandé**	
montrez-moi votre **enregistrement** (de véhicule)	**registration certificate**	**certificat d'immatriculation**	
s'**enregistrer** à l'hôtel, dans les équipes de tennis, à un club	to **register**	s'**inscrire**	
chien, cheval **entraîné** ; ouvrier, vendeur **entraîné** ; **entraînement** de la main-d'oeuvre spécialisée	trained training	**dressé** ; **formé, habitué** ; **formation**	L'entraînement, au sens, d'ailleurs, de formation par l'exercice physique, est réservé aux sports et à l'armée. V. **pratique** et **coach**.
les **entrées** au grand livre	entries	**écritures**	
Entrée des marchandises (affiche d'établissements commerciaux)	Goods entrance	**Service, Livraison, Réception du matériel**	
mes fourrures passent tous les étés à l'**entrepôt** ; je vais laisser mes meubles à un **entrepôt** en partant pour mon stage à l'étranger	warehouse, storehouse	**garde-fourrure** ; **garde-meuble**	Un entrepôt sert au dépôt de marchandises, d'objets de commerce seulement, et non pas aussi aux objets appartenant à des particuliers. Toutefois, le verbe *entreposer* peut signifier, par extension, « déposer, laisser en garde » (des biens d'un particulier) ; ex.: « *Entreposer des meubles chez un ami* » (cf. Le Petit Robert).

anglicisme	anglais	français	remarques
l'**énumération** des électeurs ; des petites entreprises, etc.	**enumeration** of the voters ; of small firms, etc.	**recensement ;** **dénombrement**	*Énumérer* veut dire nommer, énoncer un à un (les différents éléments d'un tout). Ex.: « Le candidat nous énuméra soigneusement chacun de ses talents »; « Elle se lança dans une énumération interminable des services qu'elle nous avait rendus depuis qu'elle vivait avec nous. » — V. a. *énumérateur*.
envoyer qn **à son procès**	to send s.o. to trial	**inculper, mettre en accusation, renvoyer devant les tribunaux**	
l'**équité** du groupe X dans la compagnie YZ	the **equity**	les **capitaux**, l'**avoir**	
joucur **erratique**	erratic	**irrégulier, inégal**	*Erratique* est un terme de médecine (*fièvre erratique*, qui n'est pas régulière, *douleur erratique*, qui change de place, *goitre erratique*, situé en un endroit inhabituel) et de géologie (*roches erratiques*, déplacées sur une grande distance par les anciens glaciers).
venez profiter d'**escomptes** formidables sur nos vêtements de sport	discount	**remise** (de x% pour l'achat en grosse quantité), **rabais**, **réduction** (de solde, sur produits défraîchis, etc.) ; **réduction maxi(male)**	*Escompte* ne désigne pas n'importe quelle sorte de réduction, mais uniquement la réduction du montant d'une dette à terme lorsque celle-ci est payée avant l'échéance. — V. a. **magasin d'escompte** et **prix d'escompte**.
Louise choisit Jean comme **escorte** (pour la danse)	as her **escort**	**cavalier, danseur**	Une escorte est un cortège d'honneur, ou encore un groupe d'officiers ou de personnes qcq. armées qui accompagnent qn ou qch. pour le protéger ou le surveiller ; *escorte* désigne aussi un ou des navires de guerre protégeant des navires de transport (*convoi séparé de son escorte par la tempête ; navire d'escorte*).
espace de bureau à louer	office space to let	**(local pour) bureau**	
l'agent fait la collecte **et/ou** la vente	collecting **and/or** selling	la collecte **ou** la vente **ou les deux (à la fois)**	
Lafayette Inc., **établi** en 1905 (panonceau de sociétés commerciales)	**established** in 1905	**fondé**	
on met la date à l'**étampe**, il faut **étamper** le document	stamp, to stamp	**timbre (de caoutchouc), tampon, apposer le timbre sur, timbrer, tamponner, oblitérer**[1]	(1) S'il s'agit d'un passeport. V. puncher.

41

anglicisme	anglais	français	remarques
état: dîner, funérailles **d'État**	state dinner, funeral	dîner **officiel**, funérailles **nationales**	
été des Indiens	Indian summer	**été de la Saint-Martin**[1]	(1) Équivalence qui ne serait qu'approximative.
les **groupes ethniques**[1] sont opposés au projet de loi ; l'opinion de la **presse ethnique**[2]	the ethnic groups ; the ethnic press	les **minorités ethniques** ; les **journaux des minorités ethniques**, la **presse néo-québécoise**	(1) Expression illogique pour désigner les immigrants ou Néo-Québécois. Les Canadiens-Français du Québec, ou Québécois francophones, constituent aussi un groupe ethnique. L'adjectif *ethnique* n'a pas le sens de rattaché à une ethnie venant de l'étranger. (2) Expression qui n'a pas de sens non plus en l'occurence et qui pourrait englober aussi le presse québécoise d'expression française.
les **étudiants** des niveaux primaire, secondaire, collégial et universitaire ; au cours primaire, il n'est pas bon que les **étudiants** fassent chaque jour un long trajet en autobus	the students	les **élèves** ; les **enfants, les élèves, les écoliers**	Le mot *étudiant* s'applique uniquement à un élève d'une université ou d'une école supérieure. L'expression *étudiant universitaire* est de fait un pléonasme.
lait **évaporé** Bordon	evaporated milk	lait **concentré**	
événement: **à tout événement**[1]	at all events	**quoi qu'il arrive, dans tous les cas ; quoi qu'il en soit**	(1) Expression vieille ayant le sens de *à tout hasard*.
ceux qui souhaitent un changement **éventuel** ; ce joueur est **éventuellement** descendu dans les équipes mineures ; j'ai promis de déménager **éventuellement**	eventual ; eventually	**ultérieur** ; **finalement, par la suite** ; **plus tard**	*Éventuel* veut dire: qui peut ou non se produire. C'est un synonyme de *possible*. Ex.: « Il n'y a guère que le choix entre un mal certain et un mal éventuel ».
examen d'un témoin	**examination** of a witness	**interrogation ; interrogatoire**	S. Bibl. DRT 1.
vice-président **exécutif** ; secrétaire **exécutif**	**executive** vice-president ; **executive** secretary	vice-président **directeur**[1]; secrétaire **de direction / administratif**[2], chef de secrétariat[3]	(1) S. Bibl. GST 6. (2) S. R.C. (3) Ayant du personnel sous ses ordres. S. R.C. V. a. **conseil exécutif**.
il est un **exécutif** ; l'**exécutif** de la Chambre de commerce, d'une association, d'un syndicat	an executive ; the executive	**directeur, cadre supérieur** ; **bureau de direction, bureau**	*L'exécutif* signifie *le pouvoir exécutif*, dans la structure politique de l'État. C'est le seul emploi possible du mot comme substantif. Au sujet de l'emploi adjectival du mot *exécutif*, voir les nombreuses impropriétés signalées dans Dagenais.
exercice de feu	fire drill	**exercice d'évacuation / d'incendie**	

anglicisme	anglais	français	remarques
notre compagnie n'a pas l'**expertise** voulue pour ce genre d'exploitation, le Québec a l'**expertise** qu'il faut pour exploiter des centrales nucléaires	the expertise	les **spécialistes,** les **connaissances techniques**	Une expertise est un examen effectué par un expert sur l'ordre du tribunal. C'est aussi une estimation de la valeur d'un objet d'art ou une étude de son authenticité par un expert.
extension 22 (téléphone)	extension (syn. de local)	**poste**	
extension de congé, d'engagement, du délai de paiement d'un effet de commerce	extension	**prolongation**	L'extension a trait à l'espace (aux sens propre et figuré), non au temps. Ex.: « l'extension du volume d'un corps, du sens d'un mot ».
extension: **échelle à extension ;** **fil d'extension ;** **lampe à extension ;** **table à extension**	extension ladder ; extension cord ; extension lamp ; extension table	**échelle à coulisse ;** **fil de rallonge**[1]**, (cordon) prolongateur**[2]**;** **(lampe) baladeuse ;** **table à rallonge**	(1) Langue courante. (2) Langue technique.
extracteur de jus (appareil électroménager servant à faire des jus de fruits ou de légumes)	juice extractor	**centrifugeuse**	S. Bibl. DIV 24.
les **facilités** portuaires, sportives, d'épuration des eaux ; les **facilités** de la compagnie XYZ à Beauséjour ; nous avons toutes les **facilités** voulues pour l'enseignement ; on a toutes les **facilités**: aqueduc, égoûts, etc.	facilities	les **installations ;** l'**usine ;** les **locaux ;** les **services**	B E : Fournir à un adversaire toutes facilités de se dérober. Facilités de paiement (v. **Termes faciles**).
faillir un examen (Vx)	to fail an exam	**échouer à, manquer, rater** (fam.), **louper** (pop.)	
faire ami avec qn	to make friends	**devenir ami, se lier d'amitié**	
faire du temps (« Y a fait du temps à cause de ce vol-là », « C'en est un qui a fait du temps »)	to serve time (fam.), to do time (pop.)	**faire de la prison, être au bloc** (fam.), **être en cabane / au trou** (pop.), **aller en taule / faire de la tôle** (arg.)	
je suis **familier** avec ce procédé	I am **familiar** with this method	je suis **familiarisé** avec ce procédé, ce procédé m'est familier, je connais bien ce procédé	On trouve aussi en français l'expression *familier de* (*être familier d'une maison, d'un club, d'un sujet, d'une question*).

anglicisme	anglais	français	remarques
les **fatalités** sont extrêmement rares dans nos usines	fatalities	**accidents mortels**	
favoriser une solution, une démarche particulière	to **favour** a solution, a measure	**être favorable à, être en faveur de, être pour, approuver**	*Favoriser* veut dire **agir** en faveur de (*l'examinateur a favorisé ce candidat*), faciliter (*l'obscurité a favorisé sa fuite*) ou aider au développement de (*certaines conditions sociales favorisent la criminalité ; Colbert favorisa l'industrie*).
rue **fermée** (signalisation routière)	**closed** street	**barrée**[1]	(1) Parce que l'on y met une barre.
le mâle qui vient **fertiliser** les oeufs de la femelle	to **fertilize**	**féconder**	
il y a un **feu** sur la rue X, il y a eu une *épidémie* de **feux** pendant la grève des pompiers	a fire	un **incendie**	*Feu* se dit, entre autres circonstances, quand on veut préciser la nature de ce qui brûle: *feu de bois, de paille,* etc. Sont évidemment correctes aussi les expressions *prendre feu, mettre le feu, le feu a pris* (p. ex. à la grange), *crier au feu, aller au feu* (p. ex. de la part des pompiers), ainsi que *le coin du feu, faire du feu, allumer un bon feu, jeter de l'huile sur le feu* (fig.) et *feu de camp, feu de joie, les feux de la Saint-Jean,* etc. — V. **lumière**.
feuille de balance (Vi, gestion de commerce)	balance sheet	**bilan**	
feuille de temps (contrôlant les heures de présence des ouvriers)	time sheet	**feuille de présence**	
fièvre des foins	hay fever	**rhume des foins**	
figurer 300 boisseaux comme récolte ;	to **figure**	**prévoir ;**	
j'ai **figuré** que c'était une plaisanterie ;		**imaginer, penser, croire ;**	
il a **figuré** que ça le rendrait riche		**s'imaginer, se figurer**	
l'incendie est dû au **filage** défectueux ;	the **wiring**	les **canalisations électriques ;**	B E : Le filage de la laine est un travail qui se fait à la main. En usine, le filage est l'opération finale de la filature par laquelle la mèche est transformée en fil. (1) S. R.C.
faire installer le **gros filage ;**	the **heavy wiring ;**	le **courant-force** / le **circuit-force** / fam.: la **force**[1];	
cet appareil fonctionne sur le **petit filage**	the **light wiring**	**courant-éclairage** / **circuit-éclairage**[1]	
filer bien, mal, malade ; **filer** pour se battre, pour s'amuser	to **feel** well, bad, sick ; to **feel** like fighting, enjoying oneself	**se sentir ;** **être en humeur de, être d'humeur à**	B E : Filer doux (être docile, soumis). Filer un mauvais coton (être dans une situation dangereuse, traverser une période sombre).

anglicisme	anglais	français	remarques
filer des lettres ; des procédures judiciaires	to **file** letters ; legal proceedings	**classer ; produire** (à la cour)	On pourra voir au dictionnaire tous les sens français de *filer*, vb tr. et vb in. — V. a. **feeder**.
réparer là **filerie** d'une usine, d'une maison	the **wiring**	l'**installation électrique**	*Filerie* est synonyme de *câblage* et désigne « l'ensemble des conducteurs isolés de petites sections d'un équipement électrique » (Commission électrotechnique internationale, in R.C.). Le terme ne saurait donc s'appliquer à l'ensemble des canalisations électriques d'un bâtiment.
mettez le dossier dans la **filière** ; apportez-moi la **filière** (Vi) de Smith Limitée	the **filing**-cabinet ; the **file**	le **meuble-classeur**, le **classeur** ; le **dossier**	
final(e) : édition ; texte d'une loi ; jugement, décision ; vente	final	**dernière ; définitif ; sans appel ; ferme**	B.F. : voyelle finale, accords finals d'un air, l'effet final d'une décision.
finir : **combat à finir** (à la boxe), **lutte à finir** (en politique)	fight to a finish	**combat à l'usure**[1], **lutte à outrance**, **lutte d'usure**	(1) D'après Dupré.
horaire **flexible** (de travail)	**flexible** working hours	horaire **variable**	S. Bibl. TRV 5. A M C E F.
y a pas de **fonds** dans son compte, faire un chèque pas de **fonds**	no **funds**	pas de **provision**, chèque sans **provision**	
fonds de pension	pension fund	**caisse de retraite**	
fonds de contingence (gestion d'entreprise)	contingency fund	**fonds de prévoyance / pour éventualités**[1]	(1) S. Bibl. AFF 7.
force : loi, règlement **en force**	in force	**en vigueur**	
force constabulaire	constabulary force	**corps de police, corps policier**	
force ouvrière	labour force	**population active**[1]	(1) À noter que cette expression, tout comme *labour force*, englobe les chômeurs. Il faut entendre ici *active* au sens, donné dans les dictionnaires, de « capable d'activité ».
forêt de bois dur	hardwood forest	**forêt de feuillus**	
forger une signature	to **forge** a signature	**contrefaire**	*Forger* peut vouloir dire **inventer** faussement (*forger un document*) mais non **imiter** frauduleusement.

anglicisme	anglais	français	remarques
style **formel** (d'un orateur) ; art **formel** (d'un peintre) ; dîner **formel** ; habillement **formel** ; entretien **formel** (entre deux hommes politiques) ; séance **formelle** (d'un comité)	formal style ; formal art ; formal dinner ; formal dress / wear ; formal talks ; formal session	**empesé, académique ; conventionnel ; prié ;** habit **de cérémonie,** tenue **de soirée ; officiel ; statutaire**	Le sens français courant de *formel* est celui de clair, explicite, catégorique (*démenti formel, refus formel*), indiscutable (*preuve formelle*). Ses contraires sont: ambigu, douteux, tacite. *Formel* a aussi, cela va de soi, le sens de basé sur la forme (plutôt que sur la matière, *classement formel*), relatif à la forme (*beauté formelle d'un poème*) — et, par ext., purement extérieur (*politesse formelle*) — ainsi que de semblables sens étymologiques en philosophie et en logique. La distinction indiquée ici vaut pour le contraire **informel** (v.).
fou: **faire un fou de soi**	to make a fool of oneself	**agir en insensé, faire l'imbécile, se rendre ridicule**	
Où'st-ce qu'il était, **fouillez-moi**! ; **Fouille-moi** où'st-ce qu'il était rendu!	search me!	**ne me demandez pas!** ; **Ne me demande pas** où... / **Je n'ai pas la moindre idée de / Impossible d'imaginer** (l'endroit) où il était niché!	
fournaise de chauffage central, de locomotive	furnace	**chaudière**	
fourrer le chien	to fuck the dog (vulg.)	**s'occuper à des riens, ne rien faire de bon / qui vaille**	
un petit **frais**	fresh	**fanfaron, impertinent ; prétentieux**	
perdre sa **franchise**[1] à une élection ; **franchise** d'exploitation commerciale ; **franchise** obtenue d'un fabricant, d'un inventeur, obtenir de la municipalité une **franchise** pour exploiter un restaurant dans un parc ; **franchise** de football, de base-ball ; le club des Éperviers a obtenu sa **franchise** dans la division de l'Est	franchise	**droit de suffrage, de vote ;** **privilège, licence ;** **concession ;** **licence ;** **admission**	[1] V. a. *défranchiser*. B E : franchise douanière, marchandises admises en franchise, franchise postale, franchise de bagages, franchise diplomatique (privilège de l'extraterritorialité). V. **déductible**.
frapper un feu rouge ; un « noeud » ;	to **hit**	**buter sur ; rencontrer** un obstacle, **tomber sur** un os ; **échouer, se casser le nez ;**	

anglicisme	anglais	français	remarques
un imbécile comme guide, comme informateur ;		**tomber sur ;**	(1) Cap. us.
une aubaine ;		**trouver, profiter de ;**	
un passant (de la part d'un véhicule)		**heurter**[1].	
frein à bras	arm-brake	**frein à main**	
le correcteur d'épreuves lit les **galées**	galleys	**placards**	
garder un oeil sur	to keep an eye on	**surveiller, avoir l'oeil sur, avoir à l'oeil, tenir à l'oeil**	
Garder la droite (signal routier)	Keep (to the) right	**Tenez la droite, Serrez à droite**	
gâteau-éponge	sponge cake	**gâteau de Savoie**	S. OLF. — D'autre part, noter que l'OLF accepte *gâteau des anges* comme équivalent de angel cake.
gaz, gazoline (pour automobiles)	gas, gasoline	**essence**	*Gaz* désigne un corps qui se présente à l'état de fluide expansible et compressible, comme l'oxygène, l'anhydride carbonique, le néon, le méthane, etc. *Gazoline* désigne l'éther de pétrole.
on va arrêter pour **gazer**	to gas	**faire le plein, prendre de l'essence**	V. **driver** et **rider**.
Gazette officielle (du Québec, du Canada)	Official Gazette	**Journal officiel**	
céréales **genre** paysan	country **style** cereals	**à la** paysan**ne**	
gérant de la production, de l'expédition, du personnel, de banque ; de Beau Dommage, de P. Julien ;	manager	**chef, directeur ;** **imprésario ;**	Le mot *gérant* désigne avant tout un mandataire, une personne qui administre pour le compte d'autrui. On le trouve employé, dans le commerce, au sujet de la personne qui dirige un établissement ou une succursale d'entreprise. (Selon L'act. term., vol. 5, n° 10).
gérant de plancher (d'un grand magasin) ; **gérant des fruits / des viandes ;** **gérant de produits ;** **gérant de magasin / des ventes ;** **gérant municipal**	floor manager ; fruit / meat manager ; product manager ; store / sales manager ; city manager	**chef d'étage**[1]; **chef fruitier / boucher**[2]; **chef de produits**[3]; **directeur de magasin / des ventes**[3]; **chef / directeur des services (municipaux)**	(1) S. R.C. (2) « Si le *chef boucher*, ou le *chef fruitier*, s'occupe aussi de l'administration, on pourra l'appeler *chef de la boucherie*, ou *chef de la fruiterie*. » (R.C.) (3) S. Bibl. COM 4 et 6.

anglicisme	anglais	français	remarques
malgré son beau titre, ce n'est qu'un commis **glorifié**	a **glorified** clerk	**survalorisé**	
goûter bon, mauvais (« Qu'est-ce que ça goûte? »)	to **taste** good, bad	**avoir** bon, mauvais **goût**	Contrairement à d'autres verbes de perception comme *sentir*, *goûter* ne se dit que de l'action de percevoir (*goûtez-moi ce plat*) et non aussi du fait de dégager l'impression sensorielle qui fait l'objet de cette perception.
gouverner: veuillez **vous gouverner** en conséquence[1]	please **govern yourself** accordingly	veuillez **agir** en conséquence	(1) Formule qui termine les avis de procédure judiciaire.
gouverneur d'une université	**governor**	**administrateur**	
graduation des élèves de 11ᵉ année, des étudiantes-infirmières ; un **gradué** d'université, infirmière **graduée** ; études **graduées** ; Jean a **gradué** cette année	**graduation** ; a university **graduate**, **graduate** nurse ; **graduate** studies ; has **graduated**	**remise des diplômes, fête des promotions** ; un **diplômé**, infirmière **diplômée** ; études **supérieures** ; a **obtenu son diplôme, son grade**, a **été reçu licencié**, a **passé sa licence**	*Graduer* ne s'emploie pas intransitivement. B E : Graduer (rendre progressive) la difficulté des exercices. Une règle graduée en millimètres. La graduation d'une éprouvette, d'un thermomètre.
grand total (en comptabilité)	**grand total**	**total général / global**[1]	(1) Par oppos. à *total partiel* (en angl. subtotal).
chemin en **gravelle**[1]	**gravel**	**gravier**	*Gravelle* est un vieux terme de médecine qui désigne une concrétion rénale, un petit calcul, ainsi que la maladie (lithiase) qui cause ces concrétions. (1) Il peut s'agir ici aussi bien d'un provincialisme.
guerre de guérilla	**guerilla** war	**guérilla**	
harnacher une chute d'eau, le **harnachement** de la rivière Outardes	to **harness** falls, the **harnessing** of a river	**mettre en exploitation, aménager, mettre en valeur**, l'**aménagement (hydro-électrique)**	*Harnacher* signifie: 1° mettre le harnais à (un cheval, un animal de selle) ; 2° (surtout p.p. ou pron.) accoutrer (qn) comme d'un harnais (*grotesquement harnaché, tel un trappeur ou un coureur des bois ; il est prêt à partir, tout harnaché de courroies, de musettes*), équiper (*le soldat, le chasseur, l'alpiniste était en train de se harnacher*).
heures d'affaires	business hours	**heures d'ouverture**[1], **heures de bureau**[2]	(1) Dans le cas des magasins, des commerces. (2) Dans le cas des professions libérales.
histoire: **pour faire une histoire longue courte,**	to make a long story short,	**pour résumer (beaucoup), pour ne dire que l'essentiel,**	

anglicisme	anglais	français	remarques
pour faire l'histoire courte	to make the story short	**pour être bref**	
histoire: ` ce n'est là / ces chiffres ne révèlent qu'**une partie de l'histoire**	only **a** part of the story	**un aspect de la question / de la situation**	
Hommes au travail (affiche routière)	Men at work	**Travaux en cours, Attention: travaux**	
horloge grand-père	grandfather clock	**horloge de parquet**	
huile de castor	castor oil	**huile de ricin**	
la direction **identifie** trois objectifs auxquels il faut viser ; il nous faut **identifier** à quels degrés les différents secteurs de la population...	identifies ; we must **identify**	**décèle, établit, désigne ;** **découvrir**	B E : Identifier un criminel, une victime. Je le connais, mais je n'arrive pas à l'identifier (= reconnaître, remettre). Identifier un accent, des échantillons de pierres (= reconnaître comme appartenant à une certaine espèce ou classe). Identifier un phénomène avec un autre, à un autre, et un autre (= assimiler).
identifier: **s'identifier** (« s'il vous plaît, veuillez vous identifier »)[1]	to identify oneself	**se nommer, révéler son identité**	(1) Comme vb tr., *identifier* veut dire **reconnaître, trouver** (et non **donner** ou **révéler**) **l'identité de.** — B E : Cet acteur s'identifie avec son personnage. Ce ne sont pas tous les enfants qui s'identifient à leur père.
idiomes de la langue anglaise	**idioms** of the English language	**idiotismes**	*Idiome* est un synonyme de *langue.*
ignition d'une automobile	ignition	**contacteur ; allumage**	
ignorer une interdiction	to **ignore** a prohibition, an order	**passer outre à**	B E : Ce qu'il ignore, c'est que vous êtes revenu (= ne pas savoir). C'est un enfant choyé qui ignore la contrariété (= ne pas avoir l'expérience de). Depuis leur querelle, lorsqu'il le rencontre dans une soirée, il l'ignore (= le traite comme si sa personne ne méritait aucune considération).
de grands capitaux sont **impliqués** dans cette entreprise ; toutes les personnes **impliquées** dans la fête ; les personnes **impliquées** dans ces catégories	involved	**engagés ;** **mêlées** à ; **comprises**	*Impliquer* veut dire: 1° engager dans une affaire fâcheuse ; mettre en cause dans une accusation ; 2° comporter de façon implicite, entraîner comme conséquence *(mot qui implique telle idée; la lutte et la révolte impliquent toujours une certaine quantité d'expérience).*
impression: **être sous l'impression que**	to be under the impression that	**avoir l'impression que**	
incidemment, c'était un homme très malade	incidentally	**au fait, soit dit en passant**	*Incidemment* est un adverbe dérivé de *incident* et voulant dire accessoirement, ac-

anglicisme	anglais	français	remarques
			cidentellement, sans y attacher une importance capitale: « J'ai dû te nommer incidemment, parmi les camarades ».
diminuer l'**incidence** des incendies, de la carie dentaire, du diabète	the **incidence** of fire, decay, diabetes	la **fréquence** des incendies, de la carie, le **nombre des cas** de diabète	B E : Le point d'incidence (= de rencontre) d'un rayon lumineux sur une surface. L'incidence (= l'effet) des impôts de consommation sur les petits salariés, des salaires sur les prix de revient.
le blessé était **inconscient** à son arrivée à l'hôpital, la jeune fille était encore **inconsciente** une fois retirée de la foule	unconscious	**sans connaissance, inanimé, évanouie**	« En français, une personne inconsciente juge ou agit sans réflexion » (R.C.). V. la remarque a.s.d. **conscience**.
l'**incorporation** de la Johnson Electric ; de Sainte-Anne des Monts ; société **incorporée**	incorporation incorporated	**constitution (en société), constitution juridique ;** **constitution / érection en municipalité ;** **constituée**	B E : Incorporer des oeufs à une sauce, incorporer une remarque dans le corps d'un texte, incorporer qn dans une société.
indexer un registre ; un article	to **index**	**faire / dresser l'index de ; mettre dans l'index, répertorier, classer**	B E : Indexer un emprunt sur le cours de l'or, sur l'indice du coût de la vie.
bureau d'**information**	**information** desk	bureau de **renseignements**	
information: nous vous faisons parvenir, **pour votre information**, un document qui…	for your information	**à titre d'information**	
informel: séance réunion visite, démarche, entretien[1] causerie dîner[1] tenue	**informal** session meeting visit, step, conversation talk dinner wear, dress	**en dehors des statuts, non statutaire intime, à caractère privé** **officieux, privé familière, à bâtons rompus sans cérémonie de ville, sport**	Pour la motivation, v. les remarques a.s.d. **formel**. D'autre part, noter l'emploi fort restreint de l'adjectif *informel*, qui ne se dit que de l'art abstrait c.-à-d. celui « Qui refuse de représenter des formes reconnaissables et classables. *L'art abstrait informel s'oppose aux tendances géométriques.* » (Le Petit Robert) (1) A M C E F.
ingénieur de marine, de locomotive	engineer	**mécanicien**	Seul le contexte permet de déterminer si le mot engineer a le sens d'ingénieur ou de mécanicien. Dans le premier cas, cependant, le mot est parfois précédé de l'adjectif professional. De fait, le mot *ingénieur* suffit à traduire l'expression professional engineer. V. ci-dessous.

anglicisme	anglais	français	remarques
ingénieur professionnel	professional engineer	**ingénieur**	Il n'existe pas plus d'ingénieurs amateurs que de médecins amateurs. Le qualificatif de professionnel n'ajoute donc rien ici. Si on spécifie *professional* en anglais, c'est sans doute pour distinguer le sens de mécanicien qu'a aussi *engineer* de celui d'ingénieur.
ingénieur stationnaire	stationary engineman	**mécanicien de machines fixes**	S. les diplômes accordés par le Ministère de l'Éducation.
initier une mode, des études ; des mesures, une méthode ; une politique nouvelle ; une affaire, des négociations	to **initiate**	**lancer ;** **instaurer ; inaugurer ; entamer**	B E : Initier qn à l'hindouisme, initier qn aux secrets d'une affaire, aux arcanes de la politique. Initier un stagiaire aux méthodes de comptabilité. S'initier à un métier, à une profession.
cette stipulation fait partie **intégrale** du contrat	is an **integral** part of	partie **intégrante**	B E : Édition intégrale, remboursement intégral (= complet).
l'**intention** de la loi, du règlement (Vi)	the **intention** of the law, of the regulation	l'**esprit**	
il y a une **intermission** de dix minutes entre les deux parties du spectacle	an **intermission**	un **entracte**	*Intermission* était autrefois synonyme d'*interruption*. C'est aujourd'hui exclusivement un terme médical qui est synonyme d'*intermittence*.
syndicat **international**	international union	**nord-américain**	Les Américains qualifient en effet d'« international » certains de leurs organismes dont les ramifications s'étendent au Canada.
introduire un amendement à un projet de loi, à une motion	to **introduce** an amendment	**présenter**	B E : Introduire la clef dans la serrure. Introduire une marchandise (dans un pays) en contrebande. Introduire une nouveauté, une mode, un genre (= les faire adopter). L'huissier m'a introduit dans le bureau du ministre / Le serviteur l'a introduite auprès de la comtesse (= faire entrer quelque part). — Cependant, on **présente**, et non *introduit*, deux personnes l'une à l'autre.
renouveler l'**inventaire** de l'usine, de l'entreprise ; l'**inventaire** sur les rayons du magasin ;	to update the **inventory** ; the **inventory** on shelves ;	les **stocks**, l'**approvisionnement** ; les **marchandises** ;	L'inventaire, c'est le dénombrement, ou la liste, des marchandises, des valeurs, des créances et des dettes d'un établissement commercial.
garder un gros **inventaire** de blé, de riz, de bière ;	a large **inventory** ;	un grand **approvisionnement**, un gros **stock** ;	
la quantité de marchandises en **inventaire** ;	in **inventory** ;	en **magasin**, en **stock**, en dépôt, en **rayon** ;	
le nombre d'exemplaires / d'unités que l'éditeur / le fabricant a en **inventaire** ;	in **inventory** ;	en **stock**, en **dépôt**, en **réserve** ;	

anglicisme	anglais	français	remarques
inventaire de plancher[1];	floor inventory ;	**stocks courants**[2];	(1) Stocks en magasin, par oppos. aux stocks en entrepôt.
inventaire physique (des biens d'une entreprise)	physical inventory	**inventaire matériel / extra-comptable**[3]	(2) S. R.C. (3) S. J. Romeuf et J.-P. Guinot, *Manuel du chef d'entreprise*, p. 577, in R.C.
deux opinions **irréconciliables**	irreconcilable	**inconciliables**	Anglicisme qui peut paraître une figure de style.
item du budget, du bilan ; du programme, de l'ordre du jour, d'une commande au magasin ; d'une énumération, d'une nomenclature ; dans une discussion (« je ne suis pas d'accord sur cet item »)	item	**poste ;** **article ;** **élément ;** **point, sujet, question**	*Item* est un adverbe qui, dans un compte ou un état, veut dire: de même, en outre.
jardinier-maraîcher	market-gardener	**maraîcher**	
jarres à conserves	preserving jars	**pots**	Une jarre est un « Grand récipient de forme ovoïde, en grès, en terre cuite, destiné à conserver l'eau, l'huile, etc. » (Le Petit Robert).
joindre les signataires du traité ; un employé qui a **joint** la compagnie avant 1960	to **join**	**se joindre aux ;** qui est **entré au service de** la compagnie, qui est **entré à** la compagnie	Joindre qn veut dire le rejoindre, l'atteindre, par téléphone ou autrement.
fumer un **joint**	to smoke a joint	une **cigarette de marijuana**	A M C E F au sens de cigarette de haschisch ou de marijuana.
jouer les deux positions (au hockey)	to play both positions	**jouer à l'aile gauche et à l'aile droite / aux deux ailes**	
jouer les seconds violons	to play second fiddle	**jouer un rôle secondaire / de second plan**[1], **être un sous-fifre**[2]	(1) Dans une activité qcq. (2) Dans l'administration d'une entreprise.
jour de nomination (date où l'on doit inscrire sa candidature à une élection)	nomination day	**jour des déclarations de candidatures**[1]	(1) D'après « déclarations de candidatures », expression qui se rencontre fréquemment dans Bibl. POL 2.
le **Jour du Souvenir**	Remembrance Day	l'**Armistice**	
Jean Lefort **junior** menuisier / peintre **junior**	John Armstrong **JR** **junior** carpenter / painter	Jean Lefort **fils** **apprenti**-menuisier / peintre ; **second** menuisier / peintre	Les termes français *junior* et *šenior* ne désignent que des catégories d'équipes sportives. Quant à *junior*, le Petit Robert nous donne en outre la définition sui-

anglicisme	anglais	français	remarques
comptable / ingénieur **junior**	**junior** accountant / engineer	comptable / ingénieur **stagiaire** ; **second** comptable / ingénieur	vante: « Se dit, quelquefois (dans le commerce ou encore plaisamment), du frère plus jeune pour le distinguer d'un aîné. V. *cadet, puîné. Durand junior.* »
commis **junior**	**junior** clerk	commis **débutant** ;	
technicien **junior** gestionnaire **junior**	**junior** technician **junior** administrator	**(second)** commis technicien **subalterne** gestionnaire **en second**	
domaine réservé à la **juridiction** des provinces ; cette institution n'est pas sous la **juridiction** du ministère de l'Éducation ; cette question n'est pas de la **juridiction** du ministère des Transports ; les secteurs sous la **juridiction** de la convention collective ; cette question est sous la **juridiction** de la Régie	**jurisdiction**	**compétence** ; **autorité** ; **ressort** ; relevant du **champ d'application** de la convention collective ; cette question **relève** de la Régie	Le mot *juridiction* veut dire le pouvoir de juger, de rendre la justice. Il désigne aussi l'étendue et la limite de ce pouvoir, de même que le tribunal ou l'ensemble des tribunaux de même catégorie, de même degré: *porter une affaire devant la juridiction compétente ; juridictions de droit commun.*
la police croit qu'il s'agit d'un **juvénile**	a **juvenile**	un **mineur**	*Juvénile* est un adjectif, que Le Petit Robert définit ainsi: « Se dit des qualités propres à la jeunesse. V. Jeune. *Fraîcheur, grâce juvénile. Sourire juvénile... Ardeur juvénile.* »
S.V.P. me **laisser avoir** une copie du mémoire / du jugement	**let me have**	**procurer**	
voudriez-vous me le **laisser savoir**	**let me know**	**faire savoir, avertir de**	
pizza **large**, il lui faut un (maillot, caleçon, etc.) **large**	**large**	**grand(e)**	Le mot français *large* correspond à l'anglais *wide.*
lecteur / lecture des / d'épreuves (a.s.d. une brochure, une notice technique)	**proofreader/ing**	**correcteur / correction des / d'épreuves**	
le directeur du collège donne la **lecture** spirituelle	to deliver a **lecture**	**conférence**	Cet emploi s'est peut-être étendu à partir des cas où il s'agissait d'une véritable lecture (celle d'un texte biblique ou de réflexions moralistes).
légal: science, question, etc. département poursuites étude	**legal** science, matter department action, proceedings office	science, question **juridique** service **juridique**[1], (service **du) contentieux** poursuites **judiciaires** étude, cabinet **d'avocat, juridique**	(1) Cette appellation s'impose lorsque le service en question ne s'occupe pas des affaires contentieuses. L'adjectif *légal* signifie, non pas relatif au droit ou à l'exercice du droit, mais **établi par la loi, conforme à la loi.** De façon plus détaillée, cet adjectif a les cinq acceptions suivantes: 1° conforme à la loi, permis par la loi (« cette transaction est légale ») ; 2° qui a valeur de loi (« dispo-

anglicisme	anglais	français	remarques
frais, interprète	charges, interpreter	frais, interprète **judiciaire**	sitions légales ») ; 3° prescrit, imposé par la loi (« formalités légales ») ; 4° défini par la loi (« contenance légale d'un récipient ; cours légal d'une monnaie ; âge légal ») ; 5° fourni par la loi (« les voies légales, les moyens légaux »). V. a. *aviseur* et **opinion**.
garantie, liquidation	security, liquidation	caution, liquidation **judiciaire**	
expert	expert	expert **juriste**, jurisconsulte	
auteur	writer	auteur **légiste**, juriste	
terme	term	terme **de pratique**	
carrière	career	carrière **d'avocat**	
pratique	practice	pratique **du droit**	
secrétaire	secretary	secrétaire **d'avocat(s)**	
entité	entity	personne **morale, civile, juridique**	
caractères **légers**, imprimer en **léger** (par oppos. à *gras*)	**light**-faced type	**maigre**	
le Parlement serait appelé à voter une **législation** ordonnant aux fonctionnaires de retourner au travail	a legislation	une **loi**	La législation, c'est l'« ensemble des lois, des textes législatifs, dans un pays ou dans un domaine déterminé. *La législation française, anglaise... Législation civile... aérienne... financière.* » (Le Petit Robert)
lettres mortes	dead letters	**lettres tombées au rebut, lettres de rebut, rebuts**	B E : Ce texte est maintenant lettre morte (= n'a plus de valeur juridique, d'autorité officielle). Ces instructions sont restées lettre morte (= sans effet, inutile).
lever un grief	to **raise** a grievance	**exprimer, formuler**	
lever: **se lever sur** une question de privilège[1], sur un point d'ordre (assemblées délibérantes)	to **rise to** a question of privilege, to a point of order	**poser** une question de privilège, **demander** le rappel à l'ordre	(1) V. la rem. à l'article **question de privilège**.
poursuivre qn pour **libelle**	libel	**diffamation**	Un libelle est un **écrit**, simplement satirique ou franchement diffamatoire. — V. *libelleux*.
je vais passer le test de conduite pour obtenir ma **licence**	driver's **license**	**permis (de conduire)**	La licence s'applique plutôt aux activités commerciales et industrielles ; ex.: *licence de vente, licence d'exploitation*. V. **franchise**.
ma **licence** est toute bosselée, une **licence** de l'Ontario	license plate	**plaque (d'immatriculation)**	
numéro de **licence**	license number	numéro **matricule**	
Licence complète (affiche de restaurants),	**Fully licensed**,	**Vins et alcools**,	B E : Licencié en droit / ès sciences. Professeur licencié. Équipe de football licenciée.
un restaurant **licencié**,	**licensed** restaurant,	**qui a des alcools**,	
Épicier licencié (affiche d'épiceries)	**Licensed grocery**	**Bière et cidre**	

anglicisme	anglais	français	remarques
infirmière **licenciée**	licensed nurse	**autorisée**	S. OLF MD, 5ᵉ année, Nᵒ 5.
lieu: **en lieu et place de** cette émission, de ce film	in lieu and place of	**à la place de, en remplacement de**	Cette expression n'appartient qu'au domaine juridique. Cf. Quillet: « *Subroger quelqu'un en son lieu et place*, le charger de faire une chose en son nom, à sa place ».
vous êtes dans quelle **ligne**?	in what **line** are you?	dans quel **genre d'affaires**, quelle **branche**, quel **domaine**	Il ne faut pas méconnaître les usages corrects du mot *ligne*. En voici quelques exemples. *Les lignes essentielles d'un programme* (= élément, point). *Dans ses grandes lignes* (= en gros). *S'écarter de la ligne droite, de la ligne du devoir. Ligne de conduite. Suivre une ligne d'action. Ligne politique. Être dans la ligne du parti* (= suivre l'orthodoxie qu'il a définie). *Ligne de chemin de fer, de métro, d'autobus, maritime, aérienne. Tête de ligne. Pilote de ligne. Ligne à haute tension. Ligne téléphonique. La ligne est occupée, en dérangement, coupée. Lignes de fortifications. Ligne de défense. Reculer sur toute la ligne. Avoir raison sur toute la ligne. Cela ne doit pas entrer en ligne de compte. Ligne collatérale* (généalogique). *Avoir de la ligne* (des formes élégantes, sveltes). *Garder sa ligne* (rester mince).
dans sa **ligne**, c'est un as	he is a first-rater in his line	sa **profession**, sa **spécialité**, sa **partie**	
ma **ligne**, c'est la soudure	my **line** is welding	mon **emploi**, mon **métier**	
les comptes, c'est pas ma **ligne**	invoices are not (in) my line	ce n'est pas mon **rayon**, de mon **ressort**, de ma **compétence**, ma **responsabilité**	
le tennis, c'est pas ma **ligne**	tennis is not (in) my **line**	le tennis, c'est pas mon **fait**	
l'équilibrisme est pas sa **ligne**	rope-walking is not in his **line**	n'est pas dans ses **cordes**, dans ses **possibilités**, dans ses **talents**	
on tient pas cette **ligne**-là	we do not carry that **line**	cette **sorte de produits** ; cet **article**, ce **produit**	
une nouvelle **ligne** de jouets	a new **line** of toys	un nouveau **type**	
une **ligne** de robes	a **line** of dresses	un **modèle**	
les gants, les souliers de cette **ligne**	of this **line**	de cette **série**	
dans la **ligne** des séchoirs	in the **line** of dryers	dans la **famille**	
une **ligne** complète de produits de beauté, de robes de printemps	a whole **line** of cosmetics, of spring dresses	un **ensemble**, une **collection**	
ligne: **ouvrir la ligne** ; **fermer la ligne** ; **être sur la ligne** ; **Gardez la ligne, Tenez la ligne**	to open the line ; to close the line ; to be on the line ; Keep the line, Hold the line	**décrocher** ; **raccrocher** ; **être à l'écoute, occuper la ligne** ; **Ne quittez pas, (Attendez) un instant s'il vous plaît**	
ligne: les autos s'en allaient **en ligne** au garage	in a line	**à la file**	Au lieu de *trois jours en ligne*, qui est probablement un calque de ... *in a row*, on dira ... *de suite, d'affilée.*
ligne d'assemblage (dans une usine)	assembly line	**chaîne de montage / de fabrication**	
ligne ouverte (émission de radio avec participation des auditeurs par téléphone)	open line	**tribune téléphonique**	S. R.C.

55

anglicisme	anglais	français	remarques
traverser les **lignes**	the boundary **lines**	la **frontière**	
limite à bois de la compagnie X (Vi)	timber limit	**concession forestière**	
liqueur douce	soft drink	**boisson gazeuse, soda**	S. OLF. On sait qu'une liqueur est une boisson aromatisée et à base d'alcool ou d'eau-de-vie ; ex.: anisette, bénédictine, kirsch.
liste des vins (dans un restaurant)	wine list	**carte des vins**	
lit double ; **lit simple**	double bed ; single bed	**lit à deux places, lit pour deux personnes, grand lit ; lit à une place, lit pour une personne, petit lit**	
littérature reçue de la compagnie X ; **littérature** pour une étude sur la production d'hydrocarbures au Québec ; distribuer de la **littérature** séditieuse	literature	**dépliants, textes publicitaires, prospectus ; documentation ;** des **tracts**	Le mot *littérature* désigne « Les oeuvres écrites, dans la mesure où elles portent la marque de préoccupations esthétiques » (Le Petit Robert), ainsi que « les connaissances, les activités qui s'y rapportent » (ibid.). Ce mot désigne aussi l'ensemble des ouvrages publiés sur une question ; ex.: « Il existe sur ce sujet une abondante littérature » (ibid.).
livraison: **par livraison spéciale**	by special delivery	**par exprès**[1]	(1) Ne pas prononcer ni écrire « express ». À cause de la confusion de plus en plus répandue avec ce mot en France, la revue *Vie et langage* (mai 1973) a proposé l'expr. *distribution par porteur spécial*, dans laquelle le mot *distribution* peut sans doute se sous-entendre.
livret d'allumettes ; de chèques	**book** of matches ; cheque **book**	**pochette, carnet** d'allumettes ; **carnet** de chèques, chéquier	
local d'un syndicat	local	**section (locale)**	B E : Ils ont trouvé un local spacieux pour tenir leurs assemblées.
local 721 (téléphone)	local	**poste**	
le taux de l'impôt est fixé selon la **location** de l'immeuble	the **location** of the building	la **situation**, l'**emplacement**	La location, c'est l'action de louer.
loger un appel téléphonique ; un grief ; une réclamation ; une plainte ;	to **lodge**	**faire, émettre ; présenter, formuler ; faire ; déposer** une plainte, **porter** plainte ;	

anglicisme	anglais	français	remarques
un appel devant une juridiction supérieure		**interjeter** appel, en appeler	
long-jeu	long play	**microsillon**[1] ; **(enregistrement de) longue durée**[2]	(1) A.s.d. disques d'électrophones. (2) A.s.d. bandes magnétiques.
longue-distance	long distance (call)	**interurbain, inter** (fam.)	
posologie : 1 **losange** au besoin	1 **lozenge** as required	une **pastille**	
le trafic est **lourd**	the traffic is **heavy**	la circulation est **dense**, il y a une **grosse** circulation	
lumière verte, rouge (de signalisation routière) ; les **lumières** d'en arrière (d'une automobile)	green, red **light** ; rear **lights**	**feu** ; **feux** arrière	On ne peut parler de lumière lorsque le but de l'objet désigné n'est pas l'éclairage mais la signalisation.
machiner une pièce de métal	to **machine** a part	**usiner**	B E : machiner un complot, une intrigue.
le **machiniste** monte et répare les machines d'atelier	machinist	**ajusteur (de machines-outils)**	Le machiniste est celui qui, dans un théâtre ou un studio de cinéma, s'occupe des machines, des changements de décor, des truquages.
magasin à rayons	department store	**grand magasin**	Cap. us.
magasin d'escompte[1] (magasin de détail qui pratique une politique généralisée de vente avec faible marge de profit)	discount store	**minimarge**[2]	(1) V. rem. à *escompte*. (2) S. le Journal officiel de France, 3 janvier 1974. Ce mot peut sans doute s'accoler à un autre nom, comme p. ex. *pharmacie, boutique*, pour remplacer les anglicismes « pharmacie d'escompte », « boutique d'escompte », etc. — La Gazette officielle du Québec du 6 mars 1982 nous apprend que l'OLF recommande *magasin de rabais*, tout en admettant *(magasin) minimarge* comme syn.
une bonne **main** pour Untel	A good **hand** to Johnny	un bon **applaudissement** pour Untel, applaudissons chaleureusement Untel	
main : acheter une voiture, un appareil **de seconde main**	second-hand	**d'occasion**	B E : Recevoir, tenir de première main (directement, de la source). Information de première main. Érudition, ouvrage de première main (où l'information est puisée aux sources), de seconde main (par l'intermédiaire d'autres auteurs). Voiture d'occasion de première main (qui n'a eu qu'un possesseur).

anglicisme	anglais	français	remarques
Maintenant à louer (affiche sur nouveaux immeubles d'habitation)	Now renting	**Prêt pour occupation**	
majeure en physique nucléaire, en sciences économiques	major	**spécialisation**	S. Bibl. EDC 3. — V.a. **mineure**.
c'est toujours un **mal de tête** que de démêler ça	it's a **headache**	**problème ardu, casse-tête**	
la **malle** est arrivée, c'est le camion de la **malle**, la **malle** est passée, envoyer qch. par la **malle**	the **mail**, the **mail**-coach, the **mail** truck, « Royal Mail », by **mail**	le **courrier**, des **postes**, le **postillon** (Vx), le **facteur**, par la **poste**	A.A. ; cf. « la malle-poste », en abrégé « la malle », anciennement, voiture des services postaux (par extension du sens de grand coffre qu'a aussi le mot *malle*). V. a. **maller**.
boîte à malle	mail box	**boîte aux lettres**	
manquer: je vous ai **manqué**	I **missed** you	je me suis **ennuyé de** vous, je me suis senti de votre absence, j'ai regretté votre absence, vous m'avez manqué	« Je vous ai manqué » veut dire je ne vous ai pas attrapé, je vous ai raté, ou quelque chose du genre. Lorsqu'une personne regrette l'absence de quelqu'un, celui-ci **manque à** cette personne, ce n'est pas cette personne qui « le manque ».
cette coiffeuse fait aussi le **manucure** ; je me suis fait donner un **manucure**	manicure	**soin des mains, toilette des ongles** ; je me suis fait **faire les mains / les ongles**, je me suis fait manucurer (fam.)	Le ou la manucure, c'est la personne qui donne les soins.
manuel de service (relatif à une machine, à un outillage)	service manual	**guide d'entretien**	
le meilleur **manufacturier** de meubles au Canada, retourner la garantie au **manufacturier**	manufacturer	**fabricant**	*Manufacturier* est un nom vieilli qui signifie patron d'une manufacture.
jouer aux **marbres**	to play **marbles**	**billes**	V. a. *allé*.
marchandises sèches (affiche de magasins)	dry goods	**nouveautés, mercerie**	
Marché Lebeau, Durand, etc. ;	Smith's **Market** ;	**épicerie** ;	Un marché est un lieu public, généralement découvert, où vendent plusieurs marchands.
marché à viande	meat market	**boucherie**	
relations pré**maritales**,	pre-**marital** intercourse,	relations pré**conjugales**,	*Marital* veut dire: appartenant / relatif au mari, non pas au mariage.
état **marital**	**marital** status	état **matrimonial**	

anglicisme	anglais	français	remarques
marmelade d'oranges (produit qu'on trouve dans les magasins d'alimentation)	orange **marmalade**	**confiture** d'oranges	S. l'OLF, selon qui la quantité de sucre contenue dans le produit en question en fait indiscutablement une confiture.
un **marron** de 5 livres, une grosse récolte de **marrons** (on dit aussi: *marron végétal*)	vegetable **marrow**	**courge à la moelle**[1], fam.: **courgette**[2]	(1) S. le Jardin Botanique de Montréal. (2) D'après Bibl. ALM 2, Harrap et Robert.
matériel d'un vêtement	**material**	**étoffe, tissu**	
témoin **matériel**	**material** witness	**oculaire ; important**	
c'est **matière** de goût	**matter** of taste	**affaire, question**	
elle est pas **mature**, un tempérament **mature**	**mature**	**mûr, adulte**	*Mature* se dit uniquement du poisson prêt à frayer et, en biologie, d'une cellule parvenue au terme de son développement.
maturité d'un billet, d'une police d'assurance	**maturity** of a note, of an insurance policy	**échéance**	B E : Fruit arrivé à maturité. Maturité d'un abcès, d'un furoncle. Idée, projet qui vient à maturité. Personne qui atteint l'âge de la maturité. Manquer tout à fait de maturité.
remède qui contient une **médication** spéciale	a **medication**	un **agent médical**	La médication, c'est la thérapeutique, c.-à-d. l'emploi des agents médicaux dans un but thérapeutique.
Grand, petit ou **médium**? (pantalon, objet que l'on achète) ; Bien cuit, saignant ou **médium**?	Large, small or **medium**? ; Welldone, rare or **medium**?	**moyen** ; **à point**	B E : Les sons de cet instrument ne sont beaux que dans le médium ; chanteuse qui a un beau médium. Émanation du corps d'un médium (dans la pratique du spiritisme). Une huile très employée comme médium dans le délayage des couleurs.
meilleur: **au meilleur de ma connaissance** ; **au meilleur de ma mémoire** ; **au meilleur de mon jugement** ; **au meilleur de ses capacités** ; **avoir le meilleur sur** qn ; **être à son meilleur** dans tel domaine, tel jour	to the best of my knowledge ; to the best of my memory ; to the best of my judgment ; to the best of one's abilities ; to get the better of s.o. ; to be at one's best	**autant que je sache** ; **autant que je m'en souvienne** ; **autant que j'en puis(se) juger** ; **de son mieux, dans la pleine mesure de ses moyens** ; **l'emporter sur, avoir l'avantage sur** ; **exceller ; être le mieux en forme, être au mieux**	
procédé contraire aux **meilleurs** intérêts de notre société	to the **best** interests of our company	aux intérêts **fondamentaux, primordiaux, supérieurs**	Le superlatif « meilleurs » impliquerait qu'il soit sensé aussi de qualifier les intérêts de « bons ».

anglicisme	anglais	français	remarques
mélange à gâteau, à croûte de tarte	cake, pie crust **mix**	**préparation** pour	
même à ça	even at that	**même ainsi, même alors, malgré cela, même là**	
mener [1] **le diable**	to raise the devil, to raise hell	**faire du train** (Vx), **faire du chambard, faire du boucan, faire un boucan de tous les diables**	(1) Verbe sans doute inspiré de « mener du bruit », qui est français.
j'suis pas un **mental**, il devrait être avec les **mentaux** (à l'école)	a **mental**	**débile mental**, péj.: **timbré**	
mépris de cour	contempt of court	**outrage au tribunal, offense aux magistrats, outrage à magistrat**	D'après les dictionnaires et ouvrages juridiques consultés, l'expression varie, en France, selon la nature précise de la faute. Vu qu'on ne fait pas de distinction de ce genre au Québec, il nous semble qu'*outrage au tribunal*, déjà assez répandu chez nous, peut servir d'expression universelle.
faire valoir le **mérite** de sa cause ;	the **merit** of one's case ;	le **bien-fondé** ;	B E : Elle a beaucoup de mérite de sacrifier ainsi sa jeunesse au soin de ce vieil oncle grincheux.
discuter le **mérite** de la motion ;	the **merit** of the motion ;	le **fond**, l'**objet** ;	
juger une proposition **à son mérite** ;	to judge a proposition on its merits ;	**sur le fond** ;	
juger une question, voter **au mérite**	on the merits	**au fond, quant au fond**	
mettre au vote une question, une proposition	to put to the vote	**mettre aux voix**	
mettre la pédale douce	to put the soft pedal	**y aller doucement** ; **mettre une sourdine** (p. ex. à ses protestations)	
mettre l'épaule à la roue	to put one's shoulder to the wheel	**pousser à la roue**	
mille: **sur son dernier mille** (a.s.d. un auteur, un vétéran de la politique ou du sport)	on his last mile	**au bout de son rouleau, près de sa fin, à l'extrémité**	
mineure en mathématiques, en traduction	minor	**spécialisation secondaire**	S. Bibl. EDC 3.

anglicisme	anglais	français	remarques
pour **minimiser** les risques d'accident	to **minimize** injury risks	**réduire au minimum**	*Minimiser* veut dire considérer comme plus petit, présenter en donnant de moindres proportions. Ex.: *Le gouvernement minimise l'importance de ses échecs aux élections complémentaires.*
ministère des Affaires extérieures	Department of External Affairs	**ministère des Affaires étrangères**	
ministre associé de la Défense	Associate Minister of National Defence	**secrétaire d'État à la Défense**	
les **minutes** de l'assemblée **livre des minutes** d'une association, d'un corps qcq ; d'un conseil, d'un tribunal les **minutes du procès**	the **minutes** of the meeting **minute-book** the minutes of the trial	le **procès-verbal** **registre des procès-verbaux** ; **registre des délibérations** la **transcription des témoignages**	À part ses sens bien connus de fraction de temps (un soixantième d'une heure et, par ext., court espace de temps) et d'unité de mesure des angles (soixantième partie d'un degré de cercle), *minute* veut dire: « Original d'un acte authentique dont le dépositaire ne peut se dessaisir. *Minutes d'un jugement. Minutes des actes notariés* (conservées au minutier). » (Le Petit Robert). — V. **record**.
mise: achat **par mise de côté**	lay aside purchasing	**par anticipation**	
mitaine[1] de protestants	**meeting** [2] (house)	**temple**	(1) Mot a. employé au sens de *moufle* au Québec. (2) Pr. *meetin* en angl. pop.
avoir un **modérateur** pour diriger la discussion	a moderator	un **animateur**	
moment: le Journal n'est pas préparé à accepter, **à ce moment-ci**, l'idée d'un remaniement de ses structures décisionnelles et d'une révision de sa politique rédactionnelle ; les Canadiens anglais ne sont pas prêts, **à ce moment-ci**, à engager un dialogue d'égal à égal avec les Québécois francophones	at this time	**pour le moment, pour l'heure, encore** : **dans le moment, actuellement**	
les conditions **monétaires** de la convention collective ; pour des raisons **monétaires**	the **monetary** terms ; for **monetary** reasons	les conditions **d'argent, salariales, pécuniaires** : **financières, pécuniaires**	*Monétaire* veut dire relatif à la monnaie, non à l'argent. L'adjectif anglais *monetary* vient de *money*, qui veut justement dire argent, alors que monnaie se dit *currency*.
Vous débrouillez-vous bien avec les petits **monstres?** (comme écoliers)	the little **monsters**	les petits **diables**, les petits **démons**	Le qualificatif de monstre a trait à l'aspect physique ou à un défaut moral porté à l'extrême. Ex.: *Il a la tête si mal faite que c'en est un vrai monstre. C'est un monstre de cruauté / un monstre d'égoïsme.*

anglicisme	anglais	français	remarques
il a reçu de gros **montants** pour son accident	amount	**somme**	Un montant, c'est le chiffre auquel **montent** différentes sommes qui s'additionnent, c'est le total d'un compte, d'une recette, d'une dépense.
un chèque, un mandat **au montant de 5 $**	a cheque, a money order **in the amount of**	**de, d'une somme de**	
musique: **faire face à la musique**	to face the music	**affronter la situation, faire front, ne pas caler** (pop.)	
musique en feuilles	sheet music	**musique écrite, cahiers de musique**	
une **nectarine** (se dit d'une sorte de pêche à peau lisse dont le noyau est adhérent)	a nectarine	un **brugnon**	La nectarine est le fruit à noyau libre. S. OLF.
nettoyeur mousseux ; **nettoyeur** pour tableaux, pour argenterie, etc. (produit spécialisé)	cleaner	**détergent, détersif ; nettoyant**[1]	*Nettoyeur* se dit d'une personne ou d'un appareil. (1) Cf. Supplément du grand Robert.
une **noix** pour faire tenir une vis	nut	**écrou**	
nom: **Mon non est** Jean X (au téléphone)	My name is…	**Ici**…	
pour un prix **nominal**	**nominal** price	**minime, très bas**	B E : Valeur nominale d'une monnaie / d'une action, salaire nominal et salaire réel (valeur théorique, qui correspond à une définition donnée a priori, mais non pas toujours à la réalité économique actuelle).
la **nomination** du candidat républicain à la présidence des États-Unis se fera demain ; mise en **nomination** ;	nomination ;	**désignation, choix, élection, investiture** ; mise en **candidature** ;	*Nomination* indique qu'**une** personne a désigné le titulaire de sa propre autorité, alors qu'il s'agit ici d'une élection.
nommer qn comme candidat à la vice-présidence, au poste de secrétaire-trésorier (d'une asociation) ;	to nominate ;	**proposer** ;	
cinq candidates seront **nommées** pour le prix de beauté ; film **mis en nomination** au festival de Cannes	nominated	**désignées, choisies, retenues, sélectionnées ; sélectionné**	
bénéficiaire **non révocable** (assurances)	non-revocable	**à titre irrévocable**	S. Bibl. ASS 7.
contrat d'assurance **non transférable**	non-transferable contract	**incessible**	S. Bibl. ASS 7.

anglicisme	anglais	français	remarques
afficher une **notice** ; recevoir sa **notice** ; donner sa **notice** ;	notice	un **avis** ; son **congé**, son **avis de congédiement** ; sa **démission**, son **avis de démission** (d'un emploi), son **avis de départ**, (p. ex. d'une pension) ;	*Notice* veut dire note de présentation, compte rendu succinct (*dans sa notice, l'éditeur présente brièvement l'auteur et l'oeuvre*), court exposé, ensemble d'indications sommaires (*notice biographique, bibliographique, nécrologique, explicative*), résumé des conditions d'une émission de titres par une société, ainsi que livret décrivant la construction d'un produit et indiquant la façon de l'utiliser et de l'entretenir (*notice technique*).
ils lui donnent **une semaine de notice**	they give her **a week's notice**	ils lui donnent **ses huit jours**	
couleur: **nu** (a.s.d. un vêtement de dessous)	shade: **nude**	couleur **chair**	
immeuble situé au **numéro civique** 1222 de la rue X (textes administratifs et juridiques)	civic number	**numéro**	
séparer (deux mots) par un(e) **oblique** (en dactylographie, en imprimerie)	use the **oblique**	**barre oblique**	S. *Code typographique*, Syndicat national des cadres et maîtrises du livre, de la presse et des industries graphiques, 12ᵉ éd., Paris 1977, p. 25.
objecter: **s'objecter** (à une façon de procéder, à un projet, à une question de l'avocat adverse dans un procès)	to object	**s'opposer**	Le verbe pronominal *s'objecter* n'existe pas en français, bien que le substantif *objection* ait des acceptions assez semblables à celles du nom *opposition*: *cette proposition n'a soulevé aucune objection*; *si vous n'y voyez pas d'objection*. Le vb tr. *objecter* a aussi des acceptions assez proches de celles du vb tr. *opposer*: *objecter de bonnes raisons à / contre un argument* ; *il objectait qu'une action militaire autrichienne se heurterait au véto du Kaiser* ; *on lui objecta son jeune âge*. Noter que dans le cadre d'un procès, on peut dire « Objection » à la place de « Je m'objecte ».
occurrence du risque / du sinistre (assurances)	**occurrence** of event insured against / of loss	**réalisation** / **survenance**	S. Bibl. ASS 7.
l'**offense** dont l'accusé a été reconnu coupable ; **offense contre** les lois de la sécurité routière ; **offense mineure**	the **offence** ; **offence against** the laws ; minor **offence**	le **délit**, la **faute**, l'**infraction** ; le **crime** ; **infraction aux** lois ; **(simple) contravention**	Une offense est une parole ou une action qui blesse quelqu'un dans son honneur ou sa dignité: « Plus l'offenseur est cher (à l'offensé), plus grande est l'offense » (Corneille).
office: les commissaires **en office**	**in office**	**en fonction, en exercice**	
les **officiers** du ministère des Finances, de l'Immigration ; un **officier** de la Cie X ;	the **officers** ; an **officer** ;	les **fonctionnaires** ; un **membre du bureau**[1];	À part son acception relative à l'armée et à part son sens de titulaire d'un grade dans un ordre honorifique (*officier de la Légion d'honneur, officier d'Académie*), le substantif *officier*, de nos jours, s'emploie

anglicisme	anglais	français	remarques
un **officier** du syndicat ;	an officer ;	un **membre de la direction**, un **dirigeant**, un **responsable** ;	uniquement, à toutes fins pratiques, dans les expressions *officier public*, *officier ministériel*, où il désigne une personne investie d'un office, c.-à-d. d'une fonction publique conférée à vie. (1) V. **exécutif** (n.) (2) S. Bibl. POL 4.
un **officier** mandaté pour la négociation ;	an official ;	un **agent**, un **représentant** ;	
officier rapporteur / sous-officier rapporteur (Vx)	returning-officer / deputy returning-officer	**directeur du scrutin / scrutateur**[2]	
M. X va **officier** à l'ouverture des jeux ;	to officiate	**présider** ;	*Officier* veut dire célébrer un office religieux ; il s'emploie aussi au figuré dans le sens d'agir, de procéder comme si l'on accomplissait une cérémonie (« Clémentine officie... pieusement devant la table. Elle prépare d'abord le déjeuner du maître. » — Duhamel, cité par Le Petit Robert).
ce joueur avait **officié** cinq manches au monticule, a		avait **fait**,	
officié au monticule lors des deux dernières parties		a **été** au monticule, a **été le lanceur**, a **lancé**	
l'**opératrice** va me donner le numéro	the operator	la **téléphoniste**	
opérer: son commerce **opère** depuis deux mois ; ce marchand **opère** depuis deux mois ; les firmes qui **opèrent** au Québec ; compagnie qui **opère** des bureaux, des usines, au Québec ; **opérer** une loterie, un commerce ; directeur des **opérations**[2] coûts d'**opération** d'une entreprise ; en **opération**	to operate operations manager, operating costs ; in operation	**est ouvert, est en activité** ; **tient boutique, est ouvert**[1]; **font affaire, traitent des affaires** ; a des bureaux, **exploite** des usines ; **exploiter, tenir** ; de l'**exploitation**, frais d'**exploitation** ; en **exploitation** (usine, mine, etc.), en **activité** (entreprise), en **service** (ligne d'autobus), en **application** (plan)	*Opérer* veut dire: 1° **faire effet** (ce médicament n'a pas opéré) : 2° **effectuer** (il faut opérer un choix : éléments d'une colonne militaire qui opèrent leur jonction : les transpositions que vous opérez dans votre oeuvre sont très habiles ; il faudra opérer certaines modifications, certains changements dans les structures de ce service pour l'adapter aux nouveaux besoins), **exécuter ce qu'on a à faire, procéder** (il faut opérer de cette manière : les brigands opèrent nuitamment) ; 3° **soumettre à une opération chirurgicale** (opérer un malade ; opérer un oeil de la cataracte). (1) Par métonymie. (2) V. **projet**.
opérer une machine ;	to operate an equipment, a machine ;	**faire fonctionner, manoeuvrer, conduire** ; **actionner**	Bien qu'*opérer* ne se dise pas au sens de faire fonctionner, *opérateur* se dit, en français moderne, pour désigner une personne qui exécute des opérations techniques déterminées, qui fait fonctionner un appareil: *opérateur sur machines électriques*, *opérateur (de prise de vues)* (= caméraman). Mais *conducteur* demeure un terme beaucoup plus courant (même lorsque la machine ne se déplace pas): *conducteur de presses, de four, de cuve, de plieuse, de découpeuse*, etc.
une pompe, un dispositif	a pump, a device		
le bureau X désire une **opinion légale**	legal opinion	**avis juridique, consultation juridique**	V. **légal**.

anglicisme	anglais	français	remarques
profiter de l'**opportunité** ; dans une grande ville, on aura plus d'**opportunités** ; Montréal offre un tas d'**opportunités** ; créer des **opportunités** d'emploi	opportunity	**occasion** ; d'**occasions**, de **chances** ; de **possibilités** ; des **possibilités** d'emploi, des emplois	L'opportunité, c'est le caractère opportun, indiqué, à propos, d'une chose (*discuter de l'opportunité d'une mesure ; les ministres n'étaient pas d'accord sur l'opportunité d'avoir recours à une loi d'exception à ce moment-là*). En anglais: *advisability*.
le champion poids lourd tend la main à son **opposant**, avant le début du match	his **opponent**	son **adversaire**	Le terme *opposant* comporte en français une nuance intellectuelle. On est l'opposant, par exemple, d'une doctrine, d'une décision, d'un programme.
marmelade d'**orange Séville**	Seville orange	**bigarade**	S. Bibl. ALM 2. — On trouve *orange amère* au Harrap et au Petit Robert comme syn. de *bigarade*.
l'**orateur** de la Chambre des communes ; du Sénat	the **speaker**	le **président** ; le **président d'assemblée**, le **président des débats**[1]	On sait qu'un orateur est une personne qui prononce un discours, une causerie. (1) Ces expressions semblent acceptables et permettent, dans le cas du Canada, d'éviter la confusion avec le poste de *président* du Sénat qui constitue celui de chef de cette chambre.
l'épicerie a pas encore livré l'**ordre**	the **order**	la **commande**	B E : C'est un tempérament à n'accepter d'ordres de personne. V. réquisition.
marchandise en bon **ordre**	in good **order**	**état**	B E : Les vaincus défilaient en bon ordre. Les dignitaires étaient placés par ordre de préséance.
ordre: moteur, appareil **en ordre, en bon ordre / en mauvais ordre, hors d'ordre**	in **order**, in good **order** / in bad **order**, out of **order**	**en bon état / en mauvais état**, **détraqué**, **déréglé**	
ordre: l'affaire / ses papiers sont **en ordre**	in **order**	**en règle**	B E : Ses papiers, ses affaires, ses effets sont en ordre (bien rangés, correctement disposés ou classés ; contraire de *en désordre*).
ordre (assemblées délibérantes): sa motion, sa proposition, son amendement était **dans l'ordre / hors d'ordre** ; cette intervention est **dans l'ordre / hors d'ordre** ; cette procédure est **dans l'ordre / hors d'ordre** ; **être hors d'ordre** (de la part d'un membre de l'assemblée),	in **order** / out of **order** ; to be out of **order**,	**dans les règles, recevable, réglementaire / non recevable, irrecevable, antiréglementaire** ; **pertinente / non pertinente** ; **régulière / irrégulière** ; **faire un accroc au règlement, déroger au règlement, faire**	On peut dire *rappeler qn à l'ordre* au sens de le rappeler à la discipline, à l'observation des règles établies.

65

anglicisme	anglais	français	remarques
« il **était hors d'ordre** » ;	he was out of order ;	**une intervention an-tiréglementaire**, il **n'avait pas le droit**, il **allait contre le règlement** ;	
Est-ce que je **suis dans l'ordre**?;	Am I in order?;	Est-ce que **le règlement m'y autorise**? ;	
soulever un point d'ordre	to raise a point of order	**invoquer le règlement, faire appel au règlement, en appeler au règlement**	
devoir faire qch. par **ordre de la cour**	by **order** of the Court	par **autorité de justice**, en vertu d'une **injonction du tribunal** / une **ordonnance judiciaire** / un **jugement**	
ordre en conseil	**order** in Council	**arrêté (ministériel)**[1]; **décret(-loi)**[2]	(1) Émanant d'un ministère. (2) Pris par le conseil des ministres.
des « swingers » organisent une **orgie**	an **orgy**	une **partouse/ze**	Une orgie consiste avant tout en des excès de nourriture et d'alcool plutôt qu'en une partie de débauche.
la rivière **Ottawa** (Ouest du Québec)	the **Ottawa** River	la rivière **des Outaouais**, l'**Outaouais**	
paie-maître	**pay-master**	**payeur**[1]	(1) « Personne chargée, dans une administration ou une entreprise, de payer les salaires. » (R.C.)
pain brun (Vi)	**brown bread** (Vi)	**pain bis, pain de son**	
pain de blé entier	whole wheat bread	**pain complet**	
un **pamphlet** de la compagnie X	**pamphlet**	**prospectus, dépliant, brochurette**	Un pamphlet est un « Court écrit satirique, qui attaque avec violence le gouvernement, les institutions, la religion, un personnage connu. V. *Diatribe, factum, libelle, satire.* » (Le Petit Robert)
votre, son **papier**	**paper**	**journal, feuille**[1], **canard**[1]	(1) Marque l'ironie ou le dédain.
papier brun	**brown paper**	**papier d'emballage**	
papier de toilette	**toilet paper**	**papier hygiénique**	
papier oignon (Vi)	**onion skin paper**	**papier pelure**	
papier sablé	**sand-paper**	**papier de verre**	S. Bibl. TCH 7.

anglicisme	anglais	français	remarques
paquetage d'un robinet	packing	**garniture (d'étan-chéité)**	S. Bibl. TCH 3.
Paragraphe (indication d'aller à la ligne, dans la dictée de lettres)	Paragraph	**À la ligne**	
pareil: **trois (cartes) pareilles** (jeu de trois cartes de même valeur, au poker) ;	three of a kind ;	un **brelan** ;	V. a. **straight**
quatre (cartes) pareilles	four of a kind	un **carré**	
parler à travers son chapeau	to talk through one's hat	**parler sans connaissance de cause, ne pas savoir ce qu'on dit, parler à tort et à travers**	
avoir des **parts** (dans une entreprise à fonds social)	shares	**actions**	
un ouvrier trop **particulier**	a worker who is too particular	**méticuleux**, trop **minutieux**	B E : Il se soucie de chaque aspect particulier de son travail (s'oppose à *global* ou à *général*, non à *négligent*).
les **parties** d'une machine	the **parts**	les **pièces**	
partie d'huîtres	oyster party	**dégustation d'huîtres**	S. R.C.
partir à son compte	to **start** one's own business	**se lancer, se mettre, s'établir** à…	
partir un commerce, une compagnie, une association ; un magasin, une épicerie, une école ; un mouvement, une marche de protestation ; une affaire, un travail ; sa voiture, une machine, un moteur ; un mécanisme, un pendule, (le balancier d')une horloge ; la discussion, la bataille ; une mode, une rumeur, un canard ; un moteur, un acteur, un chanteur, un homme d'affaires	to **start**	**fonder** ; **ouvrir** ; **lancer, donner le branle à** ; **mettre en train** ; **mettre en marche, démarrer** ; **mettre en mouvement, faire partir** ; **lancer, engager, commencer** ; **donner naissance à, lancer** ; **lancer**	*Partir* est un verbe intransitif, sauf dans le sens (d'ailleurs vieilli) de partager, séparer en parties (*avoir maille à partir avec quelqu'un*: avoir un différend, une difficulté — proprement, avoir un demi-denier à partager avec qn).

anglicisme	anglais	français	remarques
les **partitions** de nos nouveaux locaux	the **partitions**	les **cloisons**	B E : Il faut que celui qui conduit un concert ait la partition sous les yeux. Les principaux thèmes d'une partition.
passe pour entrer dans un édifice, pour visiter une exposition ; **passe** pour un spectacle ; **passe** pour se déplacer par autobus, par train[1] ; **passe** pour assister aux parties de hockey	**pass**	**laissez-passer, carte d'entrée** ; **billet de faveur** ; **permis / bon / carte / titre (de circulation), carte (d'abonnement)** ; **(carte d')abonnement**	(1) A.A. B E : Ce navigateur connaît bien les passes. La racoleuse lui a fait une passe. Ce joueur fait de bonnes passes à ses coéquipiers. Il est en passe de devenir célèbre. Il traverse une bien mauvaise passe, à cause de ses problèmes familiaux et professionnels.
passé dû (compte, billet)	**past due**	**en souffrance, échu**	
passer une loi, un règlement (domaine public) ; un règlement (de la part d'une direction d'établissement. qcq.) ; des remarques, des commentaires ; un billet, une traite	to **pass**	**voter, adopter** ; **établir, faire** (fam.) ; **faire, prononcer** ; **souscrire**	B E : Passer un acte, une commande (v. **placer**), un accord, un contrat. Passer un article en compte / sur le compte, passer à pertes et profits. La loi a passé (= être accepté, admis).
patates sucrées	**sweet potatoes**	**patates, patates douces**	S. Bibl. ALM 2. On sait que le légume que nous appelons habituellement *patate* et qui correspond à l'anglais *potato* s'appelle *pomme de terre* en français universel, le mot *patate* employé pour désigner ce légume constituant un provincialisme ou un terme dépréciatif.
pâte à dents	**tooth paste**	**pâte dentifrice, dentifrice** (n. m.)	
souliers en cuir **patent**	**patent** leather	cuir **verni**	
c'est une **patente** à lui ; comment ça fonctionne, c'te **patente**-là? ; la **patente** à refroidir le lait	**patent**	**invention** ; **instrument, dispositif, machin, truc** ; **l'appareil**	*Patente* désigne: 1° un document relatif à l'état sanitaire d'un navire ; 2° l'impôt direct annuel auquel est assujettie toute personne exerçant, en France, une profession non comprise dans les exceptions légales ; par ext., la quittance de cet impôt. — Par rapport à l'anglais, on a affaire ici à une extension de sens, le mot patent désignant une invention brevetée seulement.
pâtés aux huîtres, au poulet ; **pâtés** de poisson	oyster, chicken **patties** ; fish **patties**	**bouchées** ; **fricadelles**	S. OLF.
patron fleuri (d'une robe, d'une jupe)	**pattern**	**dessin, motif**	Le mot *patron* a trait à la forme et aux dimensions, non aux couleurs et autres ornements de ce genre. Ce mot désigne un modèle de papier ou de toile, préparé sur un mannequin ou aux dimensions d'une

anglicisme	anglais	français	remarques
			personne. Aussi: *patrons de tapisserie*, *de vitrail*, etc. (modèles sur lesquels travaillent les artisans).
les ministres s'adonnent au **patronage**	patronage	**favoritisme** (exercé envers des citoyens, des électeurs en général), **népotisme** (exercé envers la famille et les amis)	B E : Gala de bienfaisance placé sous le patronage du Gouverneur général, du Président de la République. Comité de patronage d'une revue scientifique. Chapelle érigée sous le patronage de sainte Jeanne d'Arc.
route, rue nouvellement **pavée** ;	**paved** road, street ;	**asphaltée, bitumée, goudronnée, revêtue** ;	*Pavé* veut dire: recouvert de pavés (blocs de matière dure — « les étudiants retireraient les pavés des rues du quartier latin pour les lancer aux policiers »).
paver une route	to **pave** a road	**poser le revêtement de, revêtir**	
paver la voie aux discussions, aux négociations	to **pave the way to**	**préparer le terrain pour, ouvrir la voie à**	
Payé (inscription sur factures)	**Paid**	**Pour acquit**	Cap. us.
payeur de taxes	tax-payer	**contribuable** ; **cochon de payant** (péj. et pop.)	
pêche à noyau adhérent ;	clingstone peach ;	**pavie** ;	S. Bibl. ALM 2.
pêche à noyau libre	freestone peach	**pêche**	
pédale à gaz (auto)	gas pedal	**(pédale d')accélérateur, champignon** (fam.)	V. gaz.
peines et souffrances (subies par le plaignant, dans un procès)	pains and sufferings	**douleurs physiques et morales**	
Peinture fraîche (affiche)	Wet paint	**Attention à la peinture**	
perche de mer	ocean perch	**sébaste** (m.)	S. Bibl. ALM 3.
période d'attente (pour toucher des prestations d'assurance contre l'incapacité de travailler)	waiting period	**délai de carence**	S. Bibl. ASS 7.
période de questions et réponses (après l'exposé d'un conférencier)	question and answer period	**période de questions** ; **libre discussion** ; **débat**	
tout accident entraînant **perte de temps**	all injuries involving loss of time	accident entraînant **absence du travail**	

anglicisme	anglais	français	remarques
grand rabais sur toute **pièce d'ameuble-ment**	piece of furniture	**meuble**	
pilote d'un appareil de chauffage, d'un poêle à mazout ; d'une installation électrique, d'une machine	pilot	**veilleuse ;** **(lampe) témoin, témoin de contrôle**	B E : Pilote automatique (dispositif assurant le pilotage d'un avion sans intervention de l'équipage). Classe-pilote, usine-pilote (servant de champ d'expérimentation).
pince-alligator (en quincaillerie, en papeterie, pince avec mâchoires allongées et dentées).	alligator clip	**pince-crocodile**	S. R.C.
terrain de **piste et pelouse** (Vi)	track and field	**athlétisme**	
La Malbaie est une bien belle **place**, mais il vaut encore mieux vivre dans une grosse **place** comme Québec	a beautiful place	**localité, endroit, lieu, village** **ville**	B E : Place forte, place de guerre. Faire une enquête sur place. Peinture qui se soulève par places en formant des cloques.

placer
    un appel téléphonique ;
    une commande ;
    une question à l'ordre du jour ;
    quelqu'un qu'on a déjà vu
	to place	**faire, inscrire ;**
		passer ;
		
		mettre, inscrire ;
		
		remettre	

plaisir: **C'était mon plaisir** (formule qui suit un remerciement)	It was my pleasure	**Le plaisir était pour moi, Tout le plaisir a été / est pour moi**	
plan d'assurance, d'indemnisation, d'allocations, de paiement, d'épargne-retraite	plan	**régime**	B E : Plan d'un bâtiment. Plan d'une ville (v. **map**). Plans et maquettes d'un prototype d'avion. Élaboration d'un plan d'action, avoir son plan, exécuter un plan, tirer des plans sur la comète (faire des projets chimériques). Plan d'urbanisme / économique / quinquennal. V. *projet*.
plan conjoint (entre les gouvernements des deux paliers)	joint plan	**programme à frais partagés**	
plan de pension (offert par une entreprise à son personnel)	pension plan	**régime de retraite**	
plancher: **avoir le plancher,** **prendre le plancher,**	to have the floor, to take the floor,	**avoir la parole,** **prendre la parole,**	

anglicisme	anglais	français	remarques
revenir sur le plancher (dans une assemblée)	to return on the floor	**reprendre la parole**	
1er, 2e, 3e **plancher**, tout le **plancher** est consacré à l'informatique	1st, 2nd **floor**	**étage**	On notera que *plancher* désigne étage dans certains dialectes du nord de la France.
tous les ouvriers étaient sortis du **plant**	the **plant**	**l'usine**	B E : Plant de vigne, de pétunia, de framboisier.
plate-forme de la gare	platform	**quai**	
crayon de **plomb**, écrivez au **plomb**	**lead** pencil, write with **lead**	**à la mine**	
plume-fontaine (Vi)	fountain-pen	**stylo(graphe)**	
souvent: **plus souvent qu'autrement**, il répond qu'il peut pas	more often than not	**la plupart du temps, le plus souvent**	
à l'usine, il faut **poinçonner** à 8 h	to **punch**	**(se) pointer**	V. puncher (un billet d'autobus, une barre de fer).
point: **faire son point** (« Y a fait son point, c'est un orateur convaincant / un bon « debater »»)	to make one's point (« the speaker made his point », « he surely made his point »)	**faire prévaloir son point de vue, démontrer son avancé, convaincre son public / ses interlocuteurs**	
pointes (d'une automobile)	points	**vis platinées**[1], **plots de contact**[2], **contacts**[2]	(1) Expression qui ne décrit plus l'objet moderne mais que l'usage a quand même encore largement conservé. (2) S. Bibl. AUT 5.
j'ai un **poisson** pour payer mes sorties[1], t'as été le **poisson** dans tout ça	fish	**gogo, poire,** **dindon de la farce**	(1) Américanisme qui constitue aussi une figure de style pouvant paraître assez bien trouvée, à savoir une comparaison avec le poisson qui mord à l'hameçon en croyant y trouver son profit.
poli à ongles ; à chaussures	nail, shoe **polish**	**vernis ; cirage, crème, pâte**	*Poli* veut dire: aspect d'une chose lisse et brillante (*donner le poli à une surface*). Son contraire est *matité*.
police montée (Vi)	mounted police	**gendarmerie canadienne / nationale**	
population: **par tête de population**	per head of population	**par habitant, par tête d'habitant**[1]	(1) « ... un pays riche, le Canada, quatrième au classement international du revenu par tête d'habitant » (*L'Express*, 1er novembre 1970). « Partout, c'est la faillite virtuelle et partout la chute du produit national par tête d'habitant » (*L'Express*,

anglicisme	anglais	français	remarques
			édition internationale, 29 décembre 1975-4 janvier 1976).
être **positif** qu'une chose existe, que les faits sont tels, je suis **positif** de cela, il est **positif** à ce sujet-là, là-dessus	to be **positive** that, of, on	être **certain, convaincu, absolument sûr,** n'avoir aucun doute	B E : On m'a dit et fait voir des choses si positives (évidentes, certaines, sûres) ; fait positif (attesté, authentique). Avantages positifs (concrets, ayant un caractère d'utilité pratique). Esprit positif (qui ne tient compte que de la réalité objective). Sciences positives (qui s'appuient sur des faits, qui sont fondées sur l'observation et l'expérimentation).
décrocher une belle **position** dans une compagnie, dans l'administration, perdre sa **position**	position	**poste, situation, place, emploi**	
il est **positivement** interdit d'entrer sans lunettes de protection ; il a **positivement** refusé de participer	positively	**formellement, rigoureusement ; catégoriquement**	B E : Je ne le sais pas positivement (d'une manière certaine). La semaine prochaine, je vous dirai positivement la date de notre rendez-vous (précisément). Il nous fut positivement impossible de supporter plus longuement un pareil spectacle (réellement, véritablement).
les **possessions** du défendeur	the belongings	les **effets,** les **affaires**	
pouding à la vanille, au chocolat, etc. (préparation en poudre qui, une fois délayée, prend l'aspect d'une crème plus ou moins épaisse)	vanilla, chocolate pudding	**crème-dessert**	S. OLF et emballages français. — Un pouding est un gâteau à base de farine, d'oeufs, de graisse de boeuf et de raisins secs, souvent parfumé avec une eau-de-vie.
poudre à pâte	baking powder	**levure chimique / artificielle**	S. Bibl. ALM 5.
Moi **pour un.** La trésorière, **pour une**	I **for one,** The treasurer, for one	**Quant à moi, Pour ma part, quant à elle, pour sa part**	
il faut de la **pousse** pour obtenir un de ces postes-là	pushing	des **influences,** du **piston**	
y a pas de **pouvoir** ce matin ; le **pouvoir** développé par une machine ; le **pouvoir** consommé par une installation ; le **pouvoir** de Beauharnois	there is no **power** ; the **power** delivered ; the **power** consumption of ; the **power** station	de **courant,** d'**électricité ;** la **puissance ;** l'**énergie ;** la **centrale (hydro-) électrique**	
pratiquer une pièce de théâtre, un numéro de chant ;	to **practice**	**répéter ;**	B E : Pratiquer la charité (= en appliquer les prescriptions). Pratiquer une religion (en suivre les règles pratiques). Pratiquer

72

anglicisme	anglais	français	remarques
passer une heure par jour à **pratiquer** (la boxe, le judo, l'art oratoire) ; **pratiquer** la danse, son piano, son revers (sport) une heure de **pratique**		**s'entraîner, s'exercer ;** **s'exercer à, travailler** de **répétition**, d'**exercice**, d'**entraînement** (selon le cas)	un métier, une profession, un art ou un sport (faire, exercer, s'adonner à). Pratiquer le chantage (employer, s'adonner à), la recherche du bien-dire (s'employer à), un genre de vie (avoir d'une manière habituelle). Pratiquer une opération chirurgicale (exécuter). Pratiquer une ouverture (ménager, réaliser).
actions **préférentielles**	**preferred** shares	**privilégiées**	B E : Traitement, tarif, vote préférentiel (= qui établit une préférence, et non qui en est l'objet : une situation **privilégiée** permet le bénéfice d'un traitement **préférentiel**).
avoir un **préjudice** contre une compagnie	to have a prejudice against	un **préjugé**, un **parti pris**	B E : Cette décision porte préjudice / cause un préjudice (cause du tort) aux résidents du quartier.
être **préjugé** contre une méthode, un groupe, une école	to be prejudiced	être **prévenu, prédisposé**, avoir des préjugés, des préventions, des idées préconçues	B E : Ces personnes prévenues ont préjugé de la question (ont porté un jugement prématuré sur elle).
prendre action, prendre une **action**	to take action, to take an action	**prendre une initiative, prendre des mesures, faire quelque chose** (p. ex. pour résoudre un problème)	
prendre action contre qn ; prendre une **action** contre qn	to take action against s.o. ; to bring an action against s.o.	**aller en justice, faire / engager des poursuites contre** qn, **poursuivre / citer** qn **en justice ; intenter une action / un procès à / contre** qn, **exercer des poursuites contre** qn	
s'il désire **prendre avantage de** ce droit, de cette possibilité	to take advantage of	**profiter de, se prévaloir de**	*Prendre avantage de* se dit de l'action de profiter d'un fait qui nous place en situation de supériorité par rapport à une autre personne. Ex.: « Je ne veux pas prendre avantage de votre distraction pour vous confondre. »
veuillez **prendre avis** de la nouvelle version du règlement	to take notice of	**prendre acte**	
prendre ça aisé	to take it easy	**ne pas s'en faire ; en prendre à son aise, prendre son temps ; se la couler douce**	
prendre charge de	to take charge of	**prendre en charge, prendre à sa charge, se charger de**	

anglicisme	anglais	français	remarques
prendre des chances	to take chances	**courir des risques, prendre des risques**	
prendre des procédures contre	to take proceedings against	**intenter un procès à, poursuivre (en justice), entamer une action (en justice) contre, intenter / engager des poursuites / une instance contre, exercer des poursuites / agir contre, engager / intenter / introduire / entamer une procédure contre**	
prendre la parole de qn	to take s.o.'s word	**se fier à la parole de, s'en rapporter à**	B E : Je vous en donne ma parole.
prendre la part de qn	to take s.o.'s part	**prendre la défense de / le parti de ; prendre fait et cause pour**	
prendre le vote	to take the vote	**procéder au scrutin / au vote, voter, faire voter**	
prendre offense (d'une remarque, des grivoiseries de qn)	to take offence (at a remark, at a broad joke)	**se formaliser, se froisser, se piquer, se choquer**	
la parade, l'exposition doit **prendre place** le 2 mars	to take place	**avoir lieu, se tenir**	B E : Les spectateurs commençaient à arriver et à prendre place dans les gradins.
prendre pour acquis	to take for granted	**tenir pour acquis ; présupposer, admettre au départ, poser en principe**	
prendre son biscuit (dans une tentative qcq.) (Vi)	to take one's biscuit	**essuyer un échec, recevoir une leçon**	
c'est dangereux de se faire attraper mais je vais **prendre une chance** ; y est pas sûr de vous trouver chez vous mais y va **prendre une chance**	to take a chance	**tenter quand même, courir le risque ;** **tenter sa chance, courir sa chance**	
prendre une marche	to take a walk	**faire une promenade, faire une marche**	

anglicisme	anglais	français	remarques
faire exécuter une **prescription** à la pharmacie	to have a prescription filled	une **ordonnance**	« *Prescriptions d'un médecin*: recommandations consignées sur l'ordonnance. » (Le Petit Robert)
ne contient aucun **préservatif**[1]	preservative	**agent de conservation**[2]	(1) V. safe. (2) S. OLF. L'OLF a adopté cette expression à cause des connotations politiques que revêtait aux yeux des fabricants le terme *conservateur*, que l'on trouve sur des emballages français.
pression sanguine	blood pressure	**tension artérielle**	
prétexte: **sous de faux prétextes**	under false pretences	**par fraude, par des moyens frauduleux ; en employant des prétextes**	
presser son costume avec une pattemouille	to press a suit	**repasser**	B E : Presser un fruit. Presser dans un étau. Presser un cachet sur de la cire. Presser le bouton.
secrétaire **privé** : endroit **privé**	private secretary ; private place	**particulier** : **retiré, isolé**	B E : Entreprise privée, maison privée, chemin privé, séance de négociation privée.
privilège que vaut la garantie (assurances)	privilege provided by the benefit	**avantage**	S. Bibl. ASS 7.
privilège d'assurance libérée	reduced paid-up insurance privilege	**droit de réduction**	S. Bibl. ASS 6.
privilège d'assurance temporaire prolongée	extended term insurance privilege	**droit de prolongation**	S. Bibl. ASS 6.
prix du marché	market price	**prix courant**	S. R.C.
prix de liste	list price	**prix de catalogue**	S. Bibl. COM 8.
ces marchandises de qualité vous sont offertes à **prix d'épargne**	at saving price	**prix économique**	S. Bibl. COM 7.
prix d'escompte[1]	discount price	**prix minimarge**[2]	(1) V. escompte. (2) S. Bibl. COM 7.
pro-maire	pro-mayor	**maire suppléant**	
notre fille est en **probation** chez Lafayette et Cie ; vous pouvez commander cet article en **probation** et en bénéficier ainsi gratuitement pendant une semaine	probation	**période d'essai, stage** : à l'**essai**, sous **condition**	B E : Il fait sa probation avant d'entrer au noviciat.

anglicisme	anglais	français	remarques
probation: **officier de probation**	probation officer	**délégué à la liberté surveillée** (pour les mineurs)[1], **agent de probation** (pour les majeurs)[2]	(1) S. Bibl. DRT 4. (2) S. Bibl. DRT 4 et d'après G.L.E. et Bibl. DRT 7. (3) D'après Bibl. DRT 4.
système de la probation	probation system	**régime de la (mise en) liberté surveillée**[3]	
l'hon. X, en sa qualité de **procureur général**	attorney general	**secrétaire d'État à la Justice ; ministre de la Justice**	On sait qu'en français, *procureur général* désigne un magistrat supérieur qui exerce les fonctions du ministère public auprès de certaines cours — et qui n'est aucunement ministre.
il aimerait exercer une **profession**, elle avait toujours voulu épouser un **professionnel**	profession, professional	**profession libérale**, **homme de profession libérale**	Au sens large, le mot *profession* désigne simplement le genre de travail que l'on fait pour gagner sa subsistance ; il correspond à l'anglais *occupation*. Dans un sens plus restreint, par opposition à *métier*, qui désigne un travail plutôt manuel, il désigne un genre de travail plutôt intellectuel auquel on obtient l'accès par une formation scolaire plus poussée ; en ce sens, le secrétaire comptable et l'agent d'assurances, par exemple, exercent une profession.
employés **professionnels**	professional employees	**spécialisés**	B E : Écrivain professionnel, sportif professionnel. Les professionnels (les ouvriers qualifiés) de l'usine.
après le souper, il tient toujours à regarder / écouter son **programme** (Vi) favori (de télévision, de radio)	program(me)	**émission**	B E : Le programme d'été de Radio-Canada comporte plusieurs bonnes émissions. Le programme de cette émission comporte cinq tours de chant.
les entrepreneurs en construction Lapierre et Fils ont obtenu le contrat pour ce **projet**[1]; ce **projet** d'urbanisme, de rénovation, sera fini de réaliser dans un an ; les ouvriers mangent à la cantine du **projet** ; ils logent dans le **projet** X	construction **project** ; this town planning, restoration **project** ; on the **project** ; the Riverview **Project**	cet **ouvrage** ; cette **entreprise**, cette **opération**, ce **plan** ; du **chantier** ; les **habitations** X	B E : Le maire n'a pas révélé ses projets quant à l'utilisation ultérieure des terrains de l'Expo. Les architectes de la municipalité ont dressé un projet sommaire de constructions. Un projet, ça ne peut être quelque chose de concret comme un chantier ou un groupe d'habitations et ça ne peut que concerner l'avenir. (1) A M C E F.
outillage, appareil **propre** (Vi)	right and proper	**en bon état**	
publication: je vous envoie un texte **pour publication**	for publication	**à publier**	

anglicisme	anglais	français	remarques
on obtient la **pulpe** par des procédés mécaniques et chimiques	wood**pulp**	**pâte à papier**	La pulpe est la matière non préparée qui existe à l'état naturel dans les végétaux.
bois de pulpe	pulpwood	**bois à pâte, bois de papeterie**	
qualifications requises pour occuper un emploi	qualifications	**qualités, titres et qualités, formation, compétence**	B E : Avoir la qualification professionnelle (= le titre d'ouvrier *qualifié* c.-à-d. doté d'une formation professionnelle particulière).
quatre-heures (fleurs)	four-o'clock	**belles-de-nuit**	
quatre par quatre	four by four (habit. écrit *4 × 4)*	(camion, jeep à) **quatre roues motrices**[1], (tracteur) **à adhérence totale**[1]	(1) S. Le Petit Robert à *land rover*. (2) S. Quillet à *tracteur*.
question de privilège (a.s.d. un député, un membre d'une assemblée)	question of privilege	**explication sur un fait personnel**	« 1° Si la chambre elle-même est en cause, il s'agit bel et bien d'une **question de privilège**... 2° Si la question a trait à un fait concernant un député, il s'agit alors d'une **explication sur un fait personnel**... Le député Beauregard, victime d'une accusation qu'il juge fausse, demande à s'expliquer sur un fait personnel. » (R.C.) — V. a. **se lever**.
questionner un compte, une déclaration : je **questionnerais** ça, moi (cette affirmation, ces chiffres-là)	to **question** sth.	**poser des questions au sujet de, vérifier, scruter, examiner, mettre en doute, discuter**	B E : Les douaniers ne l'ont pas questionné malgré les volumineux bagages qu'il avait avec lui. Dans sa soif d'apprendre, l'élève questionnait beaucoup.
Le coureur champion a fait un beau **ralliement** pour l'emporter sur son plus proche rival	to achieve a **rally**	avoir un **sursaut**, un **retour d'énergie**, faire un **effort de dernière heure**, un **effort décisif**, un **emballage**	B E : Le point de ralliement des manifestants était la place Victoria. Le ralliement des grands hommes politiques à la cause républicaine.
rappeler une loi	to **repeal** an act	**abroger**	
rapport: j'ai reçu un appel **en rapport avec** l'accident de mardi dernier	in connection with	**relativement à, au sujet de**	B E : Le directeur du service d'accueil est en rapport avec ces immigrants depuis leur arrivée. Cherchez une place plus en rapport avec vos goûts (= qui correspond, convient à vos goûts). Ses revenus sont en rapport avec ses dépenses (= sont proportionnés à ses dépenses). « Participe passé en rapport avec deux antécédents » (de *que*) : « le relatif *que* en rapport avec deux antécédents » (M. Grevisse, *Le Bon Usage*; remarquer que la locution a ici une valeur adjective — elle signifie: qui se rapporte à — et non une valeur prépositive comme dans l'emploi dénoncé).

anglicisme	anglais	français	remarques
rapporter l'accident à la police ; je vais te **rapporter** ; se **rapporter** malade ; se **rapporter** à un supérieur, aux autorités ; **se rapporter au** chef de la publicité ; le joueur X **se rapportera** à l'équipe Y	to **report**	**signaler** ; **déclarer, dénoncer** ; se **porter** ; se **présenter** ; se **signaler aux, communiquer avec** (par téléphone) ; **relever de** ; **dépendre de, être sous la tutelle de**	B E : Élève mouchard, il rapportait tout ce que faisaient ses camarades. Le récit que je rapporte ici mot pour mot. Un champ qui rapporte beaucoup. Rapporter des terres (les fusionner). Rapporter un biais, une poche (ajouter, coudre sur qch.). Rapporter un angle. Rapporter les contenants vides au marchand. Il n'a rapporté de son séjour à Paris qu'une sensation d'étourdissement. Chien qui rapporte (le gibier abattu).
rapporter progrès (dans une assemblée délibérante)	to **report progress**	**exposer l'état de la question** ; **conclure, résumer / clore les débats, lever la séance**	
subir un **rayon X**	an **X-ray** (examination)	**examen radiographique, radiographie, radio** (fam., f.)	
la **réception** est bonne, claire (a.s.d. un téléviseur)	the **reception**	l'**image**	
faire une **réclamation** ; paiement de **réclamation** ; note de **réclamation** ; le décès constitue une **réclamation** ; s'il n'y a pas de **réclamation**	to make a **claim** ; payment of **claim** ; notice of **claim** ; death will constitute a **claim** ; if there is no **claim**	une **demande de règlement**[1]; paiement des **sommes assurées** / des **prestations** / des **indemnités** ; avis / déclaration de **sinistre** ; un **sinistre** ; si le **risque** ne se réalise pas	S. Bibl. ASS 6, qui précise: « Il ne peut y avoir réclamation que lorsque l'on doit s'adresser à une autorité pour faire reconnaître l'existence d'un droit lésé. La réclamation fait donc partie d'une plainte, d'une protestation. » (1) « Dans les branches d'assurances à caractère indemnitaire (hospitalisation, maladie, etc.), il est d'usage de préciser la nature de la demande. Ex.: Demande de prestations, demande d'indemnités, demande d'indemnisation. » (Bibl. ASS 6)
les révolutionnaires **réclament** la chute d'un avion gouvernemental	**claim** the shooting of an aircraft	**s'attribuent** la chute d'un avion, prétendent, affirment avoir abattu un avion	
réconcilier des comptes	to **reconcile** accounts	**faire concorder, faire cadrer, rapprocher, apurer**	S. R.C.
le numéro 502111 des **records** de la Cour supérieure ; si j'avais su qu'il avait un **record** comme ça, je l'aurais pas pris en pension ; je vais consulter les **records** de la société ;	**record**	**dossier** ; **casier (judiciaire)** ; **archives** ;	B E : Qui aurait dit que ce petit athlète tout humble atteindrait un jour le record du monde? Nous avons atteint en janvier une production record.

anglicisme	anglais	français	remarques
les **records** du service financier ; **record** de comptabilité, de présence ; **record** de santé, de performance ; **record** d'un acte notarié ; faire jouer des **records**		**livres** ; **registre** ; **fiche** ; **minute** ; **disque**[1]	(1) À un point de vue plus abstrait : *enregistrement*.
Reçu paiement (sur factures)	Received payment	**Pour acquit**	Cap. us.
référer: il n'a pas **référé** à ce qui s'était passé ; cette lettre **réfère** à l'accident d'il y a deux ans ; ça **réfère** à ce que vous disiez ; cette note **réfère** à tel dossier ; **référer** une proposition au comité ; je vous **réfère** à ce livre ; **référer** qn à qn, un malade à un médecin, à une clinique ; **référer** une affaire à son avocat ; le patron a **référé** la lettre à son adjoint ; la question qui a été **référée** au tribunal ; veuillez vous **référer** à la lettre du 10 mars ; **Référant** à votre lettre du 5 août, nous vous informons que... (comme début de lettre)	to **refer** **Referring** to your letter...	**fait allusion** à, **parlé** de ; **se réfère** à, **concerne**, **traite** de ; **se rapporte**, **a trait** ; **renvoie** ; **renvoyer** ; **renvoie** ; **diriger vers**, **adresser**, **envoyer** ; **confier** ; **transmis**, **confié** ; **soumise**, **déférée** ; vous **reporter** ; **En réponse** à, **comme suite** à	*Se référer à*, c'est s'en rapporter à, consulter qch. comme source d'autorité, pour en déduire des lignes de conduite (ex.: se référer à quelqu'un, à l'avis de quelqu'un, à une définition, à un texte de loi, à un dictionnaire). Au sujet des choses, *se référer à* veut dire se rapporter à, avoir trait à. — On notera que le verbe *référer* ne s'emploie que précédé du pronom réfléchi ou de *en* et que c'est donc soit un verbe pronominal, soit un verbe transitif **indirect**. Ce dernier, *en référer à*, veut dire faire rapport, en appeler à: *en référer à un supérieur*, lui rapporter et soumettre le cas en question pour qu'il en décide.
regarder: il **regarde** mieux ; ça **regarde** bien, mal	he **looks** better ; it **looks** well, bad	il **semble** mieux, il **a l'air** mieux, il **a** meilleur **air** ; ça **fait** bon, mauvais **effet** ; les choses **s'annoncent** bien, mal	
Il est en train de **regarder pour** son chapeau	He is **looking for** his hat	**regarder pour trouver** son chapeau, **chercher** son chapeau, **regarder si** son chapeau **est** là	
gaz (essence), menu, format, séance (par oppos. à extraordinaire) **régulier**,			*Régulier* a surtout trait au temps: il signifie approximativement *à intervalles égaux* (« frapper à coups réguliers ») ; ou

anglicisme	anglais	français	remarques
régulière ; prix, modèle **régulier** ; personnel **régulier** ; professeur, surveillant **régulier** ; horaire **régulier** ; les moyens d'enquête **réguliers** n'ont pas réussi ; membre **régulier** (d'une assemblée, par oppos. à membre suppléant) ; **repas réguliers**	regular regular meals	**ordinaire** ; **courant, ordinaire** ; **permanent** ; **attitré, habituel** ; **normal** ; **usuel** ; **titulaire, en titre** ; **table d'hôte**	bien il évoque une idée d'uniformité, de symétrie : *rythme régulier, traits réguliers*. Il veut aussi dire : conforme aux règlements (*coup régulier*), aux règles (*vers réguliers*), à la règle de conjugaison normale (*verbes réguliers*). Appliqué aux personnes, l'adjectif *régulier* a le sens d'assidu, réglé, constant (« il est régulier dans ses habitudes, son travail ; c'est un élève régulier ») ; il se dit aussi d'une personne qui respecte les usages, les règles en vigueur dans un milieu, une activité (« régulier en affaires ») ; enfin, il se dit du clergé qui n'est pas séculier (« clergé régulier ») et des troupes qui dépendent du pouvoir central (« armées régulières »).
réhabilitation d'un handicapé ; des délinquants, des criminels ; d'un déséquilibré, d'un perverti	rehabilitation	**réadaptation, rééducation** ; **redressement, réadaptation, rétablissement, redressement, guérison**	*Réhabilitation* signifie : 1° le fait de rétablir dans une situation juridique antérieure, en relevant de déchéances, d'incapacités ; 2° la cessation des effets d'une condamnation à la suite de la révision d'un procès ; 3° le fait de restituer ou de regagner l'estime, la considération perdue : « La réhabilitation des passions, dans l'œuvre de Vauvenargues ». (Cf. Le Petit Robert). On voit donc que la réhabilitation a surtout trait à la réputation, non à l'état réel au point de vue de la capacité physique ou de la santé psychologique.
la salle était **remplie à capacité**	filled to capacity	**comble, remplie au maximum, archipleine, archicomble**	
remplir une « prescription », un « ordre »	to **fill** a prescription, an order	**exécuter** une ordonnance, une commande	V. **compléter** (une formule).
rencontrer ses engagements ; ses paiements ; un billet, un effet de commerce ; des dépenses, une obligation ; des exigences, un besoin ; des besoins, des frais ; une date limite, une échéance ; les prévisions de ; les vues de ;	to **meet**	**faire honneur à, tenir, remplir, respecter** ; **faire, réussir à faire** ; **payer, accueillir** ; **faire face à** ; **répondre à, satisfaire à** ; **subvenir à** ; **respecter, observer** ; **confirmer, concorder avec** ; **tomber d'accord avec** (de la part d'une personne), **être conforme à** (de la part d'une chose) ;	B E : Rencontrer quelqu'un dans la rue, à l'improviste. Rencontrer les yeux, le regard de quelqu'un. Rencontrer un émissaire, un négociateur. Je lui ai téléphoné pour le rencontrer à son bureau. Dans son prochain match, Ali rencontrera Liston. J'ai rencontré ma future femme à un surboum. Ils rencontrèrent beaucoup d'obstacles, de difficultés. Il a rencontré la faveur du public ; ce projet rencontre une violente opposition. Le navire rencontra un récif (= heurter, donner sur). Rencontrer bien, mal (être bien, mal servi par le hasard dans quelque affaire). Il a bien rencontré dans ses conjectures (= deviner). Il rencontre heureusement (= dire un mot qui a du sel et qui est à propos). Il s'est rencontré des hommes qui ont voulu changer le cours de l'histoire. Les bons esprits se rencontrent (se croisent, ont les mêmes pensées).

anglicisme	anglais	français	remarques
les conditions de		**acquiescer à, sous-crire à**	
le F.M. **rentre** pas, ce soir ; CKVC **rentre** pas	does not **come in**	cette chaîne ne **joue** pas, on ne capte pas cette station	
renverse (des voitures automobiles)	reverse	**marche arrière**	B E : Il est tombé à la renverse en entendant cela.
renverser un jugement d'une instance inférieure	to **reverse** a judgment	**casser, réformer, infirmer**	B E : Renverser le courant, la vapeur. Renverser les termes d'une proposition, d'un rapport. La marée renverse (change de sens). Renverser tous les obstacles, l'ordre établi.
représentant des ventes	sales representative	**représentant (commercial)**	Il est certain que l'agent en question ne représente pas les ventes mais la société pour laquelle il travaille. Il faudrait dire tout au moins: *représentant aux ventes*.
requis: l'Hydro-Québec exporte des surplus **qui ne sont pas requis** par ses abonnés	that are not required	**dont** ses abonnés **n'ont pas besoin**	Anglicisme de style.
réquisition de matériel (de la part d'un service qcq. au service des approvisionnements, des achats) ;	requisition for materials, for supplies ;	**commande ;**	B E : Réquisitions militaires : pendules, couverts, vases saisis pendant les réquisitions. La réquisition de la partie civile (requête à un tribunal, demande incidente à l'audience).
réquisition de travail ; **réquisition** d'achat	work requisition ; purchase requisition	**demande, ordre ; ordre**	
résidence funéraire	funeral home	**chambres mortuaires**[1]**, maison des morts, funerarium, athanée** (f.) [2]	(1) S. Le Petit Robert au mot *mortuaire*. (2) Néol. S. MDV.
résidu d'un compte	residue	**reliquat**	
le président doit **résigner** (Vx)	to resign	**résigner ses fonctions, démissionner**	
ministre de l'Énergie et des **Ressources**[1]	resources	**ressources naturelles, richesses naturelles**	(1) Ressources humaines? / financières? / intellectuelles?
rester sur la clôture (Vi)	to sit on the fence	**réserver son opinion, rester neutre ; tarder à se décider**	
ça devait **résulter en** un échec, un conflit ouvert, etc.	to **result in** a failure, etc.	ça devait **aboutir à / se solder par** un échec, il devait **en résulter** un échec	

anglicisme	anglais	français	remarques
retirer sa paye le jeudi	to **draw** one's pay	**toucher, recevoir**	B E : Retirer de l'argent de la banque. Retirer telle somme d'une affaire : le gouvernement en retirerait beaucoup de gloire.
retourner l'appel (téléphonique): « C'est M. X qui retourne l'appel »	to return the call	**rappeler**	
retracer un document égaré ; le voleur, le coupable	to **retrace**	le **retrouver, mettre la main dessus ; trouver, découvrir, dépister**	*Retracer* signifie, au propre, tracer, dessiner à nouveau ce qui était effacé, et, au figuré, décrire, reprendre la trace de, rappeler à l'esprit, raconter de manière à faire revivre: *il a retracé devant son auditoire les nombreuses péripéties de son voyage ; retracer l'histoire d'un régiment.*
le gouvernement a fini par **retraiter**	to **retreat**	**battre en retraite, reculer, céder, capituler**	*Retraiter* = 1° traiter à nouveau (p. ex. un combustible nucléaire) ; 2° mettre à la retraite ou donner une retraite à (un salarié).
rien moins que mesquin, répugnant, crapuleux (A.A.)	**nothing less than** stingy, disgusting, debauched	**rien de moins que** mesquin, **absolument** mesquin	Une phrase comme « Il est rien moins que mesquin » veut dire (dans le français contemporain): mesquin est ce qu'il est le moins, il n'y a aucun trait qu'il possède moins que la mesquinerie. C'est là tout à fait le contraire de l'idée qu'on veut exprimer dans les exemples cités.
gagner la première **ronde** ; l'autre **ronde** de négociations ; la deuxième **ronde** de l'omnium canadien	to win the first **round** ; bargaining round ; **round** of the omnium, of a tournament	la première **manche** ; **séance** de négociations ; la deuxième **partie**, le 2ᵉ **parcours, tour**	B E : Le gardien de nuit faisait sa ronde (v. **ronne**). Les enfants faisaient la ronde ; les campeurs dansaient une ronde.
X était à la **roue**, j'pouvais plus contrôler ma **roue**	(steering-)**wheel**	**volant**	
rouge: **être dans le rouge** (de la part d'un commerce)	to be in the red	**avoir une balance déficitaire, être en déficit**	
rouge bourgogne	burgundy red	**rouge bordeaux**	On dit aussi *rouge vin* au Québec.
royauté payée par un concessionnaire pour l'exploitation d'un bien-fonds ; **royautés** dues en vertu de la propriété d'une oeuvre littéraire / artistique	royalty ; royalties	**redevance** ; **droits d'auteur**	
il souffre d'une **rupture** depuis un mois (Vx)	rupture	**hernie**	A.A.
sac de couchage	bunting bag	**burnous**	S. Bibl. HAB 2. Il s'agit ici de ce vêtement d'hiver pour les nourrissons, ayant la forme d'une cape à capuchon ou d'un

anglicisme	anglais	français	remarques
			sac fermé devant par une glissière. — V. sleeping bag.
salle à dîner	dining-room	**salle à manger**	
salle de repos (dans cinémas, cabarets)	rest room	**toilettes, lavabos**	
sanctuaire d'oiseaux, de gibier ; de bandits	bird, game **sanctuary** ; gangsters' **sanctuary**	**réserve (zoologique), refuge ; asile**	B E : Le sanctuaire d'une église. Les sanctuaires de la vallée du Nil (les temples). Je m'efforce tant que je peux de cacher le sanctuaire de mon âme (fig.: lieu fermé, secret, sacré). — En histoire naturelle, *sanctuaire* signifie: « Station où l'on essaie de maintenir des échantillons de la flore et de la faune intacts, sans faire intervenir l'homme (G.L.E.).
jusqu'à ce que le juge soit **satisfait** que le plaignant a raison, pour que nous soyons **satisfaits** que la traduction ne prête pas à équivoque	**satisfied** that the plaintiff is right, **satisfied** that the translation is accurate	**convaincu, certain**	B E : Nos désirs ont été satisfaits. Le maître est très satisfait de la conduite de son élève.
sauce aux pommes (servie dans les restaurants pour accompagner habit. les côtelettes de porc)	apple sauce	**marmelade de pommes, compote de pommes,** mieux: **purée de pommes**	S. OLF.
sauver de l'argent, du travail, de la place ; du temps, de l'espace ; un but (sports) ; des démarches, du travail à qn	to **save** money, work, space ; time, room ; a goal ; s.o. trouble, work	**épargner, économiser ; gagner, économiser ; empêcher ; éviter**	B E : Sauver son âme. Sauver l'honneur, les apparences. Un médecin qui a sauvé beaucoup de malades. Il a sauvé cet enfant d'une mort certaine. Sauver les meubles (préserver l'essentiel). Sauve-toi vite, tu vas être en retard pour ton cours.
Quelle **saveur**? (de gelée, de crème glacée)	Which **flavour**?	Quelle **essence**?, Quel **arôme**?, Quel **parfum** voulez-vous?	
des **scientistes** ont découvert une nouvelle façon de lutter contre ce microbe	scientist	**savant ; scientifique, homme de science**	Un scientiste est un adepte du scientisme.
seconder une motion, une proposition	to second	**appuyer**	B E : Le chirurgien a une équipe pour le seconder dans son travail délicat. — V. a. *secondeur*.
Secrétaire d'État	Secretary of State	**ministre de l'Intérieur**[1]	(1) Équivalence approximative.
Secrétaire d'État aux Affaires extérieures	Secretary of State for External Affairs	**ministre des Affaires étrangères**	
section 5 de la loi	section	**article**	

anglicisme	anglais	français	remarques
c'est la grande vente **semi-annuelle** du maga-sin X	semi-annual sale	solde **semestriel**	
semi-détachée (maison)	semi-detached	**jumelle**	
semi-finale (sports)	semi-final	**demi-finale**	V. cette expr. au Petit Robert.
Jean Lefort **senior** ; fonctionnaire, technicien **senior** ; superviseur, contremaître **senior** ; commis, clerc **senior** ; secrétaire, sténo **senior**	John Armstrong **SR.** ; **senior** officer, technician ; **senior** supervisor, foreman ; **senior** clerk ; **senior** secretary, steno	**père** ; **supérieur** ; **en chef** ; **premier** commis, clerc, commis **principal** **principal(e)** ; **confirmé(e)**	
recevoir une **sentence** à vie ; demander une réduction de la **sentence**, purger sa **sentence**	get a life **sentence** ; reduction of **sentence**, to serve one's **sentence**	écoper d'une **condamnation** à vie ; une réduction de la **peine**, purger sa **peine**	La sentence est simplement la décision du juge: *sentence arbitrale, prononcer sa sentence, casser, commuer une sentence, sentence équitable, comminatoire, condamnatoire, sentence de mort.* S. Robert et Bibl. DRT 1 et 5.
sentence suspendue	suspended sentence	**condamnation avec sursis**	S. Bibl. DRT 5.
sentences concurrentes	concurrent sentences	**confusion de(s) peine(s)**	S. Bibl. DRT 1.
il faut mettre le lait dans le **séparateur** pour obtenir la crème et le petit-lait	the (cream-)**separator**	l'**écrémeuse**	
avis, paye de **séparation**	**separation** notice, pay	de **cessation d'emploi**, de **départ**	
servir une peine de dix ans de prison, sa suspension (au hockey) ; **servir** une ordonnance, un acte judiciaire (Vx) ,	to **serve** a sentence, a suspension ; to **serve** a writ	**purger** ; **signifier**, **délivrer**, **notifier**	
le congrès doit comporter quatre **sessions** ; **être en session** (de la part d'un conseil, d'une commission)	session ; to be in session	**séance** ; **tenir séance**, **siéger**	Une séance est la période continue pendant laquelle on siège (*séance du matin, de l'après-midi*). Une session (v. **terme**) comporte habituellement plusieurs séances.
siège de première classe (dans un moyen de transport)	first class seat	**place de première**, **première** (fam.)	
siège pliant (dans une salle de spectacle, une voiture)	folding seat	**strapontin**	Il s'agit d'un siège à abattant, c.-à-d. à pièce que l'on peut lever ou abaisser à volonté. Un siège pliant (ou un *pliant* tout

anglicisme	anglais	français	remarques
			court) est plutôt un « siège de toile sans dossier ni bras, à pieds articulés en X » (Le Petit Robert, au mot *pliant*, n.m.).
sans frais **significatifs**	significant cost	**important, considérable**	B E : Cette mesure est significative de la façon dont le nouveau gouvernement entend diriger les affaires de l'État.
ils n'étaient pas d'accord avec le **site** choisi pour le congrès ;	the **site** of the convention ;	l'**endroit**, la **ville** ;	B E : Ce peintre choisit bien ses sites (paysage considéré relativement à la vue qu'il présente), ce sanctuaire est situé juste dans le site qui lui convient (paysage environnant), la protection et le classement des sites historiques ou remarquables (lieu présentant une valeur esthétique ou culturelle particulière). Angle de site (en artillerie). Le site de la ville est avantageux, défavorable (la manière dont elle est située, la configuration du lieu, du terrain où elle s'élève). Site archéologique (où l'on effectue des fouilles).
les Cantons de l'Est devraient être choisis comme **site** des Jeux d'hiver ;	the **site** of the Winter Games ;	**lieu, hôte** ;	
la prochaine ville qui sera le **site** de l'exposition universelle ;	the **site** of the World Fair ;	le **siège** ;	
on n'a pas encore décidé du **site** exact de l'hôpital ;	the **site** of the hospital ;	l'**emplacement** ;	
un **site** de construction ;	building **site** ;	**terrain** à batir ;	
livraison des matériaux **sur le site**	on site	**à pied d'oeuvre**	
il divague même quand il est **sobre**	when he is **sober**	quand il est **à jeun**, quand il n'a pas bu, quand il n'est pas ivre / sous l'effet de l'alcool	La sobriété est une qualité, non un état.
société de la Couronne	Crown corporation	**entreprise d'État, société d'État**	
soda à pâte	baking soda	**bicarbonate de sodium, bicarbonate de soude** (Vi)	S. Bibl. ALM 5. Noter qu'on dit couramment, en France, *bicarbonate* tout court. Toutefois, cette appellation ne peut s'employer que dans la conversation familière et ne saurait, à cause de son imprécision, figurer sur l'emballage du produit.
en or / en caoutchouc **solide**	**solid** gold / rubber	**massif / plein**	
solides du lait (figure, sur des emballages de fromages, dans la liste des ingrédients)	milk solids	**matière sèche de lait**[1], **extrait sec du lait**[2] (plus courant)	(1) S. AFNOR. (2) S. Alais, Charles, *Science du lait*, Paris, Éditions Spes, 2e éd., 1965.
il est **solliciteur**: il passe dans les maisons pour proposer des marchandises et en prendre la commande ;	solicitor	**placier, démarcheur**	Un solliciteur est un quémandeur, une personne qui sollicite une faveur, un emploi auprès de qn d'influent ou d'une autorité (*éconduire une solliciteuse ; les solliciteurs des antichambres ministérielles*).
le **solliciteur** de la fédération des oeuvres est passé ce matin		le **représentant**, le **quêteur**	
solliciteur général	Solicitor General	**secrétaire d'État à la Justice**	En fait, une telle fonction n'existe pas dans l'organisation politique française. — V. la rem. a.s.d. **solliciteur**.

anglicisme	anglais	français	remarques
sorti du bois (« avec son implication dans les pots-de-vin, y est pas sorti du bois »)	**out of the wood** (« he's not yet out of the wood »)	**tiré d'embarras, près d'être tiré d'affaire, au bout de ses difficultés**	
sortie d'urgence	emergency exit / door	**issue de secours** (autobus, cars), **sortie de secours** (immeubles)	
sortir: une photo, un exemplaire qui « a mal sorti »	to **come out**: « didn't come out well »	**être imprimé, venir**: qui est mal réussi, qui a été mal imprimé	
il y aura un bingo dans le **soubassement** de l'église	in the **basement**	**sous-sol**	*Soubassement* désigne la partie inférieure des murs, reposant sur les fondations et sur laquelle porte le bâtiment.
Souhait de la saison[1]	Season greetings	**Nos voeux de bonne et heureuse année**	(1) On dit, en effet, *la période des fêtes* ou *le temps des fêtes* et non *la saison des fêtes*.
souliers: **être dans les souliers de** qn (« j'voudrais pas être dans ses souliers »)	**to be in s.o.'s shoes** (« I wouldn't like to be in his shoes »)	**être à la place de, être dans la peau de**	
soumettre: M. Lévesque a **soumis** que la question demandait une étude sérieuse, je **soumets** respectueusement que l'accusé n'avait pas d'intentions délictueuses ;	to **submit** that ;	**alléguer, prétendre ;**	On peut soumettre un mémoire à un expert afin d'en recevoir des avis avant de le présenter à l'organisme auquel il est destiné. Mais on ne saurait *soumettre* le mémoire à cet organisme, car un mémoire a pour but de donner des opinions, non d'en demander. Quant au tour *soumettre que*, c'est un solécisme.
soumettre un mémoire au gouvernement, à une commission d'enquête	to **submit** a brief	**présenter**	
sous-contracteur*	subcontractor	**sous-traitant, sous-entrepreneur**	
sous-ministre des Finances, de l'Éducation, etc.	deputy-minister	**secrétaire général du ministère**	
il travaille à la Life Insurance comme **souscripteur**	underwriter	**tarificateur** (assurance-vie) ; **autorisateur** (incendie, accidents, risques divers)	Le souscripteur est celui qui souscrit un contrat d'assurance, c.-à-d. l'assuré.
les **Soviets** l'ont emporté sur les Suédois au hockey sur glace	the **Soviets**	les **Soviétiques**	Les soviets sont les chambres des représentants qui exercent le pouvoir législatif en U.R.S.S.

anglicisme	anglais	français	remarques
les **spéciaux** du mois au magasin X, **spécial** non annoncé, en **spécial** cette semaine : chandails pour hommes, ·c'était un **spécial** ; **spécial** (dans un restaurant), **spécial** du jour ; le conseil municipal a tenu hier une séance **spéciale**	special	les **réclames**, les **oc-casions**, les **rabais** du mois, **rabais** surprise, **réclame, occasion** de la semaine, un **solde**, un **article-réclame** ; **plat(s) du jour, menu** ; **extraordinaire**⁽¹⁾	(1) Par oppos. à ordinaire (v. **régulier**). B E : L'air bon enfant spécial à une bonne. L'isolement de leurs malades dans les salles spéciales de l'hôpital. Autorisation spéciale. L'envoyé spécial d'un grand quotidien. Une voix qui a un timbre spécial. Rien de spécial à citer. Des mœurs spéciales (hors de la norme).
les **spécifications** du contrat ; **spécifications** de travaux à forfait	specifications	**stipulations** ; **devis** ; **cahier des charges**	*Devis* ajoute à *cahier des charges* l'estimation du prix des matériaux.
cas **spécifique**, objectif **spécifique**	specific case, objective	cas **particulier, précis**, objectif **déterminé**	*Spécifique* veut dire relatif à l'espèce ou distinguant une espèce des autres du même genre (« qualité spécifique », « caractères spécifiques »), caractéristique d'une chose et d'elle seule (« réaction spécifique », « microbe spécifique ») et spécial à un domaine, à une activité (« Il était plus facile... de voir en la peinture la représentation d'une fiction, que d'y voir un langage spécifique » — Malraux).
spéculations / **spéculer** sur l'objet d'une visite	speculations / speculate	**conjectures, hypothèses** / **conjecturer**	B E : Dans les profondeurs inouïes de l'abstraction et de la spéculation pure (= étude, recherche abstraite) ; les spéculations des philosophes sur les qualités abstraites de la matière (= considération théorique). La spéculation sur les terrains à bâtir.
magasin de **sports**	sports	**articles de sport**	
à chaque **stage** de la réaction, de la procédure ; à ce **stage** de l'évolution	stage	**phase, étape** ; **stade**	Un stage est un séjour quelque part, normalement pour y acquérir une formation pratique.
viser à un haut **standard** d'excellence, atteindre un **standard** élevé de capacité ; **standard** d'un métal	to aim at a high standard, to reach a high standard of efficiency ; standard (of purity) of a metal	**degré**, **niveau** ; **titre**	B E : Standard s'appliquant à un produit (type, norme de fabrication) ; pièce standard ; modèle standard et modèle de luxe ; échange standard (remplacement d'une pièce usée par une autre du même type) ; conditions standard (état type, idéal) ; toilette toute standard (commune, sans originalité). Le téléphoniste plantait ses fiches dans le standard (v. **switchboard**).
le train arrive à la **station** (Vi) à 2 h ; **station** A, B, C... (postes)	station	en **gare** ; **bureau (annexe)**	B E : Station de métro, d'autobus, de chemin de fer (« C'est la dernière station avant la gare »). Station de radio, de télévision, géodésique, de recherche, balnéaire, etc.

anglicisme	anglais	français	remarques
station de gaz	gas station	**poste d'essence**	
ça élimine le **statique**	the static	l'**électricité statique**	
statut civil ; action en réclamation de **statut**	civil **status** ; action to claim **status**	**état** ; d'**état**	B E : Tel est le statut du haut tribunal (la décision, — du verbe *statuer*). Statut personnel (ensemble des lois qui concernent l'état et la capacité). Le statut des fonctionnaires (situation découlant de textes de règlements ; ces textes eux-mêmes). Le statut de la femme mariée (situation de fait, dans la société). Les statuts d'une société commerciale (suite d'articles la définissant et réglant son fonctionnement). — V. **constitution**.
les **statuts** du Québec	the **statutes**	les **lois**, la **législation**	
les partis politiques municipaux seront **sujets** à cette loi	will be **subject** to this law	seront **soumis, assujettis**	
sujet à l'acceptation du tiers / à l'approbation du conseil, ils pourront…	**subject to** the third party's acceptance	**sous réserve de**, **moyennant** l'acceptation	*Sujet* est un nom ou un adjectif qui ne saurait s'employer ainsi à la façon d'une préposition.
sujet: **être sujet à**: les modalités **sont sujettes à** modification sans avertissement ; les prix **sont sujets à** changement	**to be subject to**: the procedures **are subject to** alteration ; prices **are subject to** change	**pouvoir**: les modalités **pourront** subir des modifications, nous **nous réservons le droit** de modifier… ; **Sous réserve de** modification, Tout changement de prix **réservé**	*Sujet à* veut dire, dans la lg. générale, enclin à (*une personne sujette au mal de mer, au vertige, au mal de tête*) et, dans la lg. juridique, soumis à (*sujet à un droit, à une obligation*).
tous les **superviseurs** de la compagnie, le **superviseur** à la production	supervisor	**agent de maîtrise** de la compagnie, **chef** de la production	*Superviseur* veut dire celui qui supervise, c.-à-d. qui contrôle, inspecte un travail dans ses principaux aspects. Ce n'est habituellement pas un titre permanent de fonction qui fasse partie d'une hiérarchie administrative. V. a. **surveillant**.
supporter un candidat, une mesure	to **support**	**appuyer, soutenir**	*Supporter* ne veut dire que soutenir physiquement, (*colonnes qui supportent un plafond*), porter le poids de (*supporter une responsabilité, les conséquences, des dépenses*), résister à (*plat qui supporte la chaleur ; cette thèse ne supporte pas l'examen*), admettre (*estomac qui ne supporte pas l'alcool*), endurer (*ça fait deux ans que je supporte sa mauvaise humeur*).
t'es pas **supposé** faire ça ; je suis **supposé** y aller	you're not **supposed** to do that ; I am **supposed** to go	tu n'es pas **censé** faire cela, tu n'as pas le droit de faire ça ; je suis **censé**, je dois y	B E : Le nombre supposé des victimes (établi d'après une supposition, une hypothèse), l'auteur supposé des *Lettres de la religieuse portugaise*. Testament supposé (non authentique), sous un nom sup-

anglicisme	anglais	français	remarques
	aller, il est convenu que j'irai		posé (cf. *supposition de personne*).
être sûr que: avant de procéder, **soyez sûr que** la vanne est bien fermée	be sure that	**assurez-vous que**	*Être sûr que* veut dire avoir la certitude que (ex.: *Soyez sûr que nous apprécions votre dévouement*) et non prendre les moyens d'avoir cette certitude (dans ce cas-ci, regarder et fermer la vanne si elle est ouverte).
sure et sucrée (sauce en conserve pour accompagner des plats chinois)	sweet and sour	**aigre-douce**	S. OLF.
surintendant de la fabrication, de l'entretien ; d'un immeuble d'habitation	fabrication, maintenance, building **superintendent**	**chef** ; **concierge** ; **gérant** (si le titulaire fait office de représentant du propriétaire quant aux fonctions administratives de celui-ci)	*Surintendant* désigne une réalité ancienne, à savoir un officier qui était chargé de la haute surveillance d'une administration, et plus particulièrement des finances.
surveillant de la distribution, de la facturation, de la dotation en personnel, des services techniques (dans une entreprise)	distribution, billing, staffing, technical services **supervisor**	**responsable**, **chef**	B E : Surveillant d'étude, d'internat ; de prison ; de travaux, technique, de mine, de gare, de la voie.
fournir un **syllabus** de chaque cours	syllabus	**sommaire**	*Syllabus* = « Liste de propositions émanant de l'autorité ecclésiastique » (Le Petit Robert).
offrir ses **sympathies**[1]	one's sympathy	ses **condoléances**	(1) Il peut s'agir ici d'un provincialisme tout aussi bien que d'un anglicisme comme tel.
les commissaires sont tous **sympathiques** à la culture française ;	**sympathetic** to the French culture ;	**favorable** à, **bien disposé**, **bienveillant** envers, **sympathisant** de la promotion de ;	A.A. On peut plutôt dire que c'est la culture française qui est sympathique aux membres de la commission: l'être sympathique est celui qui reçoit et non qui éprouve la sympathie.
il ne s'est pas montré très **sympathique** à l'égard de mon malheur	he was not very sympathetic	**compatissant**	
pilules qui aident tout le **système**, le médicament n'est pas encore rendu dans votre **système**	the system	l'**organisme**	B E : Le système philosophique de Descartes. Un système de vie ; le système de défense d'un accusé. Système politique, social. La langue peut être considérée comme un système de signes ; système de forces ; système de poils, pileux, respiratoire, taper sur le système (nerveux, les nerfs) ; systèmes optiques, système de traitement de l'information, système de régulation de procédé industriel, etc. ; système C.G.S., d'équations, de croyances, etc.

anglicisme	anglais	français	remarques
système de son	sound system	**chaîne stéréo(phonique)**	
table à cartes	card-table	**table de jeu**	
table tournante (d'électrophone)	turn-table	**plateau**[1]	(1) S. Bibl. DIV 5. B E : C'est un adepte du spiritisme, qui croit aux tables tournantes.
posologie: une **tablette** avant chaque repas	one **tablet**	un **comprimé**	B E : Tablette de kola, de potage salé. V. **barre**.
taper un écrou ; une conduite, un tuyau d'aqueduc pour faire un branchement ; un fût, une tonne de mélasse ; une ligne téléphonique ; un téléphone ; « je pense que ma ligne est tapée »	to **tap**	**tarauder, fileter** ; **percer** ; **mettre en perce** ; **faire une prise sur, placer une prise d'écoute / une « jarretelle »** (fam.) **sur**[1]; **brancher à une table d'écoute, placer un micro / un « mouchard »** (pop.) **dans** [2]; **écoutée, espionnée, mise sur écoute**	(1) S. Bergier, Jacques, *Vous êtes paranormal*, Paris, Hachette, 1972. (2) S. Katz, Paul, *Attention! des oreilles amies vous écoutent*, in *Réalités*, Paris, n° 354/5, juillet / août 1975.
tapis mur à mur	wall to wall carpet	**tapis plein-parquet, moquette**	
taxer son énergie, sa patience	to **tax** one's energy, one's patience	**exiger un grand effort de, mettre à l'épreuve / à dure épreuve**	B E : Il me taxa d'ingratitude (m'accusa).
à l'entrée en vigueur de **tel** régime, à la réalisation de **telle** entente	at the effective date of **such** plan, on cancellation of **such** agreement	**ce, cette**	Lorsque *tel* détermine seul (sans *un*) le nom qui le suit, n'est pas complété par un *que* et n'est pas suivi d'un autre *tel*, il est indéfini : « Il fut convenu que je partirais tel jour, à telle heure, pour telle destination. — L'homme en général, et non tel homme ».
témoin de la Couronne	Crown witness	**témoin à charge**	
temps: **faire du temps** (« y a fait du temps à cause de ce vol-là », « c'en est un qui a fait du temps »)	to **serve time** (fam.), to **do time** (pop.)	**faire de la prison, être au bloc** (fam.), **être en cabane** (pop.), **aller en taule / faire de la tôle** (arg.)	

anglicisme	anglais	français	remarques
temps: **sur le temps de la compagnie** (activité, travail personnels)	on the Company's time	**pendant les heures de travail, aux dépens de la compagnie**	
être payé **temps double, temps et demi**	double time, time-and-a-half	**à taux double, à taux majoré de moitié**	
le maire achève son **terme** ; le prochain **terme** de la cour civile ; durant le **terme** de la présente convention ; **terme d'office** (d'un conseiller, d'un maire)	term term of office	**mandat** ; **session** ; **période de validité, durée** ; **durée des fonctions, période d'exercice, mandat**	
termes d'un contrat, d'achat	terms	**conditions**	B E : Aux termes du Code, on ne peut congédier un salarié à cause d'activités syndicales (= selon ce que dit le Code).
termes de référence (d'une commission)	terms of reference	**attributions, mandat**	
termes et conditions d'un accord, d'une entente, d'un marché, d'une opération commerciale, d'une émission de titres, d'un contrat	terms and conditions	**conditions, conditions et modalités, modalités, stipulations**	
Termes faciles (réclame de certaines maisons commerciales)	Easy terms	**Facilités de paiement**	S. Bibl. COM 2.
terres de la Couronne	Crown lands	**domaines de l'État, terres domaniales**[1]	(1) *Domanial* est ici entendu au sens de: *qui appartient au domaine public*. En effet, *domaine* a le sens de terre prossédée par un propriétaire (*domaine vinicole, domaine familial*) et peut aussi être pris dans le sens collectif d'ensemble de terres.
tête carrée[1]	square head	**Anglo-Saxon**, plus péj.: **Anglais**	(1) Adapté sémantiquement de l'américain populaire, où l'on qualifie de square une personne jugée trop stricte, moralement étroite, aux principes trop rigides. D'ailleurs, on sous-entend souvent, par la désignation *tête carrée*, le caractère entêté et inflexible, fermé ou intolérant, prêté aux Anglo-Saxons.
têtes de violon	fiddle heads	**crosses de fougère**	S. OLF. — Il s'agit ici de la jeune tige de la fougère, dont la tête est recourbée en volute. Cette jeune tige est comestible et certaines personnes en font la cueillette

anglicisme	anglais	français	remarques
			dans les prairies ou dans les bois au printemps.
la mélodie qui servait de **thème** aux Belles Histoires des Pays d'en haut ; le **thème** principal d'un film	theme	**indicatif (musical)** ; la **mélodie**	V. a. **chanson-thème**.
tomber dû (billet)	to fall due	**échoir, arriver à échéance**	V. a. **passé dû**
tordre le bras à qn (« On n'a pas eu besoin de lui tordre le bras pour qu'il reste à dîner »)	to twist s.o.'s arm	**insister outre mesure (auprès de)**, **forcer la main à**	
faire **touer** son auto	to have one's car **towed**	**remorquer** ; **enlever** (pour contravention)	Le touage consiste dans le remorquage d'un navire ou d'une embarcation. V. a. **zone de touage.**
la lumière a **tourné** jaune	the light **turned** yellow	le feu a **passé au** jaune, est devenu jaune	B E : Tourner **au** vinaigre, une grippe qui tourne **à** la pneumonie, une amourette qui a tourné **en** mariage d'inclination. Les choses ont tourné mal, autrement (sans préposition avec un adverbe).
train local	local train	**(train) omnibus**(1)	(1) « Qui dessert toutes les stations. *Le train de 14 h 20 est omnibus entre Boulogne et Calais. (...) Prendre un omnibus* (opposé à *express*). » (Le Petit Robert)
traîner : les responsables du plan continuent à **se traîner les pieds**	to drag their feet	**lanterner, lambiner, traînasser**	L'expr. « traîner les pieds » ne s'emploie qu'au sens concret de marcher sans soulever les pieds du sol.
c'est ma traite	this is my **treat**	c'est ma **tournée**, c'est moi qui paye, qui régale, qui arrose	Noter que *traiter*, dans la langue littéraire, veut dire convier ou recevoir à sa table et se rapproche du verbe *régaler* : « J'ai mon club, c'est là que je traite mes amis » (Duhamel).
depuis son **transfert** à la comptabilité, il veut être **transféré** au service des ventes	his **transfer**, to be transferred	sa **mutation**, être **muté**	Cap. us.
transfert pour prendre un autre autobus, « un **transfert** entre les dents »	transfer	**(billet de) correspondance**	
transiger avec qn, avec telle société, compagnie qui a **transigé** avec le gouvernement	to transact business with s.o.	**faire des affaires** avec, **traiter une affaire / une opération** avec, **traiter** avec	B E : Il ne transige jamais (= il ne fait pas de concessions). *Transaction*, cependant, se dit d'une opération d'une certaine importance, effectuée dans les marchés commerciaux, dans les bourses de valeurs (*taxe sur les transactions*).

anglicisme	anglais	français	remarques
trappe à feu (local ou bâtiment qui présente des risques d'incendie élevés et qui est habit. dépourvu de facilités d'évacuation)	fire trap	**nid-à-feu**	S. R. C.
travail à contrat	contract work	**travail à l'entre- prise / à forfait**	
travailleur du métal en feuilles	sheet-metal worker	**tôlier**	
traverse de chemin de fer, de piétons, d'écoliers, d'enfants, d'animaux	railway, pedestrian, school children, cattle **crossing**	**passage** à niveau, pour piétons, d'écoliers, d'enfants, d'animaux.	V. **dormant.**
trimer la haie, un arbre, une pièce coulée, les cheveux, la barbe, sa moustache, ses ongles, un appartement, « se trimer », son chien, la viande	to **trim**	**tailler, émonder, ébarber, rogner, couper, rafraîchir, tailler,** se **faire** les ongles, **nettoyer, mettre en ordre,** se **faire un brin de toilette, toiletter, parer**	*Trimer* est un verbe intransitif qui veut dire travailler dur (*trimer comme un nègre*).
mettre, être dans le **trou**, sortir qn du **trou**	to be in a **hole**, to get s.o. out of a **hole**	**embarras, pétrin** ; **dèche** (au point de vue financier)	B E : Être au trou (en prison). N'être jamais sorti de son trou (de son petit vil- lage: ne rien connaître du monde).
trouble: la visite, c'est bien du **trouble** ; elle se donne beaucoup de **trouble** pour bien recevoir ses invités ; c'est trop de **trouble** de procéder comme ça ; avec ce procédé-là, on a toujours du **trouble** ; cette affaire-là nous a causé bien du **trouble** ; c'est un paquet de **trou- bles** ; ils nous ont pas fait de **trouble** ; si vous voulez vous éviter du **trouble** ; un **trouble** dans la trans- mission ; la contamination, c'est pas mes **troubles** ;	trouble	du **dérangement** ; de **peine**, de **mal** ; de **travail**, c'est trop long, trop compliqué ; des **ennuis**, des **embê- tements** (fam.), des **emmerdements** (pop.) ; des **tracas** ; un tas de **soucis** ; de **difficultés**, d'**his- toires** (fam.) ; des **désagréments** ; une **défectuosité** ; c'est pas mon **pro- blème** ;	Le trouble, c'est l'émotion, le boulever- sement psychologique (« *elle avait peine à cacher son trouble* »), ainsi que le dé- sordre, l'agitation collective (*troubles po- litiques*) et « la modification pathologi- que des activités de l'organisme ou du comportement de l'être vivant... Troubles physiologiques. Troubles de la vision... » (Le Petit Robert).

anglicisme	anglais	français	remarques
mes sorties, c'est pas tes **troubles**		c'est pas tes **oignons**	
le **tube** d'un pneu	tube	**chambre à air**	On dit « tripe » à certains endroits du Québec.
y a une **tuile** à remplacer sur le plancher de la cuisine	tile	**carreau**	Une tuile, c'est une plaque de terre cuite ou d'autre matière qui sert à couvrir les toitures.
unité de négociation (relations syndicales-patronales)	bargaining unit	**groupe négociateur**	
voitures, meubles **usagés**	**used** cars, furniture	**d'occasion**	V. a. **de seconde main.**
valeur au comptant (d'une police d'assurance)	cash surrender value	**valeur de rachat**	S. Bibl. ASS 7.
valise d'une voiture	trunk	**coffre, malle**⁽¹⁾	(1) Plus rare.
y est passé une grosse **vanne**	van	**camion de déménagement, semi-remorque**	Dans un premier sens, une vanne est un panneau vertical mobile disposé dans une canalisation pour en régler le débit ; dans un deuxième sens, c'est une remarque ou une allusion désobligeante à l'adresse de qn.
vanne à bagages (dans un train de voyageurs)	luggage-van	**fourgon**	
véhicule-moteur	motor vehicle	**véhicule automobile**	
venir (« ça vient en boîtes », « ça vient sous forme de barres », « le compte-gouttes vient avec la bouteille »)	to **come** (« it comes in boxes »)	**être présenté, être offert, se vendre**	B E : Je vous vois venir (je devine vos intentions). V. **sortir.**
venir rapidement	to **come** (off)	**aboutir, éjaculer, avoir son orgasme, jouir**	
aller au magasin X pour profiter d'une **vente** ;	a **sale** ;	une **vente au rabais**, une **vente-réclame**, une **vente en solde**, une **vente de soldes**, un **solde** (= reste de marchandises qu'on vend au rabais pour les écouler) ;	À part le sens qu'on lui connaît bien, *vente* veut dire aussi: « Réunion des vendeurs et des acquéreurs éventuels, au cours de laquelle on procède à une vente publique. *Assister à une vente, à la criée* » (Le Petit Robert). (1) S. Bibl. COM 7.
article en **vente** ;	on **sale** ;	en **solde**, en **réclame** ;	
vente de blanc ;	white **sale** ;	**solde** de blanc / **vente-réclame** de blanc⁽¹⁾ ;	
vente d'entrepôt ; **vente** d'écoulement	warehouse **sale** ; clearance **sale**	**solde à l'entrepôt**⁽¹⁾; **liquidation**	

anglicisme	anglais	français	remarques
vente de garage (mise en vente à prix réduits, par un particulier, sur sa propriété, d'objets dont il veut se défaire)	garage sale	**vente-débarras**	S. OLF, Gazette officielle du Québec, 11 juillet 1981, 113ᵉ année, nᵒ 28. Cette source dit également: « syn.: **bric-à-brac**, n.m. ».
c'est un artiste **versatile** ; un employé **versatile** ; instrument **versatile**	versatile artist ; versatile employee ; versatile instrument	**aux talents variés, à plusieurs genres ; polyvalent ; universel, souple**	*Versatile* est un adjectif qui s'applique aux personnes et qui veut dire: inconstant, qui change souvent d'idée (*un caractère versatile*).
il porte une **veste**[1] sous son habit, sous son gilet	he wears a **vest** under his jacket	un **gilet**[1] sous son veston, sous sa veste	(1) Il s'agit ici de ce vêtement ajusté, sans manches, habituellement de la même étoffe que le veston et qui se porte sous ce dernier, par dessus la chemise.
vêtements de base	foundation garments[1]	**sous-vêtements de maintien**[2]	(1) Terme générique s'appliquant aux articles de corseterie et aux soutiens-gorge. (2) S. Bibl. HAB 2.
vie: une pension **pour la vie**, être condamné **pour la vie**	for life	**à vie**	
ville Mercier	Jersey City	**Mercier**	
virage en U	U turn	**demi-tour**	
voie de service (route longeant une voie rapide pour permettre la circulation locale et l'accès aux propriétés en bordure)	service road	**voie de desserte**	S. R.C.
vote: les syndiqués vont **prendre un vote de grève** samedi	the union members will take a strike vote	**se prononcer sur une grève, voter sur la grève, tenir un scrutin sur la grève**	*Vote de grève* signifie vote adoptant effectivement la grève.
vote ouvert	open vote	**scrutin découvert**	S. OLF MD 5ᵉ année, nᵒ 5.
voici la répartition du **vote populaire** d'après la Presse canadienne	the distribution of the popular vote	la répartition du **vote en pourcentages** (par oppos. à: en nombres de sièges) / des **suffrages exprimés** / du **vote national**, la position des partis quant au nombre de voix obtenues	L'expr. *vote populaire* ne se justifie qu'au sujet des élections américaines, où, à part le « popular vote », il y a aussi l'« electoral vote ».
vôtre: **Bien vôtre, Bien à vous, Sincèrement vôtre** (avant la signature dans une lettre)	Truly yours, Sincerely yours	**Veuillez agréer, Monsieur, l'expression de mes sentiments distingués, Veuillez agréer,**	

anglicisme	anglais	français	remarques
		Monsieur le Directeur, l'assurance de mes sentiments dévoués. Recevez, cher collègue, l'assurance de mes sentiments les meilleurs, etc.	
voûte d'une banque, d'une maison d'affaires ; au cimetière ; pour conserver les fourrures pendant l'été	vault	**chambre forte** ; **caveau** ; **garde-fourrure**	B E : La dévote gardait les yeux fixés sur la voûte de la nef. La voûte d'une caverne. (Au fig.) Une voûte de feuillage, la voûte du firmament. Voûte d'un four. Voûte crânienne, palatine.
vraie copie (d'un acte judiciaire)	true copy	**copie conforme**	
zone de touage	tow zone	**zone d'enlèvement des véhicules en infraction**	

DEUXIÈME PARTIE

ANGLICISMES

DE

VOCABULAIRE

1. MOTS ANGLAIS ET EXPRESSIONS ANGLAISES

A-1 (pr. *éwone*)
« Ç'a marché A-1 »: **à merveille, de première** ;
« C'est A-1 » (tout est pour le mieux): C'est **parfait** ;
« Y est A-1, ton arbre de Noël »: **très bien, aux pommes** (fam.)

---

abrége, v. **average**

---

adidou (Vx) [**how do you do**, formule de salutation]
(Bas-Saint-Laurent)
bonjour, salut

---

air-foam
mousse de polyuréthane / de polyéther (selon la base chimique qui entre dans la composition), **caoutchouc mousse** (lorsque le produit est fait à base de caoutchouc naturel)
S. OLF.

All aboard!
En voiture!

(**all been**), v. *olbine*

---

all dressed
(a.s.d. une pizza)
complète*, combinée (?)
*S. OLF, qui signale que sa décision est provisoire.

---

all fit, habit. f. (a. **all shit** ; déformation de **outfit**, qui veut dire équipement, accessoires, attirail, et désigne aussi, en amér. pop., un bataillon ou une compagnie militaire, une équipe d'ouvriers et par ext. tout groupe de personnes assimilable)

• « arriver avec sa all fit »: son **équipement**, son **attirail** ; ses **effets**, fam.: son **barda** / son **fourbi** / son **bazar** ; son **harnachement**, son **fagotage** (p. ex. contre le froid) ; sa **troupe**, fam. et plus fort: sa **ribambelle** / sa **flopée**

• « pis toute la all fit »: et tout l'**attirail**, tout le **bastringue**, tout le **bataclan** ; a.s.d. personnes: toute la **bande**, toute la **tripotée**, tout le **cortège**

---

all shit, v. **all fit**

---

allé, f. [**ally**]
(petite boule de verre ou d'argile servant à des jeux d'enfants)
bille

---

allouance, f. (Vx) [**allowance**]
(« Il recevait une allouance pendant ses vacances »)
allocation

(**allowance**), v. *allouance*

(**ally**), v. *allé*

---

almond cookie
(menus des restaurants chinois)
biscuit aux amandes
S. Office de la langue française, Gouvernement du Québec, *Lexique de la restauration chinoise (anglais-français-chinois)*, par Gilles Boivin, éd. provisoire, série « Terminologie de l'alimentation », Québec, l'Éditeur officiel du Québec, 1980.

---

aluminum [pron. francisée de **aluminum**]
(Lac-Saint-Jean)
aluminium

---

answering service
secrétariat pour abonnés absents, permanence téléphonique

(**anti-freeze**), v. *antifrise*

---

antifrise, f. [**anti-freeze**]
(auto)
antigel

---

any way
« Any way, ça change rien à notre projet »: **de toute façon, quoi qu'il en soit** ; « Any way, allons-y »: **qu'importe** ; « J'y irai pas any way »: **je vous le jure, quoi qu'il arrive**

---

arborite*, f. (parf. pr. *arborite*, avec un *i* français comme dans « hypocrite »)
lamellé décoratif**
*Marque de commerce désignant un produit qui sert surtout de recouvrement pour comptoirs, dessus de garde-manger et autres surfaces du genre.
**S. la société Domtar.

---

aréna, f. [**arena**]
centre sportif

---

assist
assistance, aide (pour marquer un but au hockey)

---

attaboy!
bravo!

---

avarâles, f. (Vx) [**overalls**]
salopette

---

average (habit. pr. sans le *d* anglais devant le « g » ; a. *abrége*)
(« Il récolte un average de vingt crates de fraises par jour », « Ça coûte un average de deux cents piastres par mois »)
moyenne

---

averager (pr. *avréger* ; a. *abréger*)
• « Il average vingt crates par jour »: **produire en moyenne**

- « On average deux cents piastres par mois », « On average cent gallons par semaine », etc. (s'applique à toute opération calculée en moyenne, à tout résultat moyen): **faire un bénéfice moyen de**, **retirer en moyenne**, **dépenser en moyenne**, **consommer en moyenne**, etc.

---

avocado [pron. francisée (surtout quant au « a ») de **avocado**]

(mot que l'anglais a emprunté de l'espagnol, qui l'avait emprunté du caraïbe)

avocat (fruit de l'avocatier)

---

babaille! [bye-bye!]

au revoir!, **salut**!

---

baby dolls

nuisette

S. Bibl. HAB 2, qui signale qu'il s'agit là d'une équivalence approximative.

---

baby-sitter

gardien(ne) d'enfants*

*« Personne qui, moyennant rétribution, garde des enfants en l'absence des parents. (...) Le terme *garde-bébé*, appellation professionnelle, désigne une personne qui par profession garde les enfants. » (R.C.)

---

baby-sitting

garde d'enfants : **garde des bébés** (comme profession), **service biberon** (fam.)* ; **gardiennage (d'enfants)**

« Je fais du baby-sitting »: je **garde des enfants**
*S. Harrap.

---

bachelor

(« Il se loge dans un petit bachelor »)

garçonnière, **studio**

---

bacher *(se)*

(pr. *sbatché*, d'après to bach ; région de Québec)

tenir maison (seul), vivre en célibataire / en garçon

---

back

(indication, quand on guide un conducteur de véhicule en train de reculer, qu'il peut continuer à reculer, qu'il doit reculer encore ; v. a. *bèque*)

(en) arrière

---

back-bencher

simple député ; péj.: **député de l'arrière-ban / de l'arrière-plan**

S. R.C.

---

back-hand

(tennis, ping-pong)
- « décocher un back-hand »: un **(coup de) revers**
- « jouer le back-hand »: en **revers**

(**back-house**), v. *bécosse*

---

back-lash

- « L'attitude des électeurs de l'Ouest est un back-lash de la querelle sur les langues officielles »: une **répercussion**, le **contrecoup**, le **choc en retour**

- « Ce vote est un back-lash contre la politique d'Ottawa »: une **réaction**

---

back order

(commerce)

commande en souffrance

S. GST 2.

---

back-pay

(« On a pas encore eu notre back-pay du ministère »)
- arriérés de salaire, p. ex. pour heures supplémentaires: **rappel, chèque de rappel, arriérés**

- salaire accordé à partir d'une date antérieure: **rappel, salaire rétroactif**

S. R.C.

---

back-stop

(base-ball)

filet d'arrêt

S. Bibl. SP GEN 8.

---

back-store (le 2ᵉ élément habit. pr. comme le mot français *store*)

arrière-boutique, arrière-magasin, réserve

(**back up**), v. *bèquoppe*

---

backer

- « Si on arrête au restaurant, vas-tu me backer? »: **défrayer**

- « Si y avait pas eu son père pour le backer, y aurait pas pu fonder c'te compagnie-là »: **soutenir, financer**

- « C'est lui qui a backé Morel et Cie »: **prêter à**

---

backgammon

(jeu qui consiste, en fonction des points amenés à chaque coup de dés, à déplacer, selon certaines règles, ses pions sur les vingt-quatre cases d'un jeu de trictrac, en vue de terminer le parcours de ces cases avant l'adversaire, qui l'effectue en sens inverse)

jacquet (américain)

D'après Robert-Collins.

---

background

- « Ça faisait un background très gai / très coloré »: un **arrière-plan**, une **toile de fond**

- « J'ai bien aimé le background qu'on entendait »: la **musique d'atmosphère**, la **musique de fond**, le **fond sonore**

- « Il faut connaître le background du candidat »: les **antécédents**, le **passé**, l'**expérience**, la **formation**

- « C'est lui qui nous a donné le background de l'affaire »: l'**historique**, les **tenants**, les **circonstances originelles**

backlog
- « Après avoir fini le quotidien et les travaux urgents, consacrez-vous au backlog »: **travail en retard**, **arriéré**
- « Il a un backlog pour occuper ses moments de répit »: du **travail en réserve**, une **réserve (de travail)**
- « On fournit pas à remplir les commandes, on a un gros backlog » (ensemble des commandes en souffrance): un gros **arriéré de commandes***, beaucoup de **commandes en attente***
- « On a un bon backlog » (ensemble des commandes non exécutées): **carnet de commandes***
  *S. R.C.

badge, f.
- d'un policier: **plaque**
- d'un pilote, d'un scout, etc.: **insigne**
- d'un congressiste: **porte-nom** ; **macaron** (décoratif, de forme ronde)

badloque, f. [bad luck]
- « Y a eu une badloque en rapportant sa charge »: un **accident**
- « Y ont subi une badloque »: une **malchance**, une **épreuve**, un **malheur**
- « La badloque le lâche pas »: la **malchance**, fam.: la **déveine**, la **poisse**, la **guigne**
- « C'est de la badloque »: c'est un **présage** / un **signe de malchance / de malheur**

badloqué
« Faut admettre qu'y a été badloqué »: qu'il a été **malchanceux**, qu'il n'a **pas eu de chance** ; « C'est pas drôle d'être aussi badloqué »: **infortuné**, **éprouvé**
  v.a. *loque* et *loqué*.

bag
- « un nouveau bag » (p. ex. a.s.d. les « bains secs », une pratique nouvelle, l'usage d'un « gadget » qcq.): **mode**, **coutume**, **marotte**, **truc**
- « C'est pas mon bag »: **de mon goût**, **dans mes goûts** ; c'est pas **pour moi**, c'est pas **mon genre**, ça ne **me botte** pas (a.s.d. une personne du sexe opposé)

bale, f.
- de papier, de diverses marchandises: **balle**, **ballot**
- de foin: **balle**

baleur, **baleuse**
(moissonneuse-lieuse qui taille, presse et lie le foin de manière à en faire des cubes très denses et faciles à empiler)
presse à fourrage
  S. Quillet au mot *presse*.
  Note: l'appellation « presse » a aussi cours chez les agriculteurs du Québec.

bâleur [boiler]
(de chauffage central ; Vx: récipient incorporé à un poêle-cuisinière et où l'on faisait bouillir de l'eau à la faveur de la flamme qui servait à la cuisson ou au chauffage de la pièce)
chaudière

(balk), v. *boquer*

(ball-bearing), v. *borberine*

ball-point (le 2e élément habit. pr. comme le mot français *pointe*)
stylo à bille, stylo-bille

(balloon), v. *balloune*

ballot [pron. francisée de **ballot**]
(usité dans des associations récréatives et professionnelles: « On va distribuer les ballots », « Pliez bien votre ballot »)
bulletin de vote

balloune, f [balloon]
- à faire flotter dans l'air, pour les enfants ; parfois, à jouer au volley-ball et à d'autres sports: **ballon**
- de savon, faite à la surface d'un liquide avec une paille, faite avec de la gomme à claquer (« faire des ballounes de savon avec une petite pipe », « faire des ballounes dans son milk shake », « faire des grosses ballounes avec sa gomme »)*: **bulle**
- « envoyer une balloune » (au base-ball ou au tennis): faire une **chandelle**
- « souffler dans la balloune »: dans l'**alcoomètre**, dans le **ballon** (d'alcootest), passer l'alcootest
- « il / elle est balloune »: **gros(se)**, **rond(e) comme un ballon**, **boulot(te)** ; « elle est en balloune » (moqueur, Vi): elle est **enceinte**, elle **a le ballon** (pop.)
- « être (parti) sur une balloune », « (re)virer une balloune », « prendre une balloune »**: faire **ribote**, prendre une **cuite**, être en **riboule** (S. DFAP)
  *Par analogie avec la forme du ballon qui sert de jouet, car une bulle se dit *bubble* en anglais ; de même, un ballon de volley-ball ou de football se dit *ball* et non pas *balloon*.
  **Nous risquons l'hypothèse que cet emploi vienne de l'américain *balloon*, abrégé de *balloon glass*, syn. de *snifter*, que le Webster définit comme un verre à boire présentant, au-dessus du pied, un fort renflement qui va se rétrécissant vers le col, de façon à ce que l'utilisateur puisse mieux humer le « brandy » qu'il va boire. (Le mot correspond en somme au fr. *verre à dégustation* ou *ballon*.) Ce verre (avec son contenu) a pu entrer en vogue dans un endroit quelconque du Québec, p. ex. dans le bar de l'hôtel d'une petite ville, et y être dénommé *balloune*, d'où « aller prendre une balloune », « y sont partis pour une balloune », « y est su une balloune » (il est occupé à prendre un verre de brandy), « y est parti s(ur l)a balloune » (il est dans une rage de ballons ces jours-ci), et ainsi de suite jusqu'à l'emploi actuel et géographiquement généralisé du mot au sens de soûlerie avec n'importe quel genre de boisson.

baloné, f. dans certaines régions [**bologna**, pr. argotiquement *beloney*]
(saucisson de) Bologne

band aid
(marque de commerce désignant un petit pansement déjà préparé, qu'il suffit de développer et d'appliquer sur la peau — expression en concurrence avec *plaster*, v.)
pansement tout fait / préconfectionné, sparadrap

baqu,*ette*, f. [**bucket**]
(récipient qu'on accroche aux érables pour en recueillir la sève destinée à faire du sirop ou des produits dérivés)
seau

barbecue ; **BAR-B-Q**
poulet à la broche, poulet rôti ; **rôtisserie**
(a.s.d. l'établissement)

bargain
• « On a conclu un bargain »: un **marché**
• « J'vais vous faire un bargain »: un **prix de faveur** ; un **prix global**, un **blot** (pop., S. DFAP)
• « J'ai eu un bargain, j'ai trouvé un bargain chez Deserre » (marché avantageux, article à bas prix): une **occasion**
• « C'est un vrai bargain! » (un avantage financier obtenu sans peine, inespéré): une **aubaine**

bargainer
• « On a bargainé une secousse », « J'ai bargainé avec le grand patron » (en vue d'un marché, d'une entente qcq.): **négocier**
• « Y ont bargainé leu(r) poêle » (céder contre un autre bien) ; « Y bargaine des vieux chars » (céder contre de l'argent): **échanger, troquer** ; **trafiquer, revendre**
• « Comment ça se fait que t'as payé si peu cher? — J'ai bargainé », « J'avais pas le goût de bargainer » (de rechercher un prix de faveur): **marchander**
• « Y a tellement bargainé quand il s'est agi de nous prêter ses outils qu'on peut pas compter sur lui pour d'autres services »: **résister, marchander**

barguèner ⎫
             ⎬ v. **bargainer**
*barguiner** ⎭
*Quant au mot *barguigner*, au sens d'hésiter, d'avoir de la peine à se déterminer, de balancer, il s'agit d'un terme français vieilli. Cependant, cette forme s'emploie aussi aux sens de marchander (à l'achat de qch.) et de trafiquer ou troquer, tout comme, inversement, *barguiner* et *barguèner* s'emploient aussi au sens d'hésiter à prendre un parti, les différentes formes semblant avoir échangé leur sens. Victor Barbeau, dans *Le français du Canada* (Les publications de l'Académie canadienne-française, Montréal, 1963), note les variantes supplémentaires *bargagner* et *barganer*, qui semblent s'appliquer indifféremment aux trois significations ici mentionnées.

bargaining power
pouvoir / force de marchandage

barley
(menus de restaurants: « soupe au barley »)
orge

barli [var. régionale orale de **barley**, v. supra]

basinette, f. (Vx) [**bassinet**]
berceau à roulettes ; moïse

(**bassinet**), v. *basinette*

bat
(base-ball ; Robert donne ce mot comme constituant la forme anglaise du fr. *batte*, tandis que Quillet et G.L.E. le définissent comme désignant une palette de cricket)
batte, f., **bâton** (S. Bibl. SP BSB 1)
(au fig.)
phallus, verge, arg.: **bit(t)e** (f.), **biroute** (f.), **dard, engin, gaule, pine, sabre, braquemart**

bater
• la balle: **battre*, frapper****
• un objet qcq. à l'aide d'un bâton ou d'une planche (« y a baté mon spring dans l'champ »): **projeter, battre***
• un intrus, une personne jugée indésirable (« y s'est fait bater de là »): **expulser**, fam.: **vider, éjecter, reconduire**
• un enfant qu'on veut punir (« rendu à la maison, son père l'a baté »): **bâtonner**
• une personne qu'on veut fustiger (« si vous apportez des livres cochons au collège, vous allez vous faire bater par le directeur »): **attraper, engueuler** (pop.), **enguirlander** (pop.)
   *V. Quillet au tableau *Sports*, article *Base-ball*.
   **Ibid., au mot *batte*.

batch, (souv. humor.)
• de galettes ou d'autres pâtisseries (« Ça, c'est seulement la première batch »): **fournée**
• de fruits, de viandes, de légumes apprêtés, de boîtes de conserve à faire bouillir (« Ça fait une batch ben suffisante », « La première batch est finie de bouillir »): **marmite, marmitée** (Vx), **chaudronnée**
• de ciment en pâte ou d'une matière semblable (« Encore une couple de batchs pis ça va être assez »): **seau**
• de fruits ou de légumes qu'on apprête dans une séance collective de travail (« V'là ma batch », « En v'là une autre batch »): **lot**
• d'objets divers (« Y est arrivé avec une batch de cochonneries à vendre »): **paquet, quantité**

bay-window
fenêtre en saillie*
   *Semble l'expression générique la plus juste. On notera que *bow-window* (plutôt usité en France qu'au Québec) désigne une sorte particulière de fenêtre en saillie, formant une ligne courbe sur le plan horizontal et pouvant s'appeler *fenêtre en rotonde* ou, mieux, *oriel* (n.m.) selon Bibl. DIV 5 et Bq des m. n° 3.

beach, f. (Vi)
plage

beam, f.
solive

(**bean**), v. *bine*

beat
(musique)
- « suivre le beat »: la **mesure**
- « le premier beat », « comptez les beats »: le(s) **temps**

(**beat**), v. *biter*

bécosse, **bécosses**, f. [back-house]
- (Vx) lieux d'aisances sans installation sanitaire, logés dans un édicule annexé à la maison ou érigé dans ses environs: **latrines**
- (humor.) tous lieux d'aisances: **cabinets**, **communs**, **toilettes**, **chiottes** (pop.)

bee*
(le fait, pour des cultivateurs, de se grouper pour exécuter le travail de l'un d'entre eux en collaboration avec lui ; le battage des grains, par exemple, se faisait toujours, jusqu'à l'avènement de l'industrie agricole moderne, par « bees » à tour de rôle chez les différents cultivateurs d'un « rang » ; *faire un bee* se disait et se dit encore à l'égard d'autres travaux qu'agricoles, p. ex. de travaux ménagers pour lesquels on décide de convoquer tous les membres de la famille ou un groupe d'amis)
corvée (collective)

*Gloss. laisse entendre qu'il s'agit là d'une forme dérivée d'un vieux mot français dialectal à nombreuses variantes: *bian*, *biain*, *bien*, etc., etc., qui auraient plus ou moins clairement le sens de **corvée**. Cette hypothèse nous paraît peu vraisemblable étant donné que le « i », dans ces formes, était sûrement réalisé en semi-consonne, si tant est que la notation des auteurs soit précise.

bellboy
chasseur (d'un hôtel)

bender
(appareil constitué d'une perche à laquelle est fixée une chaîne terminée par un crochet et servant, chez les cultivateurs, à bander les fils d'une clôture de barbelés avant qu'on les fixe aux piquets)
tendeur (V. Quillet)

bènetré, v. **pènetré**

bèque [back]
(commandement pour faire reculer un cheval et par ext. le conducteur d'un véhicule ; on dit aussi, dans le cas d'un cheval, *arrié-bèque*)
arrière

bèquoppe [back up]
V. *bèque*

bésenisse, f. [business]
- « se mêler de ses bésenisses » (Vi): de ses **affaires**
- « y est dans la bésenisse » (c'est un homme d'affaires): dans les **affaires**
- « y a parti une bésenisse »: il a fondé un **commerce**, une **entreprise**, une **affaire**

best
- « Le best, ça serait de procéder comme ça »: le **mieux**, l'**idéal**
- (Vx) « C'était le best du préfet », « A ce pensionnat-là, presque tout le monde avait un best » (de l'expression « best friend » ou « best buddy »): **chouchou**, **ami « particulier », « petit ami »**

bester (Vx)
- agir en *best* ou en prétendant vis-à-vis de qn (« Viens pas bester ici, ça m'intéresse pas »): **faire le mignon**, **minauder**, **faire du charme**
- de la part de deux personnes, se conduire ensemble en tourtereaux (« Ils sont allés bester dans la cour »): **roucouler**

besteux (Vx)
- var. régionale de **best**, v. plus haut, 2e sens
- qui recherche les faveurs, des privilèges, d'un professeur (« le besteux de X »): **courtisan** ; qui tourne autour d'un camarade: **« prétendant »**
- porté aux comportements affectueux (« Y est besteux sans bon sens! »): **chaud** ; qui recherche les idylles: **flirteur**

bider
(« À l'autre appel d'offres j'ai pas bidé », « On a bidé mais on a pas eu le contrat »)
soumissionner

big shot
(« C'est la rue des big shots », « Son père est un big shot »)
huile, grosse légume

bill
- d'un fournisseur, au garage, au magasin: **facture**
- à l'hôtel, à l'hôpital: **note**
- au restaurant, au café: **addition***
*On dit aussi, dans la langue familière, « la **douloureuse** ».

bill
(« Y a sorti un bill de vingt », « J'ai rien que des gros bills »)
billet (de banque)

bill
(politique)
- avant l'adoption: **projet de loi** (du gouvernement), **proposition de loi** (d'un député)

- après l'adoption: **loi**
  Note: *bill* est donné au dictionnaire mais au sens de « projet d'acte du Parlement anglais » (Le Petit Robert).

---

bime [v. **beam**]

---

bine, f. [**bean**]
- « manger des bines » (en concurrence avec « fèves » et « fèves au lard »): **haricots, haricots (au) lard**
- « ça ressemble à une bine », « t'as la face comme une bine »: **graine de haricot***

  *Haricot peut en effet désigner soit la plante, soit la gousse produite comme fruit par la plante, soit une graine contenue dans cette gousse.

---

bit, f. (pr. comme le fr. « bitte / bite »)
- « Tu m'en donnes pas une bitte, une petite bitte? » (p. ex. de ce que tu manges): un petit **morceau**, un petit **grain**, un **brin**, un tout petit **peu**
- « Tu m'aimes pas une petite bitte? »: un **brin**, un petit **peu**

---

bitable (dérivé de *biter*, v. ci-dessous)
(p. ex. a.s.d. une marque atteinte dans une compétition: « C'est pas bitable »)
surpassable, battable

---

biter [to **beat**]
(dans une compétition, une lutte qcq., région de Québec)
battre, surpasser, l'emporter sur — « tu me bites »: tu l'emportes, tu me bats, tu gagnes, « ça me bite »: ça me surpasse, c'est mieux que ce que je peux faire

---

biwinedo [v. **bay-window**]

---

black eye
  oeil au beurre noir, oeil poché

---

blagne [**blind**]
(« baisser le blagne pour se protéger du soleil »)
store

---

blender
(appareil électroménager servant principalement à faire des purées de fruits ou de légumes)
mélangeur

  S. Bibl. DIV 24.

---

blind, v. *blagne*

---

blind date
(rendez-vous pour un divertissement, pour une soirée où l'on ne connaît pas d'avance le compagnon ou la compagne que l'on aura: « Je lui ai organisé un blind date »)
rendez-vous surprise

---

blind pig (Vx)
  débit clandestin ; cabaret borgne

---

blingne (l'élément vocalique pr. comme dans fr. québ. « pinte »), v. *blagne*

---

block-heater
(pour faciliter le démarrage d'un véhicule par temps froid)
chauffe-moteur (pl.: chauffe-moteurs)
  « Observation: On trouve aussi l'expression « chauffe-bloc » qui s'applique à un type particulier de chauffe-moteur. » (R.C.)

---

bloke (Vi)
(terme pris de l'angl. pop. où il signifie couramment *individu*, *type* et péj. *gonze, mec*)
Anglo-Saxon, (marquant une nuance péj. plus claire:)
Anglais, **rosbif** (s. DFAP)
  V. a. **tête carrée**.

---

blood (Vi)
- « Y est pas assez blood pour nous prêter ça »: **généreux**
- « J'te remercie, t'es ben blood »: **chic**
  Note: Cet emprunt présente une déviation de sens. Dans l'anglais nord-américain d'où il est tiré, on trouve le terme dans l'expr. « you're blood », syn. de « you're a good chap », qui veut dire « vous êtes un brave garçon ». Le mot s'emploie aussi en argot étudiant au sens d'actif et boute-en-train. L'emploi le plus courant se fait cependant au sujet d'un animal, p. ex. un cheval ou un chien, et le mot a alors le sens de racé. On trouve aussi le terme appliqué aux choses, avec le sens d'excellent, comme p. ex. dans « blood recitation ».

---

bloomers (Vx)
  culotte bouffante
  Note: Au sens, non pas du short, mais du sous-vêtement, « on dit aussi, au Québec, *bouffant* ». S. Bibl. HAB 2.

---

blow-out
  « Un blow-out c'est dangereux quand on roule à quatre-vingt »: un **éclatement de pneu**, « On a *eu un blow-out* »: un **pneu a éclaté**

---

bob (*passer au*)
(région de Québec)
donner les étrivières à (Vx), **administrer une correction / une leçon à**

---

bobby pin, f.
  pince à cheveux

---

bocouite [**buckwheat**]
(Bas-Saint-Laurent et Gaspésie)
sarrasin (farine de)

---

body
(automobile)
- « le body est encore bon »: la **carrosserie**
- « un gars / une shop qui fait du body »: de la **tôlerie**

body shop
  atelier de carrosserie

body work
(enseigne)
tôlerie, tôlier en voitures

body-check
- (Vi) au hockey: **blocage*, bloquer***
- coup reçu d'une personne qui vous bouscule par mégarde: **coup d'épaule**
  *S. Bibl. SP HCK 1.

boiler, v. *bâleur*, 1ᵉʳ sens

(**bologna**), v. *baloné*

bolt, f.
boulon

bolter
boulonner

bombragne (Vx) [**boomerang**]
boumerang ; lance-pierre

bona fide [pron. francisée (mais « latinisée » quant au « e » final) de **bona fide***]
(langue juridique)
- a.s.d. un acheteur, un témoin: **de bonne foi**
- a.s.d. une offre d'achat: **sérieuse**
- a.s.d. un contrat: **authentique**
  *Expression d'extraction latine que le Québec a prise de l'anglais.

(**bone-setter**), v. *bonhomme sept-heures*

bonhomme sept-heures (Vx) [**bone-setter**]
Personnage imaginaire et effrayant dont on invoque le passage dans les maisons (officiellement à sept heures du soir) pour inciter les enfants à aller se coucher. Selon différents témoins, ce nom vient de l'anglais **bone-setter** (rebouteur, rebouteux), qui aurait donné d'abord *bonne-setteur*, ensuite corrigé en *bonhomme sept-heures*. Le mythe aurait sa source dans la campagne à peuplement anglophone considérable, où le *bone-setter* était un solitaire d'allure plutôt mystérieuse et inquiétante (une espèce de « sorcier du village »), qui arrachait, lors de ses visites, des cris de douleur aux personnes qu'il traitait. On s'est mis à exploiter à des fins disciplinaires cette crainte inspirée aux enfants, puis le temps et la diffusion géographique ont rendu le personnage mythique, en faisant à peu près l'équivalent du *croque-mitaine* français. Ce premier « bonhomme », censé emporter les enfants dans son repaire, a engendré des contrefaçons: le « bonhomme au sable » (dérivé du fr. *marchand de sable*), censé jeter du sable dans les yeux des enfants non encore couchés, et le « bonhomme Ustugru » ou « Moussucru » (vraisemblablement des déformations de *mistigri*), qui, dans certaines familles, avait la réputation d'égorger les enfants.

bonnecher [to **bounce**]
(de la part d'une balle ou de tout autre objet élastique)
rebondir

booker, -é
- a.s.d. un salarié occasionnel, une chanteuse de cabaret (« Je suis booké pour mardi », « Elle est bookée pour 11 heures »): **inscrire, placer** (« Je suis inscrit pour mardi », « Elle est placée à 11 heures »)
- a.s.d. un client qcq. (« Je suis booké à 9 heures demain », « Il m'a booké dans un mois »): **donner rendez-vous à** (« J'ai rendez-vous... », « Il m'a donné rendez-vous... »)
- a.s.d. un artisan, un homme de profession libérale, un entrepreneur qcq., un garage (« Il est booké pour trois jours »): **occupé, retenu, pris**
- « booker un pari »: l'**inscrire**
- « booker un chanteur »: l'**engager**
- « booker une salle » (de spectacle): la **réserver**

boomer
(un produit, un candidat, son poulain)
faire l'article pour, faire une grosse publicité en faveur de, faire mousser

boomerang, v. *bombragne*

boquer [to **balk** (pr. sans *l*, comme s'il s'agissait de « bock » dont on allongerait la voyelle)]
- (Vx) a.s.d. un cheval (rester immobile, résister au commandement soit d'avancer, soit de reculer, soit de tourner d'un côté): **refuser**
- a.s.d. une personne (refuser d'aller au travail ou de participer à une activité, habit. par mauvaise humeur ou bouderie): **refuser** (au fig.), **rester en arrière**

borberine, f. (Vx) [déformation sémantique de **ball-bearing**]
bille (d'essieu de bicyclette)

boss (pr. comme fr. « bosse »)
patron, pop.: **singe**

bosser (pr. comme le vb fr. « bosser » (= travailler, en lg. pop.))
- « Celui-là, y cherche toujours à bosser »: **commander, jouer au patron**
- « Quand y commence à bosser, le matin, j'ai le goût de sacrer mon camp »: **intimer des ordres, lancer des commandements**

bossel (Vx) [**bustle**]
(bourrelet servant à faire bouffer une jupe autour des hanches)
vertugadin, panier

boster [to **burst**]
- a.s.d. un réservoir, un tuyau en métal: **éclater**
- a.s.d. un pneu, un tube, un tuyau en caoutchouc: **crever**
- humor., « tu vas boster » (si tu continues à manger): tu vas / le ventre va t'**éclater**
- « se faire boster », « y l'ont bosté » (pour vente ou achat de drogue): **arrêter, prendre**, fam.: **épingler, pincer**, pop.: **choper, piquer**

botch, f.

(« Y a fait de la botch », « C'est de la botch »)
travail bâclé, bousillage, gâchage

botcher

(« botcher un ouvrage »)
bâcler, bousiller, gâcher, saboter, fam.: **cochonner, torcher, torchonner, saloper**

botche [butt ; la déformation a dû se faire à partir du pluriel **butts**]
mégot, pop.: **clope** (m.)

bôte [v. **bolt**]

botteur (Vi) [butter]

(scie servant à rogner les pièces de bois, à en enlever le bout — le butt —, ou, par ext., à les sectionner)
scie à table (en menuiserie)*, **scie circulaire** (dans le débitage du bois en grume)*
*D'après G.L.E. — On dit *scie ronde* dans de larges milieux québécois.

botter (dérivé de *botteur* ou traduit de to butt)
rogner, ébouter (une bille de bois)

boulé [bully]
• « un boulé envoyé par le parti »: **homme de main**
• « escorté par deux boulés »: **gorille**
• « un boulé bâti comme un pan de mur »: **costaud, grand gaillard, malabar**
• « un boulé hardi surtout en paroles »: **matamore, bravache, fier-à-bras, fanfaron, rodomont** (litt.)

boulette, f. (Vi) [bullet]
(Ouest du Québec; désigne un atelier d'une usine de munitions: « Il travaille à la boulette »)
atelier des douilles

boulzaille, f. [bull's-eye]
• de cible: **mouche, visuel, noir / blanc** (selon le cas), **mille**
• Vx: **sucette** de forme circulaire
• interj.: **fichtre!, sacrebleu!**

bouncer (la finale parf. en **-eur**)
• « Ils ont engagé des bouncers pour combattre les manifestants »: **homme de main**
• « C'est un vrai trou (*bouge*), avec des filles pour faire consommer les clients et deux bouncers pour sortir les emmerdeurs »: **videur** (pour « vider », expulser qui il faut)
• « La maison de passe a toujours son bouncer pour tenir les clients tranquilles au besoin »: **souteneur**

bourzaille, v. *boulzaille*

bowling
jeu de quilles, quilles ; **salle de quilles** (a.s.d. l'établissement)

S. OLF, Gazette officielle du Québec, 6 mars 1982, 114e année, n° 10, p. 2891.

boxing day
(congé que les employeurs accordent à leur personnel le lendemain de Noël ou le premier jour ouvrable après cette fête)
l'après-Noël

brace, f.

(« En menuiserie, un membre incliné, employé dans les murs, dans les cloisons renforcées ou dans les toits à ossature de bois afin de former un triangle qui raidit la charpente. »*)
jambe de force* ; **moise, contre-fiche** (jambe de force employée comme appui d'un chevron)*
*S. Bibl. CST 4.

(bracket), (brackets), v. *braqu̞ette, braqu̞ettes*

braid
(couture, mode)
galon, ganse, soutache ; passement, bordé, lacet (de bordure) ; tresse, cordonnet

braider
galonner, ganser, soutacher ; poser un passement / un bordé / un lacet, etc. **à ; passementer** (orner de passements)

brainstorming
remue-méninges
Note: Traduction adoptée par la Quatrième Biennale de la langue française.

braisse [v. **brace**]

brake
frein

braker
• « J'ai eu le temps de braker, mais j'ai pas pu éviter l'accident »: **freiner**
• « Essayez donc de le braker » (a.s.d. un marcheur, un compagnon de promenade, un conducteur qui va trop vite): **(faire) ralentir, freiner**

braqu̞ette, f. [bracket]
(bâtiment et domaines connexes)
• pièce en forme d'angle droit servant à renforcer un assemblage: **équerre (de renforcement)**
• pièce d'appui constituée d'un montant vertical muni à son sommet d'une traverse placée à angle droit, avec habituellement une barre oblique reliant ces deux éléments: **potence**
• pièce de maçonnerie en forme d'arc pour soutenir un balcon: **arc-boutant**
D'après Quillet et Robert.
Note: Quant à « braquette » désignant une *broquette* c.-à-d. un petit clou à large tête, il s'agit là plus

probablement d'un provincialisme que d'un anglicisme ; l'objet s'appelle *tack* ou *tin-tack* en anglais.

braquettes, braquettes, f. [brackets]
(monde de l'entreprise)

« Y est pas dans les mêmes braquettes », « Y est pas dans ces braquettes-là », chiffres marquant le salaire que l'on touche, considérés surtout comme illustrant la différence de rang dans la hiérarchie d'une entreprise: **échelon**, **tranche de chiffres**, **ordre de salaire / de chiffre**, « son *millésime* n'est pas comparable »

break
- période de repos au milieu de la demi-journée de travail à l'usine ou au bureau (v. a. coffee-break), ou dans l'exécution d'un travail qcq., dans une séance de délibérations ou d'étude, dans un cours: **pause** ; entre deux cours qui se suivent: **intervalle**
- répit qu'on demande à ceux qui alimentent son travail ou qui mènent rapidement un travail collectif ou quelque exercice (« Donnez-nous un break, on fournit pas / on est à bout de souffle »): laissez-nous un **répit**, le **temps de souffler**, la **chance de souffler**
- interruption dans une activité que l'on mène, dans des cours que l'on suit, dans un travail que l'on fait comme occupation secondaire, « prendre un break »: un **repos**, un **congé**

breakdown
(comptabilité)
- « Envoyez-leur le breakdown du compte, pour qu'ils sachent d'où vient le total »: le **détail**
- « Il faut établir le breakdown des dépenses » (entre les divers comptes): la **répartition**, la **ventilation**

breaker
(dans une maison, interrupteur automatique de courant, en cas de hausse anormale de la tension)
disjoncteur*

*S. Lexis, Quillet et Bibl. ELT 2. — V. a. l'AFNOR, norme C 61-400, p. 4: « Un *petit disjoncteur* est un appareil destiné à la fois: — par commande manuelle à connecter un circuit à une source d'alimentation et à l'en déconnecter ; — automatiquement à déconnecter ce circuit lorsque le courant dépasse une valeur prédéterminée qui dépend de la capacité de surcharge des conducteurs protégés. »

briefing, briefer
(domaines divers: le fait de donner les instructions nécessaires à une ou des personnes chargée(s) d'une tâche, faire à qn les recommandations jugées nécessaires à l'égard d'une mission, d'une opération qcq.)
breffage*, **breffer***

*S. CETTF in OLF MD, 3ᵉ année, nᵒ 3.

bright
- « Tu sais ben qu'y est pas assez bright pour comprendre ce que ça veut dire »: **intelligent, fin, subtil**
- iron., « Y est bright! », « C'est bright! »: **brillant, génial** (par antiphrase)
- « C'est bright comme idée »: **lumineux**

broadcloth
(« une jupe en broadcloth »)
popeline
D'après Harrap et Robert.

broiled steak
bifteck grillé / sur le gril, grillade de boeuf

broker (Vi)
- bourse: **courtier, agent de change**
- assurances: **courtier**

brownie
carré au chocolat
S. OLF.

brunch
(contraction de breakfast et de lunch, désignant un repas qui tient lieu à la fois de repas du matin et de repas de midi)
déjeuner-dîner, déjeuner dînatoire* ; **déjeuner à la fourchette**** ; **grand petit déjeuner** (?), **déjeuner tardif** (?) ; **dîjeuner, déjeudîner*****

*Ces deux expressions, qu'on peut trouver à l'article *déjeuner* dans Quillet, y sont données comme synonymes et définies comme désignant un « grand déjeuner qui se fait plus tard qu'à l'ordinaire et qui tient lieu de dîner ». *Déjeuner dînatoire* avait déjà été proposé à titre provisoire par l'ancien Service des consultations de l'Office de la langue française, qui acceptait la transposition « québécoise » des acceptions françaises modernes des termes *déjeuner* (repas de midi) et *dîner* (repas du soir). Il semble que l'actuel OLF accepte aussi l'emploi québécois (ainsi, d'ailleurs, que belge et propre à de larges régions de la campagne française) des deux termes, mais trouve l'expression en cause quelque peu prétentieuse. À noter que l'expression qu'on trouve au Petit Robert est *goûter dînatoire*, « goûter abondant et tardif, qui sert de dîner ».
**Expression donnée comme l'équivalent de brunch par Harrap et définie par Quillet comme un petit déjeuner où l'on mange de la viande.
***Nous signalons ces deux formes de contraction possibles en précisant que la deuxième nous paraît la désignation la plus susceptible d'être reçue par les restaurateurs (parce que moins obscure, prétentieuse ou banale que les autres appellations proposées), alors que les expressions *déjeuner à la fourchette* et *déjeuner tardif* sont peut-être les plus conformes au génie du français.

buck
(de l'orignal, du cerf)
mâle

bucket, v. *baquette*

bucket-seat
(auto.)
siège-baquet

buffalo (Vx)

(« couverture en / peau de / robe de buffalo », appliqué surtout à la couverture utilisée pour se protéger du vent et du froid dans les déplacements en traîneau) **bison**

---

bull-shit, f.

« de la bull-shit », a.s.d.:
- une marchandise en réclame ou un article très vanté: de la **pacotille**, de la **cochonnerie** (fam.), de la **merde** (pop., plus méprisant)
- un marché présenté comme avantageux: un **attrape-nigaud**, une **escroquerie**
- un récit, des dires: des **fables**, des **faussetés** ; des **vantardises**
- une théorie, une croyance, des enseignements: de la **foutaise**

, « la bull-shit »:
- « C'est nous autres qui a eu la bull-shit »: les **reproches**, les **réprimandes**, l'**engueulade** (pop.)
- « Si la bull-shit prend » (environs de Québec): la **bagarre**, le **rififi** (arg.)
- « Toute la bull-shit qu'on a eue dans not' vie / dans nos voyages » (surtout Outaouais): les **difficultés**, les **misères**, les **emmerdements** (fam.), les **merdes** (pop.), les **chiasses** (pop.), les **chieries** (vulg., plus fort)

---

bull-shiter
fanfaronner ; **en faire accroire**

(bullet), v. *boulette*

(bull's-eye), v. *boulzaille*

(bully), v. *boulé*

---

bum, f. (*sur la*)

(de l'amér. on the bum: *en désordre, sens dessus dessous*, ou *en piteux état* a.s.d. p. ex. un membre du corps)
- « Chu s'a bum / Y doit être s'a bum à matin » (p. ex. à la suite d'une nuit de fête): **ravagé, roué (de fatigue), au bout, pompé**
- « Sa business s'en va s'a bum »: son entreprise va **à la dérive**, s'en va **au diable**
- « Sa compagnie est s'a bum depuis ce gaspillage-là »: **au bord de la faillite**
- « La civilisation / Le français s'en va s'a bum »: court **à sa perte**

---

bum
- « Y se tient avec des petits bums, y peut ben parler mal »: **voyou, polisson**
- « Y traîne avec les bums du quartier »: **vagabond, fainéant, voyou**
- « A'sort avec un bum »: **vaurien**, pop.: **frappe** (f.), **gouape** (f.)

---

bummer
- « passer ses vacances à bummer »: **vagabonder, trimarder** (pop.)

- « bummer plutôt que de travailler »: **gueuser** (Vx), **mendier, mendigoter** (pop.)
- « bummer des cigarettes / de l'argent »: **quêter** ; « bummer 5 piastres à un chum »: **emprunter** 5 dollars à un ami, **torpiller** (pop. ou arg., S. DFAP) / **taper** (fam.) un ami **de** 5 dollars.

---

bump

(d'une route) **bosse, rugosité**

---

bumper (la finale parf. en -**eur**)
pare-chocs

---

bumper
heurter (avec ou comme avec le pare-chocs) ; **prendre le poste / la place de, évincer, déloger** (un employé de moindre ancienneté, de la part d'un employé dont l'administration a supprimé le poste)

---

bunch, m. ou f.
- de radis, d'asperges, de carottes: **botte**
- de pivoines, de glaïeuls ou d'autres fleurs: **touffe, bouquet**
- de plumes: **houppe**
- de bananes: **régime**
- de bardeaux: **paquet**
- de billets de banque: **liasse**
- d'amis: **groupe**
- de fainéants, de moutons (de Panurge): **masse, troupeau**

---

buns*, f.
brioche

*Forme plurielle en anglais, servant généralement de singulier et de pluriel en québécois. Il est normal que l'on ait emprunté le pluriel plutôt que le singulier, vu que ce qui était annoncé autrefois dans les étalages, c'était des « buns » et non pas un « bun » — vu, aussi, que la langue française ne fait pas de différence phonétique entre le singulier et le pluriel (pour ce qui est du nom lui-même, à pluriel régulier).

---

bunt

(au base-ball, coup frappé sans élan, le frappeur ne faisant que toucher la balle avec le bâton pour la faire rouler dans le champ intérieur) **amorti, coup retenu**

S. Bibl. SP BSB 1.

---

bunter
faire un amorti / un coup retenu

(burst), v. *boster*

---

bus (pr. à l'anglaise)
autobus ; **car**

---

busboy
aide-serveur de restaurant

---

bushel
boisseau de pommes de terre, de tomates, etc.

---

business, v. *bésenisse*

─────────

(bustle), v. *bossel*

─────────

(butt), v. *botche*

─────────

(butter), v. *botteur*

─────────

butterscotch
> **caramel écossais**
> > S. OLF.

─────────

busybody
- « faire le busybody » (p. ex. lors d'une réception donnée par d'autres ou d'un mouvement d'aide à des sinistrés): l'**officieux** (Vi), l'**empressé** ; l'**important**, l'**indispensable** ; la **mouche du coche** (qui se dépense en agitation inefficace)
- « un busybody, qui s'occupe de mille affaires »: un **touche-à-tout**, un **hyperactif**
- « un busybody qui a toujours le nez dans les affaires des autres »: un **intrigant**, un **amateur de manigances**
- « un busybody qui flirte avec les haut-placés »: un **faiseur**, un **arriviste**

─────────

buzz
- « *Donne*-lui *un buzz* »: **appelle**-le **au ronfleur** (v. ci-dessous), **sonne**-le
- « Donnez-nous un buzz »: un **coup de téléphone**, un **coup de fil**

─────────

buzzer
> (sonnerie qui émet un ronflement de basse fréquence, dont on se sert, dans une administration, pour appeler un membre du personnel dans son bureau)
> **ronfleur**
> > S. Bibl. TEL 1.

─────────

bye! (finale habit. réalisée en voyelle + semi-voyelle plutôt qu'en diphtongue comme en anglais)
> **au revoir, salut** ; **bonsoir** ; **bonne nuit**

─────────

bye-bye!, v. *babaille*

─────────

caboose, f.
- chemins de fer: **fourgon (de queue)**
- construction routière, aménagement des parcs (camionnette où les ouvriers trouvent leurs casse-croûte): **cambuse***
> *« Cantine d'un chantier », Quillet.

─────────

caddie
> **ramasseur de balles, cadet**
> > S. OLF MD, 7ᵉ année, nᵒ 5.

─────────

call
- « J'ai reçu un call du patron »: un **appel**, un **coup de téléphone**
- « On a eu rien que deux calls depuis à matin » (établissement offrant un service à domicile, commerce qui livre au client ; garage qui exploite une dépanneuse): **commande ; demande**

─────────

- « Y est parti s(ur) in call » (a.s.d. un employé à la livraison ou à un service chez le client, un préposé aux plaintes, un conseiller municipal qui est allé examiner l'objet de la plainte d'un commettant): **il est parti en service, il est allé à une demande / à un appel** (fam.)

─────────

caller
- « caller un taxi »: **appeler**
- « caller un set » (réciter, annoncer les figures d'un quadrille américain): **diriger**
- « Y y a callé un speech »: **débiter** (une semonce)
- « caller le 8 dans le centre », « au straight, il faut caller tous ses coups » (billard à trous): **annoncer**

─────────

calleur
> d'un « set américain » ou « set carré »: **dirigeant, meneur**

─────────

call-down
> (« Y y a donné un call-down parce que l'ouvrage était pas faite »)
> passer une **engueulade** (pop.), donner / passer un **savon** (fam.), donner / flanquer un **galop** (pop.) à, tomber sur: *Il lui est tombé dessus*

─────────

calvette, f. [culvert]
> (surt. Saguenay ; petit pont enjambant un canal pratiqué sous une voie ferrée, ou canal ainsi situé)
> **ponceau ; canal (de raccordement)**

─────────

(camp), v. *campe*

─────────

campe [camp, pr. *kamp* ou *kèmp*]
> (« arriver dans le campe », « sortir du campe »)
> **foyer** où logent et mangent les bûcherons d'un chantier

─────────

camper
> (camionnette pourvue d'un compartiment habitable — lequel forme avec le poste de conduite un tout monté sur un seul châssis, à la différence des roulottes et caravanes (v. trailer), qui sont des cellules d'habitation remorquées)
> **autocaravane, campeur**
> > S. NEOL. E. M., Série B, nᵒ 10. — R.C. donne *camionnette de camping / de campisme* ou *campeuse*. On remarquera que *campeur* présente l'avantage de correspondre au terme qui fait actuellement concurrence à camper dans l'usage québécois. Sa terminaison masculine est sur le modèle, entre autres, de *tracteur* et *épandeur* (d'asphalte, de fumier, etc.).

─────────

candy (employé la plupart du temps comme pluriel)
- (Vi ou plaisant) « On veut des candy! », « V'là un candy pour te consoler »: **bonbon(s)**
- « Y va y avoir des candy », « Y a annoncé des candy »: **« cadeaux d'élections », appâts, distribution de bonbons** (fig.) ; « C'est un candy » (une mesure plutôt futile, destinée à consoler, à flatter): un **hochet**

─────────

canisse, f. [canister]
- de lait, de sirop d'érable (grand contenant cylindrique

utilisé dans les fermes): **bidon**
• de peinture: **boite**

(canister), v. *canisse*

---

car coat
(paletot plutôt court, souple et léger, voulu confortable pour l'automobiliste)
paletot d'auto
> S. Bibl. HAB 2, qui condamne *auto-coat*, très répandu dans la publicité française.

---

car wash
lave-auto*, **lavauto** (?)

> *n. m., pl.: lave-autos, S. R.C.

---

caracine, *carossine*, v. *kérosine*

---

carbon [pron. francisée, d'après l'orthographe, de **carbon**]
« un papier carbon »: papier **carbone**, « une copie au / mettre un carbon »: au / un **carbone**

---

carport
abri d'auto
> S. R.C.

---

carton (pr. à tort comme « cartoon »)
• de paquets de cigarettes: **cartouche**
• de bouteilles de boisson gazeuse: **panier, caissette**

---

cartoon
dessin(s) animé(s)

---

case load
(nombre de malades confiés à un thérapeute, à un assistant social, à un spécialiste en réadaptation physique ou en tout autre art dans un établissement de santé, considéré surtout comme part de l'emploi du temps ou de la charge totale de travail)
« se consacrer à son case load »: à ses **cas** ; « demander la diminution de son case load »: de son **nombre de malades** ; « l'équilibre des case loads »: des **volumes de cas**

---

cash
• « payer cash »: **comptant**.
• « acheter / vendre qch. cash »: **(au) comptant**
• « vouloir du cash »: vouloir être payé en **(argent) liquide**, en **espèces**, en **numéraire**, vouloir du **liquide**
• « avoir du cash », « manquer de cash » (de la part d'une société): avoir du / manquer de **liquide**
• « prendre ça pour du cash » (a.s.d. une affirmation sans fondement): pour **argent comptant**

---

cash
« Elle est au cash », « Allez payer au cash »: elle travaille / veuillez payer à la **caisse**

---

cash (*passer au*)*
malmener, administrer une raclée à, régler son compte à ; passer à tabac (plus fort, s'em-ploie surtout lorsque la personne battue n'est pas en position de se défendre)

> *Vient probablement de « faire passer au cash » dans le sens d'obliger (un acheteur) à payer ce qu'il doit.

---

cash and carry
payer-prendre*

> *Selon l'arrêté ministériel français du 29 novembre 1973. — L'expression *payer-emporter* que l'on rencontre parfois chez nous ne nous paraît pas condamnable en soi.

---

cash flow
(« Bénéfice net, compte non tenu des postes n'intéressant pas les valeurs de roulement, notamment l'amortissement et les impôts sur le revenu reportés. »*)
marge d'autofinancement / fonds autogénérés / fonds provenant de l'exploitation*
> *S. Bibl. AFF 7.

---

cashew (pr. comme le mot fr. *cachou*)
anacarde (Vi), **noix d'acajou**, **(noix de) cajou**

(cast steel), v. *castille*

---

castille, f. [**cast steel**]
(« un tisonnier en castille », « des outils en castille »)
acier moulé
> S. Bibl. TCH 15.

---

casting
distribution (des rôles d'une pièce de théâtre)

---

catch (souv. pr. *kètch*)
serrure à barillet (et à goupilles), serrure américaine
> V. Quillet

---

catcher (souv. pr. *kètché*)
• une balle ou tout objet lancé (« Essaye de catcher ça »): **attraper**
• une pointe ou une blague glissée parmi les propos de plusieurs personnes (« J'lai pas catchée, celle-là »): **discerner, saisir**
• un mot d'esprit, une blague subtile, ou encore les raisons prétendues et plutôt illogiques du comportement de qn (abs., « J'catche pas, moi là »): **comprendre, saisir, piger**
• dans une partie de base-ball (v.i., « C'est Pierre qui va catcher »): **être le receveur**

---

catcheur (souv. pr. *kètcheur*)
(base-ball)
receveur*, **attrapeur** (usage européen)*
> *S. Bibl. SP BSB1.

---

caucus [pron. francisée de **caucus***]
• ensemble des députés d'un parti (« réunion du caucus libéral avant l'ouverture de la session »): **groupe parlementaire**
• réunion stratégique des députés d'un parti (« la stratégie issue du caucus conservateur »): **conférence**

- réunion de directeurs ou d'animateurs (« tenir un petit caucus avant l'assemblée / la séance d'étude »): **réunion préparatoire**
- entretien tenant de l'intrigue (« j'aime pas trop ses petits caucus », « il est fort sur les caucus »): **conciliabule**

> *Mot que certains philologues disent emprunté à l'algonquin par les Américains et que Webster fait dériver du grec médiéval *kaukos* (verre à boire) par renvoi aux réunions mondaines des leaders politiques du XVIIIe siècle à Boston et ailleurs.

___

C.B. (pr. *si-bi*, abrév. de Citizens' Band)
poste bande publique, poste BP, BP
> S. OLF, Gazette officielle du Québec, 30 juin 1979, 111e année, n° 26, p. 6750.

___

(cesspool), v. *cispoune*

___

chain-saw (a. *chaîne*-saw)
tronçonneuse

___

chair-lift
(installation mécanique permettant au skieur de regagner le sommet de la pente en prenant place sur un siège suspendu à un câble tracteur)
télésiège (monoplace, biplace)*

> *On notera que *télécabine* correspond à gondola ou enclosed aerial tramway, et *télébenne*, à open aerial tramway ; *télé* est l'abrév. pop. du générique *téléphérique / téléférique* (transporteur aérien sur câble) ou de l'un des trois termes spécifiques précités. D'après Bibl. SP SKI 1 et 3.

___

chalac [shellac]
(vernis à la gomme) laque

___

chalaquer
laquer

___

champou [shampoo]
shampooing (pr. *champoin*)

___

charcoal
(couleur)
(gris) anthracite

___

charcoal
(« un steak au charcoal », « allumer le charcoal »)
charbon de bois

___

charcoal broiled steak
(enseignes de restaurants)
bifteck (grillé) au charbon de bois, grillades de boeuf au / sur barbecue

___

charley horse (Vi)
(désigne « contraction et rigidité prolongées et involontaires d'un ou de plusieurs muscles, sans lésions des fibres musculaires »)
contracture, crampe d'athlète (fam.)
> S. R.C.

___

chaser
(boisson qu'on prend après avoir absorbé un alcool particulièrement fort)
diluant (?), **pousse-alcool***
> *Traduction proposée par R.C., probabl. établie sur le modèle de *pousse-café*.

___

chassepane, f. [saucepan]
casserole

___

chassepinte, v. *chassepane*

___

cheap
- « On peut s'acheter une petite robe cheap comme costume de tous les jours », « C'est plus cheap que de tout acheter séparément »:**bon marché, pas cher** (« une petite robe bon marché / pas chère », « c'est meilleur marché / moins cher »)
- « Du matériel trop cheap, ça dure pas »: **de basse qualité** ; « les affaires cheap »: la **pacotille**
- « C'est trop cheap pour une maison de maire »: **ordinaire, commun**
- « Y est trop cheap pour laisser prendre des vacances à sa famille »: **avare, radin, pingre**
- « C'est cheap comme portion / comme contribution »: **parcimonieux, chiche**
- « Y est cheap, pour nous avoir rappelé c'te petite faveur-là », « C'est cheap de sa part »: **mesquin**
- « Y sont trop cheap pour se préoccuper de l'avenir de notre communauté », « Y ont une mentalité cheap »: **petit, étroit, étriqué**

___

check
- sur les articles d'une liste, d'un compte: **marque**
- sur une marchandise: **étiquette**
- de consigne, de bagages, d'enregistrement: **bulletin**
- de rang d'accès au service dans un établissement de réparation ou autre: **billet**
- à un joueur adverse, « *donner un check à* » (v. a. body-check): **bloquer**

___

checker
- les articles d'une liste, d'un compte: **marquer, cocher, pointer**
- les entrées au bureau, à l'atelier: **pointer**
- du fret, des marchandises: **étiqueter**
- ses bagages dans une gare: **déposer / mettre à la consigne, consigner**
- ses malles, ses bagages en partant en voyage (en remettre le soin à la compagnie de transport): **faire enregistrer, enregistrer** (fam.)
- une facture, un calcul, un renseignement, des assertions, le bon état d'un ouvrage, la température d'une pièce, le niveau d'huile à la disposition de son moteur, etc.: **vérifier**
- un travail: **inspecter**
- des gens, au travail ou en une occasion qcq. (« J'aime pas ben ben me faire checker », « Y me checkait pour voir si je trichais »): **surveiller** ; dans leur comportement (« Y me checkait pour voir si je souriais »): **observer** ; dans leur mise (« Y m'a chécké de la tête aux pieds », « A'est allée se checker dans le miroir »):

examiner ; avec un regard intéressé, « Y me checkait comme un obsédé »: **fixer**, « Y a passé la soirée à checker les belles femmes / la grande blonde »: **guetter / lorgner, reluquer**

- ses caoutchoucs, ses gants, tout objet qu'on est exposé à perdre ou à se faire voler: **faire attention à, avoir l'oeil sur** ; « checkez vos claques, les gars! »: surveillez-vous, tenez-vous bien
- un adversaire au sport afin de lui faire obstacle: **guetter**
- un joueur du camp adverse pour l'immobiliser: **bloquer**
- *se checker*, être *checké* (« Y est pas nécessaire de se checker, c'est rien qu'une petite soirée », « Y est arrivé checké, entendez-vous! »): **se mettre en grande toilette / en grande tenue, tiré à quatre épingles, sur son trente et un, sur son trente-six** (Vx)

check-up
- sur une personne (« aller passer un check-up »): **examen général, examen de santé, examen médical complet**
- sur une voiture (« une auto qui a besoin d'un check-up »): **inspection, vérification**

chèdoppe (Vi), v. **shut up**

cheniquer [to sneak]
(« Y a chniqué pendant que les autres parlementaient ensemble »)
s'éclipser, s'esquiver, se défiler

chesterfield
canapé (capitonné)

chibagne, f. [shebang]
(« emmener toute la chibagne »)
maisonnée, tripotée (fam.)

chin-chin!
(à votre) santé!
A M C E F.

Chinatown
(« aller manger dans le chinatown », « y a un gros chinatown à Vancouver »)
quartier chinois

chips
(« manger un plein sac de chips »)
croustilles
S. OLF.

chire, f. [shears]
- se plaçant sur une table ou sur un établi et servant à découper ou rogner des feuilles de papier, ou bien de carton, de plomb, etc.: **coupoir, rognoir**
- à actionnement mécanique dans la grande industrie et servant p. ex. à couper la tôle: **cisaille**
D'après G.L.E. et Robert.
V. a. **sheer** et **sheerer**

choke
(auto.)
volet de départ
S. Bibl. AUT 5.

chop, f.
côtelette (de porc, de veau, de mouton, d'agneau, etc.)
D'après OLF et divers dict.

chopper
- « Y s'est fait chopper le bras (dans la machine) »: **broyer**
- « Chopper la viande »: **hacher**
- « Y vont chopper des têtes une fois au pouvoir »: **trancher**

chowder
soupe (de poisson), chaudrée
S. OLF. — V. a. **clam chowder**.

chum
- « sortir avec ses chums », « inviter des chums / un chum » ; « rencontrer les chums »: **ami, copain ; pote** (pop.)
- « ses chums de collège »: **camarade**
- « un chum de voyage »: **compagnon**
- « A'est sortie avec son chum »: **ami**
- « A'était avec sa chum »: **copine ; frangine** (au sens d'amante, arg., S. DFAP et Petit Robert)
- « T'es un chum! », « un vrai chum! »: **ami, frère**

cipaille, parf. f. [sea-pie]
pâté fait principalement de lièvre ou de sauvagine, de pommes de terre ou de pâtes et de lard salé, assaisonné d'épices, enveloppé dans une croûte et habituellement à plusieurs couches (d'où la variante *six-pâtes* qu'on rencontre au Lac-Saint-Jean)

cispoune, f. (Vx) [cesspool]
fosse d'aisances, puisard ; siphon (d'évier)

clabord [clapboard]
- planche à lambris de section triangulaire qui s'imbrique: **planche à clin***
- planche à couverture de forme rectangulaire ou carrée: **bardeau****
*S. Bibl. CST 4 et R.C.
**S. Bibl. CST 6.

clam, f.
(Gaspésie)
coquillage
S. Bibl. ALM 3. — Pour les différentes sortes (baby clams, etc.), se reporter à cet ouvrage.

clam chowder
chaudrée de myes
S. OLF.

clanedaque [klondyke]
(morceau de confiserie voisine du caramel, recouvert

d'une enveloppe de papier à deux extrémités plus ou moins en forme d'ailes)

papillote*

    *V. ce mot au Quillet

(clapboard), v. *clabord*

---

clâsettes, v. *éclâsette*

---

cleaner (souv. pr. avec un *i* bref)

nettoyer (une table, une surface, un local qcq.), **vider**, **nettoyer** (un tiroir, une auge, un lieu objet d'une razzia / d'une rafle), **nettoyer**, **dépouiller complètement** (un arbre de ses fruits)

---

clean-up

(dans une maison, un appartement, une pièce, un lieu mal fréquenté, un personnel à nombreux indésirables)

nettoyage, **grand ménage**

---

clearing

« envoyer un chèque au clearing »: à la **compensation**

(clevis), v. *clévisse*

---

clévisse, f. [clevis]

- agriculture: **crochet d'attelage*** (rattachant l'extrémité antérieure de l'age de la charrue au palonnier)
- industrie**: **manille d'assemblage**, **maillon d'attache**, **maillon de jonction** : **crochet de sûreté** : **chape** : **étrier**

    *S. Quillet au mot *charrue*.
    **V. Harrap au mot *clevis*.

---

climax

point culminant (du drame que contient une pièce de théâtre)* : **paroxysme** (d'un sentiment)

    *Si l'on veut parler de la péripétie ou de la suite de péripéties qui amène l'action à son point culminant, on dira *noeud de l'action* (S. Bibl. DIV 8 à climax et Petit Robert à *noeud*).

---

clip, habit. f.

- au bureau, pour le papier: **agrafe**, **happeur** : **attache-papiers** : **serre-papiers** : **pince-notes**, **pince-feuilles**, **pince à papiers** : **attache métallique / parisienne** : **trombone** (ayant la forme de l'instrument de musique)
- dans l'industrie: **pince**, **serre**, **attache** : **patte d'attache** : **griffe / collier / étrier de serrage** : **brabant à patte** : **mordache** (de mandrin de tour) : **pince d'arrêt** (pour tube en caoutchouc)
- dans le commerce: **agrafe** (de stylo, de petit peigne, de bouteille de vin mousseux) : **pince (de cycliste / à pantalon)***

    *V. a. *clipse*.

---

cliper

tondre (la pelouse, les animaux, les cheveux de l'homme)

---

clipeur

tondeuse (pour les cheveux et le poil des animaux), espèce de **rasoir** électrique ; **cisaille** (de tôlier)

---

clipse, f. [du pluriel de **clip***]

(pour tenir le bas de pantalon, à bicyclette)

pince (à pantalon / de cycliste)

    *On a probablement adopté le pluriel parce qu'on s'est fait proposer ou désigner **des** « clips » au magasin anglophone. Or, comme on dit oralement *une pomme*, *des pomme*, on a dit *des clips*, *une clips*.

---

close-up

(cinématographie)

gros plan

    S. Bibl. CIN 2.

(closet), v. *éclâsette*

---

club sandwich

~~**sandwich club**~~

    S. OLF.

---

club steak

côte d'aloyau

    S. Bibl. ALM 8.

---

clutch, f.

(pédale d')embrayage

---

déclutcher

embrayer

---

coach

- personne chargée de l'entraînement d'une équipe: **entraîneur**
- celui qui organise la stratégie de l'équipe à l'occasion des matches: **pilote**

---

coacher

entraîner (vb tr.) ; **piloter** (vb tr. ou in.)

---

coat

- manteau plutôt court, à manches et à poches extérieures sur les côtés: **paletot**
- dans le sens d'overcoat, « se mettre un gros coat / un grand coat », manteau chaud, habit. masculin, qui protège bien contre les intempéries: **pardessus**
- dans le sens de windbreaker (v. a. ce mot et **coupe-vent**), sorte de veste plus ou moins imperméable, plutôt ample, s'arrêtant à la taille, où elle est resserrée: **blouson**
- dans le sens de jacket (v. a.), vêtement descendant jusqu'aux hanches qui se porte par-dessus la chemise ou le gilet et qui s'harmonise avec le pantalon pour former avec lui le costume de ville: **veste**, **veston** (en principe, resserré à la taille)
- « coat de ski »: **blouson**, **anorak** (avec capuchon)

---

coaxer

stimuler (« J'ai été obligée de le coaxer pour qu'y mange »), **inciter**, **prier** (« Y a fallu le coaxer un bout de temps pour qu'y se décide à y aller »), **gagner**, **décider** (« J'vas essayer de coaxer Paul à venir aux noces »)

---

cobette, f. (Vx) [**cupboard**, pron. brit. pop.: *kebed*, avec voy. semblables à celle du pronon fr. « je »]
buffet ; **armoire**

---

cocoa [pron. francisée de **cocoa**]
cacao

---

coconut
« gâteau au coconut »: à la **noix de coco**, « huile de coconut »: de **coco**

C.O.D.
(abrév. du brit. cash on delivery ou de l'amér. collect on delivery)
« envoyer / expédier qch. C.O.D. »: **contre remboursement** ; « frais de C.O.D. »: frais de **contre-remboursement**

> S. publicité dans Bibl. DIV. 9, n° 1715, pp. 19, 31, 70. — On trouve aussi dans cette source, pp. 19 et 30, « règlement contre remboursement » et « payer contre remboursement », formules qui montrent que l'expression originelle est devenue une locution figée dont on a oublié le sens des composants.

---

coffe break
pause(-)café

---

coin wash
(en concurrence avec « buanderette » ; v. la note à l'article *landrie*)
laverie (automatique)

---

coke, f.
abrév. de l'angl. cocaine employée pour le fr. *cocaïne*, « sniffer de la coke »: priser de la **coco**, arg.: de la **neige**, de la **blanche**
> S. DFAP et Petit Robert.

---

cole-slaw
salade de chou

---

colour-blind
daltonien

---

colour chart
(tableau d'échantillons de couleurs qu'utilisent les marchands de peinture)
nuancier*

> *Néol. recommandé par R.C.

---

come-back
- « Au sujet du nouveau procédé, y a pas eu de come-backs »: **commentaires défavorables, protestations, plaintes**
- « J'aime bien avoir des come-backs de mes élèves »: **réactions, réponses**

- « On peut pas toujours prendre autant de boisson sans avoir de come-back »: **malaise, réaction défavorable**

Come on!
- (parf. pr. *comann*) **Allons, Allons-y ; Viens, Viens-t'en, Arrive, Arrivez, Venez, En avant!**
- (exprimant le désaccord) **Oh! je vous en prie, Ah non!, Allons!, Qu'est-ce que vous dites là!, Voyons!, Alors!**

(**comforter**), v. *confiteur*

---

compound
pâte servant à enlever des taches d'une carrosserie, à polir des pare-chocs et des surfaces du genre: **pâte à polir** (S. Bibl. DIV 15, 1978) ; pâte servant à dérouiller le fer et l'acier: **pâte abrasive** (S. Bibl. AMB 5, au chapitre *rouille*)

---

condominium [pron. franco-latinisée de **condominium**]
copropriété
> S. OLF, Gazette officielle du Québec, 25 octobre 1980, 112ᵉ année, n° 43.

---

confiteur [**comforter**]
édredon
> . V. a. **confortable**.

---

conistache (Vi*) [**corn starch**]
amidon de maïs**

> *La désignation corn starch (v. a.) se répand de plus en plus.
> **S. OLF.

---

cook
cuisinier ; **cuistot** (fam., cuisinier professionnel, habit. exerçant dans une communauté qcq.)

---

cookrie (« faire la »)
la **cuisine**, la **popote** (fam.), la **tambouille** (pop., souv. péj.), l'**ordinaire** (les repas coutumiers)

---

cool
« C't un homme cool »: **calme, flegmatique** ; « prendre ça cool »: **calmement**

---

cooler
« mettre de la viande au cooler », « mon cooler est plein pour l'hiver »: **congélateur***; « cooler pour les piqueniques »: **glacière** ; « cooler à air » (dans l'industrie): **refroidisseur, (appareil) réfrigérant**

> *Le véritable nom anglais est freezer.

---

coplène, f. (Vi) [**coupling**(-sleeve)]
(région de Québec)
bague, douille, manchon (**d'assemblage** d'un tuyau)
> V. a. **coupling**.

coppe, f. [copper]
- « un chaudron / une couverture d'église en coppe »:
  cuivre
- (Vi) « j'ai pas une coppe dans mes poches »: un **sou**,
  un **rond**

(copper), v. *coppe*

---

corderoy, *corduroy* [pron. francisée de **corduroy**]
  velours côtelé

---

corn flakes
  (habit. traité comme un collectif: « du corn flake »)
  flocons de maïs
    S. OLF.

---

corn starch, v. *conistache*

---

cossetarde, f. [custard]
  crème prise (terme générique) ; **crème aux
  oeufs, crème renversée, crème caramel** (selon le cas) ; **crème pâtissière** (dans le cas d'une
  garniture intérieure) ; **flan** (sur une abaisse, un fond de
  tarte)
    S. OLF. — Dans le midi de la France, le terme *flan*,
    probablement sous l'influence de l'italien et de l'espa-
    gnol, s'applique à une crème caramel. Mais l'OLF
    recommande qu'on s'en tienne à l'usage de Paris en la
    matière.

---

cottage (pr. à l'anglaise)
  cottage (la finale pr. comme dans le mot *fromage*)*
    *S. OLF, qui a établi que ni *fromage blanc*, ni *fromage
    de maison*, ni *fromage à la pie*, ni *fromage de caillé* ne
    correspond au mets nord-américain en question.

---

cotteur* [cutter]
- en horticulture: **sécateur**
- dans l'industrie: **cisailles** (pour la tôle — S. Bibl.
  DIV 7), **pince coupante** (pour le fil métallique —
  S. Bibl. DIV 15, 1977)
- au Saguenay: **bord de trottoir** ou **petit rampart**
  comparable
    *Employé au pluriel (« des cotteurs / une paire de
    cotteurs ») pour désigner un seul instrument, proba-
    blement d'après le modèle de *ciseaux* ; d'ailleurs, le
    mot *sécateur*, qui a cours chez les agriculteurs, est lui
    aussi mis au pluriel.

---

coupling
  (assemblant deux tuyaux, deux pièces d'un mécanisme,
  deux organes d'une machine)
  bague, douille, manchon, raccord

---

cover charge
  (dans les restaurants, cabarets, boîtes de nuit)
  **(frais de) couvert, prix d'entrée, frais d'en-
  trée, consommation minimum**

---

crackpot
  cinglé, tordu, terrine fêlée, (plus fort:) **tapé /
  siphonné**

---

crackers (souv. pr. *crâkeurs*, le 2ᵉ élément vocalique comme
  dans « veuf »)
- (Vi) « Manger des crackers (/ crakeurs / crâkeurs) avec
  de la soupe ou du bouillon »: **craquelins, biscuits
  croquants**
- « C'est bon en crâkeurs »: en **diable**, « Une crâkeurs
  de bonne soupe »: une soupe **fichtrement** bonne,
  « Un crâkeurs de beau char »: une **vraie** belle bagnole,
  « C'est un crâkeurs de problème / Y a attrapé un crâkeurs de coup de soleil »: un **fameux** problème / coup
  de soleil ; « C'est une crâkeurs d'affaire / de situation »:
  une **diable** d'affaire, une situation **embêtante**,
  « C'est un crâkeurs de farceur »: un **malin** farceur,
  « T'es un crâkeurs »: un **coquin**

---

crâler [to crawl]
  (région de Québec)
  se montrer soumis, servile, procéder par supplications:
  ramper, s'aplatir (devant qn) ; être flatteur, obsé-
  quieux, vilement soumis dans le but de gagner des faveurs:
  faire le chien couchant (avec / auprès de qn)

---

crane, f.
  grue (à vapeur, électrique, de chantier)

(crank), v. *crinque*

---

crate
- (Vi) caisse à claire-voie, en bois, contenant de gros
  légumes en vrac ou plusieurs rangs de caissettes de
  fraises ou de framboises: **cageot***
- boîte plate, en bois avec anse droite enchâssée dans les
  deux bouts ou en carton sans anse, de sections rectangu-
  laires, contenant un seul étage de caissettes de petits
  fruits, surtout fraises et framboises: **plateau****
- emballage en bois à claire-voie dont on dote un appareil
  assemblé (p. ex. une enseigne lumineuse) pour le protéger pendant l'expédition: **emballage (en bois
  armé)** (constitué d'éléments reliés entre eux par des
  liens métalliques continus, agrafés sur chacun***),
  caisse (de transport)

---

crater
  mettre dans une caisse, encaisser (rare) ; **fa-
  briquer une caisse / un emballage à ; embal-
  ler** (un objet avec du simple papier)

---

craté
  (livré, expédié) **dans une caisse de bois, emballé en bois armé ; emballé, enveloppé** (de
  papier)

---

décrater, -é
  déballer, -é
    *S. Harrap et Quillet.
    **« Le nom de « plateaux » et parfois de « clayettes »
    désigne couramment des cageots parallélépipédiques
    utilisés pour l'emballage des fruits sur un rang d'épais-
    seur. » (AFNOR, Norme H03-001 ; cette source si-
    gnale que les contenants de ce genre qui ont une hauteur
    intérieure comprise entre 10 et 20 cm sont habit. ap-
    pelés *cagettes*). *Plateau*, de plus, est plusieurs fois

attesté, en ce sens, dans le *Catalogue des types dimensionnels d'emballages en bois pour fruits et légumes utilisés en Europe* publié par l'Agence européenne de productivité de l'Organisation européenne de coopération économique en 1958 et dans le *Dossier Agriculture* publié par la revue *Emballages* en 1977.
***V. G.L.E.

(crawl), v. *crâler*

---

cream puff (Vi)
chou à la crème, petit-chou*; puits d'amour**
*V. Quillet au mot *chou*.
**V. Harrap à *cream* et Quillet à *puits*.

---

cream soda
soda à la vanille, soda mousse
S. Bibl. ALM 6.

---

crête (m., Vi) [v. **crate** 1ᵉʳ et 2ᵉ sens]

---

crimepoffe (Vi) [cream puff]
• pâtisserie: v. l'anglais d'origine
• juron: **nom d'une pipe!, pardi!, sapristi!, flûte!**

---

crimesoda [cream soda]
• boisson: v. l'anglais d'origine
• (Vi) juron: **saperlipopette!, sac à papier!**

---

crinque, f. [crank]
manivelle

---

crinquer
• un moteur, un mécanisme: **lancer à la manivelle, actionner à la main**
• une horloge, une montre: **monter, remonter**
• une personne, pour aviver l'ardeur de ses sentiments ou son élan dans la discussion: **exciter**, pour l'amener à la colère et à l'esprit d'attaque: **échauffer**, pour lui inculquer de la rancune ou de l'indignation contre qn: **monter**, pour attiser son zèle ou son ardeur dans l'action: **chauffer**, pour éveiller ses impulsions / intensifier son élan: **aiguillonner / éperonner**, pour la faire sortir de l'inertie, d'un état de découragement, ou pour l'enthousiasmer à l'égard d'une cause: **stimuler**

---

cross
(au billard à trous, « faire un cross »: faire frapper la bande à une bille pour qu'elle aille se loger dans un trou du côté opposé de la table)
renvoi par la bande*, bille de bricole**, coup de bricole***
*D'après Bibl. SP BILL 2.
**S. Quillet à *bricole*.
***S. Robert à *bricole*.

---

crosser
(« Tu ferais mieux de la crosser »)
renvoyer par la bande, jouer / faire de bricole

---

cross-side
(direction d'une bille vers une bande et de là vers un trou de centre, c.-à-d. situé au centre d'un côté de la table: « faire la 9 cross-side », « faire un cross-side »)
renvoi au centre / au côté, bricole (au) centre (?)
Note: D'une façon analogue, l'expression « cross-coin » (renvoi d'une bille à un trou situé à l'angle d'un côté et d'un bout de la table) peut se rendre par **renvoi au coin**.

---

crow-bar
arrache-clou, pied-de-biche

---

cruiser
• errer à la recherche d'une aventure sexuelle, faire des invites à une personne: **draguer** (vb tr. et in.)
• rouler à petite allure en quête de clients, de la part d'un taxi: **marauder**

---

cruiseur, cruisage
dragueur, drague (pop., S. DFAP) / **dragage**

---

cruising
(racolage des passants par une prostituée)
« faire le cruising »: faire le **tapin** / la **retape** (pop.), le **tas** (arg., S. DFAP), son **racolage**, son **raccrochage**, tapiner

---

cruncher (parf. *crouncher*)
(« des pilules qui peuvent se cruncher », « cruncher des chips »)
croquer

---

cuff
revers (de pantalon)

---

cull, f. (pr. comme le fr. « colle »)
(exploitation forestière)
« du bois de colle »: de **rebut** ; « de la colle »: des **déchets de bois**, du **bois de rebut**, du **bois déclassé**, des **rebuts** ; « une colle »: un **déchet de bois**, un **rebut**

---

culleur
mesureur (de bois)

(culvert), v. *calvette*

---

cup, f.
• petit récipient de crème ou de lait que l'on sert dans les restaurants avec la tasse de café ou de thé: **godet** ; **berlingot***
S. OLF.
*Lorsque le petit récipient en question a la forme polyédrique ou pyramidale de ce bonbon.
• « une cup de savon » (Québec): une **tasse** de détergent

(cupboard), v. *cobette*

---

curb service
(service à la voiture offert par un restaurant situé en bordure d'une route ou d'une rue ; ce genre de restaurant lui-même)
restauvolant
S. OLF. — V. a. **drive-in**.

curriculum [pron. francisée de **curriculum**]
programme d'études (d'une classe, d'une année scolaire)

curve, f.
• dans une route: **courbe** ; **tournant** (déviation plus prononcée) ; **boucle** (grande portion de cercle) ; **lacet** (courbe très repliée) ; **crochet** (détour brusque)
• dans la trajectoire d'une balle de jeu ou d'un autre projectile: **courbe** ; **arc** (déviation plus arrondie et plus prolongée) ; **crochet** (déviation brusque)
• dans une tige métallique, une tringle, un instrument mince et allongé: **courbe**, **courbure** ; **boucle**, **lacet** (dans le cas d'une déviation plus prononcée ou plus brusque, surtout produite par un accident)
• dans le fût d'un arbre: **cambrure** ; dans une branche: **arçure**
• d'un canoë, d'un vase: **renflement**

(**custard**), v. *cossetarde*

cute
• a.s.d. personnes ou animaux, « une petite fille cute »: **mignonne**, **jolie**, « Y est cute avec sa p'tite moustache pis son p'tit air souriant / Y est assez cute ce p'tit chat-là! »: **mignon** ; « Les femmes étaient cute à la soirée »: **coquet(tes)**
• a.s.d. un spectacle, des gestes, un phénomène, « C'est cute de les voir ensemble / C'est cute quand a promène sa poupée / T'es le petit ami de Jean-Noël? Que c'est cute! »: **mignon**
• a.s.d. une disposition, un décor, « une peignure (*coiffure*) ben cute »: **joli(e)**, **mignon(ne)**, « un salon / un petit village cute »: **coquet**, « c'est cute chez elle (*son intérieur*) »: **charmant**, **sympathique**

cutex, v. *cutexe*

cutexe [**cutex***]
vernis (à ongles)
*Marque de commerce.

cutter, v. *cotteur*, 2ᵉ sens

dash
tableau de bord (d'un véhicule)

date, f.
(« Alle a une date pour samedi », « A'est souriante parce qu'alle a une date » ; « Y a eu / Alle a eu une date jeudi passé »)
rendez-vous (amoureux / galant) ; **sortie**, **rencontre avec une fille / un garçon**

deadline
échéance (quant à la postulation d'un emploi annoncé, à l'exécution d'une obligation qcq), **date / heure limite** (quant à la terminaison d'un travail); **tombée**

defroster, v. **frosté**

delicatessen
alimentation fine*, **charcuteries***

délicatesses [**delicatessen**]
« Les Délicatesses XYZ » (enseigne d'établissement): XYZ, **charcuteries / alimentation fine**, **Charcuterie** XYZ

délicatisé [**delicatized**]
(sur emballages de bifteck)
attendri*
*S. OLF.

dérennecher, *dérinnecher** [to **wrench** (tordre, fausser, forcer, détacher par une secousse)]
disloquer (une construction, une charpente, des rouages) ; **déglinguer**, **démantibuler** (tout appareil ou objet composé de parties ajustées)
*Vu l'origine anglaise, on peut supposer que le *dé-* est ici un préfixe augmentatif.

désétlé, v. **settler**

desk
(bureau affecté à la réception des clients, dans un hôtel)
réception

dill*
(« acheter / préparer des dill », « faire les dill pis les cannages »)
cornichons à l'aneth**
*Abrégé de dill pickles.
**S. OLF.

(**dipper**), v. *dippeur*

dippeur (Vx ; pr. *d ipeur*) [**dipper**]
louche

directoré (Vx) [**directory**]
annuaire des téléphones

(**directory**), v. *directoré*

disk jockey
(à la radio)
présentateur (de disques), **animateur***
*S. Arrêtés de terminologie de la République française. A C E F.

djommepeur [**jumper**]
(robe à encolure dégagée, sans manches ou parfois à manches courtes, conçue pour être portée sur un corsage

ou un tricot dont elle laisse apparaître le haut et les manches)
(robe) chasuble
S. Bibl. HAB 2.

djompe, djomper (avec voy. nasale comme dans *pompe*) [v. **jump, jumper**]

doggy bag
(dans des restaurants, sac remis au client qui désire emporter les restes de son repas, habit. à l'intention de son chien)
sac (à restes)(?), **emporte-restes** (S. R.C.)

dompe, f. [dump]
dépotoir

domper [to dump]
- **décharger, déverser** (une charretée de déchets, de sable, de matériau)
- **laisser tomber** (un fardeau, un sac lourd que l'on porte sur le dos)
- **ficher par terre, abandonner** (un objet qu'on trouve ennuyeux de porter: « Il l'a dompé là. Pas surprenant qu'on l'ait cherché si longtemps. »)
- **jeter, se débarrasser de** (un « poêle », un vieux meuble: « On va domper ça, c'est trop vieux. »)
- **congédier**, fam.: **balancer, virer** (un employé), **plaquer, balancer** (son amie)
- **jeter dehors, éjecter** (d'un camion, d'une automobile: « Toé, on va te domper, en pleine autoroute, si tu continues. »)
- **déposer, laisser descendre** (de voiture: « Tu me domperas devant le bureau de poste. »)
- **avoir une benne basculante, (pouvoir) basculer** (« Y dompe pas, c'truck-là. »)

dompeuse [dumper]
benne basculante (d'un camion: « un truck à dompeuse hydraulique ») ; **camion à bascule** (« emmener sa dompeuse »)

doorman
portier (d'un hôtel, d'une boîte de nuit)

dope, f.
drogue, pop.: **came**, arg.: **défonce, charge**
Note: Le Petit Robert donne le mot *schnouff / schnouf / chnouf* (f.) comme signifiant drogue, mais le DFAP, qui l'écrit *schnouf* ou *chnouffe*, lui donne le sens d'héroïne et le *Dictionnaire de l'argot moderne* de G. Sandry et M. Carrère (Éditions du Dauphin, 1967), qui l'écrit *chnouff*, lui donne le sens de cocaïne.

dopé*
drogué, camé, chargé
*A C E F dans les sports et les courses.

double-breast / single-breast
(forme pop. en amér. parlé de -breasted)
croisé(e) / droit(e) (veston, veste)

down
« être sur le down » (par l'effet d'une mauvaise réaction à la drogue): être **déprimé**, avoir **le noir** ; « être down / sur un down », « avoir un down » (sans rapport avec la drogue): passer par **une période de dépression**, être dans **un bas**, voir **des papillons noirs**, être **en déprime** (fam.)

drab (a. conçu comme un mot français, graphie « drable » attestée)
beige ; **écru**

draffe, f. [draft]
« ouvrir le châssis pour faire une draffe »: un **courant d'air** ; « y nous est arrivé une draffe » (de vent frais, de pluie, de neige, d'air empesté): une **rafale**

draffe, f. [draft]
bière à la pression, fam.: **bière pression, pression**

draft
de contrat, de mémoire: **projet** ; d'un rapport, d'un texte publicitaire, d'une traduction: **brouillon, premier jet**
V. a. *draffe*.

drâper [to drop in]
(« J'vas drâper (chez vous) en m'en revenant / la semaine prochaine »)
faire un arrêt / une petite station chez / à, **faire une petite visite / un bout de visite** à

drave, f. [drive]
procédé de transport du bois abattu en forêt par **flottage** ou entraînement naturel sur un cours d'eau sous la direction d'hommes (*draveurs*) qui brisent au besoin les embâcles et orientent les billes (action de *draver*) jusqu'à un havre desservant une scierie

driller
(Bas-Saint-Laurent, Gaspésie)
dresser (un cheval, un chien) ; **mettre au pas, dresser, mater** (une tête forte)

drink
- « un bon drink », « toutes les sortes de drinks »: **boisson**
- « prendre un drink », « arrêter boire un drink au bar »: un **verre**, un **coup**
- « Il faut prendre au moins un drink », « Le premier drink est compris dans le prix d'entrée »: **consommation**
A C E F dans les 2e et 3e sens.

(drive), v. *drave*

drive
(tennis)
coup droit
S. R.C. C.A.D., vol. XI, n° 6. — A C E F.

drive-in*

(restaurant situé au bord d'une route à l'intention des automobilistes et offrant à ceux-ci le service à l'auto) **restoroute****

*Abrégé oral de **drive-in restaurant**.

Ce terme étant en France un nom déposé (v. Le Petit Robert), on aurait avantage à adopter la graphie **restauroute, plus normale de toute façon. V. a. **curb service**.

---

drive yourself

- enseigne: **Location sans chauffeur**, **Voitures de location**
- « prendre un drive yourself »: une **voiture de location**, une **voiture louée**, louer une voiture

---

driver

- (Vi) **conduire** (un tracteur, un camion, une auto) ; **rouler vite**, **gazer**
- **lancer**, **faire du lancer** (sorte de sport où l'on ne fait que frapper des balles de golf toujours du même point, sans parcours, sur un terrain équipé à cette fin pour le public) ; **s'exercer au lancer / à la crossée de départ** (de la part d'un joueur de golf en apprentissage)

---

driving

« un driving »: **terrain de lancer / de crossée** ; « faire du driving »: v. **driver** 2ᵉ sens

---

driveway

(chemin d'une propriété par lequel on accède en automobile à la maison) **entrée**

---

drop, f.

- au base-ball ou au soft-ball, lancer où la torsion du poignet imprime un effet baissant à la balle (« Y t'y a envoyé une droppe! », « Envoye ta droppe! »): **(balle) tombante***

  *D'après Bibl. SP BSB 3. — Au football et au tennis, les coups qui s'appellent « drop » en anglais se disent respectivement **(coup de pied) tombé** (S. Bibl. SP GEN 7 et Quillet) et **balle / volée amortie**, fam.: **carotte** (S. Bibl. SP GEN 7 et Harrap).
- dans le commerce, baisse brutale des prix, « Le linge de femme a fait une droppe »: a fait une **chute**, a connu une **débâcle**

---

drop-out

(jeune qui quitte les études en cours de route, sans terminer le cycle commencé ; par ext., personne qui laisse tomber une activité que normalement on poursuit jusqu'à un terme ou qui se retire d'un groupe ou d'un milieu) **impersévérant**, **défectionnaire**, **décrocheur** (fam.)

D'après R.C.

---

dropper

vb tr.:

- l'école, des cours: **abandonner**, **lâcher**
- la morphine, la cigarette: **délaisser**, **quitter**, **lâcher**

- des compères, un groupe de musiciens avec lesquels on joue: **laisser tomber**, **lâcher**

vb in.:

- de la part d'un élève, d'un étudiant (« Y a droppé pendant son Secondaire IV »): **abandonner**, fam.: **lâcher**, **décrocher**
- de la part de cours à la Bourse, de résultats financiers (« Les actions / Les profits / Les ventes ont droppé »): **baisser brutalement**, **chuter**, **tomber**
- de la part d'un sportif étoile dont les capacités physiques sont manifestement moindres que dans le passé (« X a droppé terriblement »): **baisser**, **décliner**
- de la part d'une balle de ping-pong ou de tennis dont la trajectoire s'abat à cause d'une aspérité de la table ou du terrain (« A droppe à chaque fois qu'a tombe su la petite bosse »): **baisser**

---

dropping-out

(« le phénomène du dropping-out ») **impersévérance scolaire**, **défection**, **décrochage**

D'après R.C.

(drop in), v. *drâper*

---

drum

- récipient: **fût**, **tonneau** ; **tonnelet**, **baril**
- instrument de musique: **tambour**, **caisse**

---

drummer

joueur de tambour dans une troupe de musiciens: **tambour**

---

dry

- « dry martini », « dry gin »: martini, gin **sec**
- « C'est dry ici! » (a.s.d. une soirée, un lieu où il n'y a pas d'alcool): c'est **le régime sec**
- « un cours dry »: **ennuyeux**

  A C E F dans le 1ᵉʳ sens.

---

dull

« Jouer rien qu'à deux, c'est dull »: **morne**, **ennuyeux** ; « C'est dull, la télévision, à soir »: **ennuyeux**, **rasant**, **barbant** ; « Les dimanches après-midi sont ben dull »: **monotone**

---

dumb-bell

(région de Québec) **haltère** (m.)

---

dummy

- **faux** carter, moyeu ; **fausse** cartouche ; charge **sans poudre** ; cible **d'exercice**
- **maquette** d'un placard publicitaire, de la couverture d'une brochure
- **fausse** boîte, boîte **factice** (de bonbons, etc.), bouteille, étalage **factice**
- **mannequin**, **figure de cire** d'une vitrine, d'un étalage
- **porte-parole**, **prête-nom** d'un homme politique ou d'un financier

---

(dump, dumper), v. *dompe*, *dompeuse*

éclâsette*, f. (Vx) |closet|
(syn. de *bécosse*, v.)
latrines

>*On dit aussi « les *clâsettes* ». C'est d'ailleurs cette expression qui a donné naissance à *éclâsette*. À partir de « les clâsettes » (« aller aux clâsettes », « venir des clâsettes », « les clâsettes puent »), on s'est mis à dire « l'éclâsette » (« aller à l'éclâsette », « venir de l'éclâsette »), par un phénomène d'agglutination de la voyelle de l'article.

---

egg-nog
lait de poule*

>*Adopté par l'OLF.

---

egg roll
pâté impérial*

>*Adopté par l'OLF.

---

enfirouâper |in (a) fur wrap, in fur wrapping*|
duper, rouler, emberlificoter

>**Dans une enveloppe de fourrure* ; a désigné une pratique qui consistait à recouvrir de peaux de fourrure un ballot de viles étoffes pour faire croire qu'il était constitué entièrement de fourrures.

---

entrepreneurship
esprit d'entreprise

---

et al
(abrév. du latin *et alii*)
- en droit, dans la dénomination des parties engagées dans un procès: **et consorts***

- dans la dénomination des auteurs d'une étude éditée, d'un livre scientifique, etc.: **et autres, et coll.****
  >*V. Robert à ce mot.
  >**Pour *collaborateurs*.

---

ex officio |pron. francisée de **ex officio**|
(« membre ex officio », « nommé ex officio »)
de droit, d'office

---

exâsse (2ᵉ voy. comme dans fr. québ. « hâte » ou anglais « out ») |exhaust, 2ᵉ voy. comme dans « lost »|
(automobile: « l'exâsse », « le tuyau d'exâsse »)
échappement

(exhaust), v. *exâsse*

---

exhibit |pron. francisée de **exhibit**|
- pièce à l'appui produite avec un acte de procédure au civil, ou pièce à conviction produite au tribunal criminel (« Veuillez me donner le dossier 541 302, avec les exhibits », « L'exhibit nº 5 »): **pièce** (on dira « pièce à l'appui / justificative / à conviction » lorsque le contexte exige la précision)

- élément, objet faisant partie d'une exposition, « Les exhibits étaient très beaux »: les **pièces (d'exposition)**, « Les exhibits de Magog sont très intéressants »:

les **envois**, « Ne pas toucher aux exhibits »: aux **objets exposés**

---

express
(service de) messageries (de chemin de fer)

---

express, f.
(région de Québec)
voiturette d'enfant

---

facterie, f. |factory|
(« travailler à la factrie », « factrie de coton »)
fabrique

(factory), v. *facterie*

---

fake
- a.s.d. un mouvement simulé pour tromper un adversaire, surtout au sport, « C'est du fake, y va lancer dans une autre direction »: une **feinte**
- a.s.d. un combat de lutteurs, des cris de douleur, la manifestation de sensations ou de sentiments qcq., « C'est du fake / C'est tout du fake »: de la **comédie**
- a.s.d. l'organisation ou les résultats d'une compétition qcq. dont les jeux apparaissent faits d'avance, « C'est du fake pour gourer le public »: du **trucage / truquage**

---

faker
- au sport: **feinter**
- a.s.d. la manifestation de sentiments: **feindre** (Vi), **jouer la comédie**

---

fan, f.
ventilateur (d'appartement, d'atelier, du moteur d'une voiture)
>Note: Un éventail, ça se porte à la main.

---

fancy (pr. *fèncé* en amér. pop. et en québ.)
- « Préparer des petits plats fancy »: **raffinés, fignolés**
- « Une toilette fancy pour les grandes occasions »: **chic**
- « Une petite robe fancy qui lui donnait une belle allure », « Y porte toujours des petites chemises fancy »: **coquet(te)**
- « T'es fancy aujourd'hui! »: **élégant**
- « Un motif trop fancy pour une femme de son âge / pour une chemise d'homme »: **orné, extravagant**
- « Un costume un peu fancy pour l'occasion »: **recherché, prétentieux**
- « Si y est trop fancy pour manger dans la cuisine, y jeûnera », « Une fancy d'Outremont »: **dédaigneux, pincé** (fam.)

---

fâremane |foreman|
chef d'équipe, contremaître

---

fast back
(type de voiture dont le profil de la partie arrière décrit une ligne oblique)
carénée
>S. R. C. C. A. D., vol. IV, nº 8.

---

feed-back
- en cybernétique (action de contrôle en retour): **rétroaction**
  S. Robert et G.L.E.
- en électronique (réinjection d'une partie du signal de sortie à l'entrée, entraînant une amplification ou une atténuation du signal de base): **contre-réaction**
  S. R.C.
- a.s.d. ce que produit pour soi une action qu'on dirigeait vers un but extérieur (« Les critiques contre le parti sont le feed-back de l'éducation qu'il a faite »): **effet en retour, produit, résultat** : une réplique, un énoncé qui provient de l'assimilation d'un enseignement (« C'est intéressant d'avoir des feed-back de son enfant / de son élève »): **retour** (sens fig.), **réaction en retour, réponse** : le produit visible d'un effort (« Quand on travaille pour une cause depuis des mois, on aime à avoir des feed-back »): **preuve de succès, témoignage de réussite, résultat tangible**
- a.s.d. l'attitude de qn vis-à-vis d'un geste qui le touche (« On n'a pas encore eu le feed-back des personnes les plus visées par les mesures d'austérité »): **réaction**
- a.s.d. l'expression d'une opinion sur une production, une réalisation qcq. (« Avez-vous eu des feed-back / du feed-back au sujet de l'émission de musique pop / du premier numéro du journal / des nouveaux signaux routiers? »): des **commentaires** : ce que répond un confident, un animateur ou un confrère client d'une séance de psychothérapie de groupe lorsqu'on fait part de difficultés que l'on vit: **commentaires**

---

feeder (a. « fider » et « filer »)
  alimenter (une machine d'atelier, d'usine)

---

feeling
- « Ça donne un feeling de picotement / un drôle de feeling »: **sensation**
- « Un verre de ça, ça vous met dans un bon feeling »: **état, humeur** : « C'est le gin qui m'a donné mon feeling / J'ai perdu mon feeling »: **entrain**
- « Apprendre à exprimer davantage ses feelings »: ses **sentiments**, ses **états affectifs** : « Laisser cours à ses feelings »: ses **mouvements intérieurs**
- « J'ai un feeling qu'y est pas content »: l'**impression**, le **sentiment** : « J'ai un feeling qu'y viendra pas »: le **pressentiment** : « Personne me l'avait dit, c'était un feeling »: une **intuition**

(fellow), v. flo

---

fichoir [fish-wire]
  (longue tige de métal souple servant à déboucher les tuyaux)
  furet (V. Quillet)

---

fider, v. feeder

---

fight
  discussion, passe d'armes (entre membres de groupements, de partis différents), **prise de bec, at-**trapade, **engueulade** (entre personnes dont les intérêts s'affrontent sur le moment), **dispute, scène** (avec sa femme, une personne avec qui on est lié)

---

fighter
  a.s.d. un avocat, « C'est un fighter / un bon fighter »: un **plaideur acharné**, un **batailleur** / un bon **jouteur**

---

fighter
  « On a fighté pour pouvoir rentrer nos motos »: **discuter (ferme), batailler** :
  « C'est notre bureau qui a fighté l'affaire / C'est lui qui a fighté ça » (la cause d'un requérant en justice): **plaider**

---

filters
  « fumer des filters »: des **bouts filtres**

---

fine!
  (interj. de félicitation, surtout au sport)
  bravo!, bien joué!, beau travail!

---

finishing touch
  dernière main (mise à un travail)

---

fire-proof
  ininflammable, à l'épreuve du feu (lg. cour.), **ignifugé** (lg. techn.)

---

first-aid
- abrégé de first-aid station, « On peut l'emmener au first-aid / Y a un first-aid en bas » (pour les skieurs): **poste de (premiers) secours**
- abrégé de first-aid kit (v. a. kit), « J'ai apporté un first-aid » (en expédition): une **trousse de pansement / de premiers soins**
- abrégé de first-aid lessons, « J'ai pris des first-aid »: j'ai suivi un **cours de secourisme**

---

fish-wire, v. fichoir

---

fit, f.
  (« Y est dans une fit », « (Si) tout d'un coup y a une fit. »)
  phase (de radotage, de divagation), **accès** (de folie), **crise** (de rage)

---

fit (adj.)
  « fit pour la job »: **apte** à l'emploi

---

fiter
  vb in.:
- « On sait pas si y va fiter »: **être trouvé apte, convenir** (à un emploi, à une fonction)
- « Ça fite »: ça me **va**, ça me **convient**, ça **marche** ; il est / ils sont d'accord, ça **va**, ça lui / leur / nous **convient** ; « Ça a pas fité »: ça n'a pas **marché / réussi** (nous n'avons pas pu nous entendre)
- « J'espère que ça va fiter » (a.s.d. un instrument): **convenir, faire l'affaire, aller** ; « Les remèdes ont pas fité »: **faire effet, réussir**
- « Y recommence à fiter » (après une période de maladie): à **être d'aplomb, bien se porter, bien se**

sentir : « Ça fite pas / Y fite pas gros »: n'**être** pas très **en forme**, ne pas **se sentir bien**, Ça ne **va** pas beaucoup ; « Ça fite / Y fite à matin! »: **être en train** ; « J'sais pas si y va fiter »: **être d'humeur** (à faire qch.) ; « Ça fite? / Qu'est-ce qui fite pas aujourd'hui? »: ça **colle**, ça **va**? / qu'est-ce qui ne **colle** / **va** / **marche** pas

- « Les morceaux fitent pas »: **être de (bonne) dimension, s'ajuster** ; « La clef fite pas »: **aller** ; « des pantalons qui fitent pas »: **être de la bonne taille**, « un chapeau qui va y fiter »: **être à la taille** de, **aller** à

- « un foulard pis une robe qui fitent ensemble / qui fitent mal », « un fauteuil pis un divan qui fitent / qui fitent pas »: **faire** bien / mal, **se marier**

- « des mots qui fitent pas ensemble / qui fitent mal »: **aller, s'accorder / être assemblé**, « une phrase qui fite mal »: **être construit** ; « une remarque qui fitait », « un compliment qui fitait pas »: **être bien** (mal) **choisi, être (in)approprié, cadrer** (bien, mal), **être** (mal) **à propos, être bien** (mal) **placé** ; « un argument qui fite pas / qui fitera pas »: **être pertinent, coller, être approprié / prendre**

vb tr.:
- « fiter une robe » (à la taille de qn), « fiter le tuyau » (au robinet), « fiter le manche » (à l'outil), « fiter les morceaux » (d'un dispositif, d'une machine): **ajuster** ; « fiter un petit manche / une plaque / une rallonge »: **rajouter, insérer, adapter** ; « fiter les morceaux / les parties » (les pièces d'une machine): **assembler**, « fiter les tuyaux »: **monter**

fité

« Y est pas fité pour faire un ingénieur »: il n'**a** pas **ce qu'il faut**, il n'**est** pas **assez doué** ; « Y est pas assez fité pour avoir pensé à ça »: il n'est pas assez **intelligent**

---

fix, f.

piqûre (d'une drogue), arg.: **picouse**
A C E F au m., orthographié « fixe » dans DFAP.

---

fixture, f. [pron. francisée de **fixture**]
- « Installer les fixtures de la maison »: les **appareils d'éclairage**, le **luminaire** ; « une (/des) belle(s) fixture(s) »: **applique** (appareil d'éclairage appliqué sur un mur ou un meuble), **lustre** (appareil comportant plusieurs lampes et suspendu au plafond), **plafonnier** (appareil fixé au plafond sans être suspendu), **suspension** (appareil suspendu, muni de lampes et d'un abat-jour)
- commerce (« À vendre avec les fixtures »): **accessoires fixes** (comptoirs, tablettes, tabourets d'un restaurant, d'un magasin)
- industrie (« installer la fixture »): **accessoire** (qui se fixe à un appareil, à une machine)

(flag), v. *flaille* et *flailler*

---

flaille [flag]
(« Y ont accroché des petits flailles après leu balcon »,

« Les garages qui ont des rangées de petits flailles suspendus à des fils »)
drapeau

---

flailler [to flag]
- « un employé qui flaillait le train »: **faire des signaux à, (faire signe de s')arrêter**
- « flailler un taxi / un chauffeur »: **héler, arrêter**

---

flaille, f. [fly]
(« un bouton de flaille », « fermer sa flaille », « des pantalons sans flaille »)
braguette

---

flaille [fly]
au base-ball, balle qui monte haut dans les airs vers le champ extérieur: **ballon** ; coup frappé en hauteur dans l'avant-champ (en angl. infield fly) ou balle frappée qui monte très haut à la verticale (en angl. pop fly): **chandelle**
S. Bibl. SP BSB 1.

---

flaillebine! (Vi) [fly-bane*]
saperlotte!, sapristi!, mâtin!
* = *herbe aux mouches.*

---

flailler, -é [to fly]
- de la part de projectiles, d'objets projetés (« Les tomates flaillaient », « J'voyais flailler les mottes de terre »): **voler**
- de la part d'une monture ou d'un véhicule (« Vous auriez dû voir le cheval / son char flailler »): **foncer, voler**
- de la part de personnes qui se déplacent en voiture ou autrement (« On était au bord de la route pour les voir passer, j'vous dis qu'y flaillaient! », « On va flailler au ciel à not' mort »): **filer**
- de la part d'une personne à pied (« Y voulait attraper son autobus, J'vous assure qu'y flaillait! »): **courir, jouer des flûtes** (fam.)
- de la part de qch. qui passe vite, « Le temps flaille »: **courir, voler**, « L'argent flaille »: **s'enfuir, s'épuiser**
- de la part de gens qui se hâtent dans leurs préparatifs ou leur sortie (« L'autobus klaxonnait / On entendait la sirène, j'vous dis qu'y flaillaient / qu'ça flaillait! »): **se dépêcher, se (dé)grouiller** (fam.), **se manier (le pot)** (pop.), **courir** (fig.) ; **se précipiter, s'élancer / se ruer (dehors)**
- de la part de qn qui prend la fuite, « Y a flaillé avant qu'on l'attrape »: **se sauver, se débiner, détaler, décaniller, se carapater** (pop.), **prendre la poudre d'escampette**, « Si je t'y aperçois, tu vas flailler »: **déguerpir, décamper** (fam.), « Avec le chien après lui, y a eu affaire à flailler »: **prendre ses jambes à son cou, se tirer des flûtes** (pop.) ; pour chasser qn, « Flaille! »: **Va-t-en, Déguerpis, Tire-toi** (pop.)
- de la part de qn qu'on cerne ou qu'on tient (« Laissez-le pas flailler », « La police en a laissé flailler un »): **s'échapper, s'enfuir, se sauver, filer**

« C'est un flaillé », « Y est complètement flaillé »: **il-luminé**, **braque** ; « des projets flaillés »: **chimériques** ; « des idées flaillées »: **extravagantes** ; « un spectacle / un party (v.) flaillé »: **excentrique / dingue**

flâse, f. [floss]

(« de la flâse rouge », « serrer sa flâse »)
fil / soie (à broder)

flâser

- « flâser un tablier / un linge à vaisselle »: **broder** ; « passer ses soirées à flâser »: **broder**, **faire de la broderie**
- « C'était pas tout vrai, y a ben (*beaucoup*) flâsé »: **broder** ; « Y aime ben flâser »: **en faire accroire**, **hâbler**

flash

- « passer des flash à la radio »: **annonce / message / nouvelle éclair** (selon le cas)
- « j'ai eu un flash » (une idée, une inspiration soudaine): **éclair**, **(trait de) lumière**
- « les flash des photographes »: **éclair de magnésium**
- « installer son flash sur son appareil »: **lampe-éclair***

  *Donné par Bibl. CIN 2, bien qu'on dise « flash » en France. Donné a. au G.L.E. au mot *lampe*.

flash-back

(dans un film, présentation, intercalée dans le déroulement de l'action présente, d'une scène qui se situe dans le passé)
retour en arrière*, **rétrospectif / retour arrière****

  *S. OLF MD, 7ᵉ année, nᵒ 6.
  **S. Bibl. DIV 4. — Remarquer que l'expr. *retour arrière* désigne déjà le déroulement de la pellicule d'un film en sens inverse, v. G.L.E. à *retour*.

flasher

- « faire marcher son flasher avant de tourner »: son **clignotant** (lg. cour.), son **indicateur de direction** (lg. adm.)

  S. la société Renault et Bibl. AUT 5, lequel donne aussi *indicateur de changement de direction*.
- « mettre ses flashers (d'urgence) »: le **signal de détresse**

  S. Bibl. AUT 5.

flasher

- a.s.d. lumières d'arbre de Noël, enseigne commerciale, feux de signalisation: **clignoter**
- a.s.d. bijoux ou appliques, objets voyants, décorations de Noël (« Ça flashe »): **être clinquant**, **frapper**, **être frappant**
- de la part d'une personne, par sa mise, « Tu flashes aujourd'hui! »: **briller** (sens fig.), « Alle aime flasher »: **paraître**, **attirer l'oeil / les regards**, **tirer l'oeil** ; par le luxe qu'elle affiche, « C'en est qui flashent / qui veulent flasher »: **se faire voir**, **jouer les rupins**, **jouer les gros riches**, **faire du fla-fla**

flashé

« C'est trop flashé »: **voyant**, **éclatant**, **tapageur**, **criard**

flashlight, f.

lampe de poche

flask

(« apporter un petit flask », « un flask de gin »)
flacon

flat

« avoir un flat »: une **crevaison** ; « J'ai un flat » (sur ma bicyclette): je suis **à plat** ; « un taïeur / tire flat »: **à plat**, **dégonflé**, **crevé**

flat

« de la bière flat », « un verre de boisson flat »: **éventé**, **plat**

flat

« poser du flat »: de la **peinture mate**, du **mat**

flat

(région de Québec)
« Flat à louer »: **plain-pied** ; **logement**

flip chart

(grand cahier à feuilles mobiles, placé sur un support métallique à hauteur de la main et tenant lieu de tableau dans des séminaires, des conférences)
tableau de conférence

  S. R.C., qui signale aussi *tableau à feuilles mobiles / volantes*.

flipper

perdre à toutes fins pratiques l'usage de ses facultés sous l'effet de la drogue, « Y a flippé complètement »: **chavirer**, **devenir maboul** ; perdre l'usage de ses facultés ou la maîtrise de soi, sous l'effet d'un événement-choc, d'un spectacle effroyable, etc., « Si ç'avait été moi qui avais découvert le corps, j'aurais flippé ben raide »: **perdre la boule** (fam.) complètement ; être comme paralysé par une émotion ou une sensation délectable, « J'flippe en entendant c'disque-là »: **se pâmer** ; être entraîné par un sentiment intense, « Tout le monde a flippé, au show de Diane Dufresne »: **(se mettre à) vibrer** ; « Y s'est mis à flipper quand y a su que Carole s'en venait »: **s'exalter**, **se réjouir**, **s'émoustiller**

  A C E F au sens de « planer » sous l'effet de la drogue, d'être déprimé (habit. à la suite de cet effet), ou de s'exalter.

flippant

bouleversant (scène, spectacle), **pâmant** (plaisir qcq.), **excitant**, **exaltant** (événement, nouvelle)

  A C E F aux sens de déprimant et d'exaltant.

flo [fellow]

« des flos qui jouent dans la rue »: **enfant**, **mioche** ; **gamin** ; « des jeunes flos qui font du pouce »: jeune **fou** (sans idée péjorative), **mecton** (diminutif de *mec*, arg.)

flop

« Ç'a été un flop », « Y ont eu un flop » (a.s.d. un festival qu'on a organisé, un spectacle qu'on a donné): ç'a été un **échec**, un **fiasco**, un **four**, un **four noir**, ça a fait **four**, ils ont fait **fiasco** / (un) **four**, ils ont eu un **four** ; « J'pensais pas de faire un flop comme ça » (à un examen): subir un **échec**, remporter, ramasser, prendre une (belle) **veste**, ramasser une **gamelle**

flopper

faire (un) four, **tomber (à plat)**, **chuter**, **faire fiasco** (spectacle, pièce de théâtre) ; **échouer**, **faire four**, **rater**, **foirer** (entreprise, tentative) ; **avorter**, **tomber à l'eau / dans le lac** (projet) ; **échouer**, **se faire refuser / recaler / coller**, **prendre une veste**, **rater** (candidat à un examen, au « DEC »)

floss, f.

• habillement, « des gants de floss »: de **filoselle**
• industrie textile, « de la floss »: de la **(soie) floche**
   V. a. *flâse.*

flouxe, f. [fluke]

• au ping-pong, au billard, « C'est de la flouxe »: de la **chance**, de la **veine**, un **coup de pot** (fam.) ; au jeu, aux élections, « gagner par flouxe »: par **accident**, par un **hasard**
   Note: Pris du pluriel flukes. — V. a. *loque.*

flow chart

diagramme illustrant, à l'échelle, l'emplacement des divers points d'activité et le circuit suivi par les hommes ou les matières dans une usine ou une aire de travail: **graphique de cheminement / schéma de circulation*** ; représentation en plan ou en perspective des déplacements du personnel, du matériel, des matières ou des documents dans le cours de l'exécution**: **diagramme de circulation**** ; représentation au moyen de procédés graphiques du mouvement de pièces, de documents ou d'opérations dans l'exploitation de l'entreprise***: **graphique de circulation**, terme générique qui recouvre et le **graphique de mouvement** (représentation des circuits de production) et le **graphique planus** (circulation des documents)***
   *S. TRV 1.
   **S. GST 8.
   ***S. R.C. — Si le graphique montre la structure hiérarchique de l'entreprise, on peut l'appeler *graphique de liaison* (v. G.L.E. à *graphique*).

(fluke), v. *flouxe*

flush, adj. (Vi)

• « Y est flush, y va y donner tout l'argent qu'alle a besoin / Y s'est pas montré ben flush »: **généreux**, **large** ; « Y'est pas flush comme son pére qui gaspillait tout le temps »: **dépensier**, **décheur** (pop. — S. DFAP)

flush, adv. ou adj.

« flush avec la terre / l'eau »: **à fleur de** terre, d'eau, **à ras de** terre, **au ras du** sol, de l'eau ; « un apparte-ment flush avec le trottoir »: **au niveau du** ; « une plate-forme flush avec le plancher »: **à niveau** avec, **au même niveau** que ; « deux planches flush »: **de niveau** ; « une vis / un clou flush avec la planche / le bois »: **à fleur de** bois, **noyé** ; « un joint flush »: **lisse** ; « une serrure flush avec la porte »: **encastrée**, **entaillée** dans

flush, n. f.

au poker, jeu de cinq cartes de même couleur, dont les valeurs ne se suivent pas: **couleur** (f.), **floche** (m.)*
   *On écrit a. *flush* en France. — V. **straight** et **straight-flush.**

flusher

« flusher les toilettes »: **tirer la chasse (d'eau)**

(fly), v. *flaille*, f. et m.

(fly, to), v. *flailler*

(fly-bane), v. *flaillebine*

foam

(matière de consistance rigide, légère et poreuse, utilisée surtout dans les emballages et comme isolant : syn. de **styrofoam**, v. a.)
   mousse (de polystyrène)*
   *S. Bibl. DIV 6 et 11.

focus

• dans un appareil-photo: **foyer** ; « mettre au focus »: mettre au **point**
• en psychologie, « mettre le focus sur ses forces »: se **centrer** sur / **voir d'abord** ses forces

follow-up

gestion:
• examens successifs d'une même question, « un follow-up »: un **rappel**, « réunion / stage de follow-up »: de **rappel**
   S. Bibl. GST 2.
• mesures prises en vue de l'application d'une décision, « L'adjoint administratif s'occupera du follow-up »: de la **suite (à donner** aux directives)
   D'après R.C.
• opération par laquelle on relance, on questionne régulièrement un exécutant pour s'assurer que la mission confiée est menée à bonne fin: **relance**
   S. Bibl. GST 2.
• « le follow-up d'une affaire »: la **poursuite**
   S. R.C. et Act. term.
• « le follow-up qui doit faire suite à un placement »: la **surveillance**
   S. id.
• « le follow-up fourni à un client »: le **service (après-vente)**
   S. id.
• « s'occuper du follow-up des commandes »: du **suivi**
   S. les offres d'emploi de journaux français.
• actions, moyens utilisés dans le but de « relancer » la clientèle après une première approche commerciale

(lettres personnalisées, visites, etc.): **relance*** (de la clientèle) ; **rattrapage**** (d'un client indécis) ; (entrevue) **supplémentaire****

*S. R.C. et Bibl. BUR 5.
**S. R.C. et Act. term.

médecine:

consultations, examens ou traitements successivement repris d'une même affection, après que le diagnostic a été posé ou que le traitement a été fait: **surveillance***, **postobservation***, **évolution*** (analyses d'), (soins) **posthospitaliers / renouvelés****, (traitement d')**entretien****, (examen périodique de) **contrôle****, **contrôle** (d'une médication)****

*S. R.C. et Bibl. BUR 5.
**S. R.C. et Act. term.

---

foolscap

(papier) tellière (de format 34 x 44) ; **papier ministre** (variété de tellière, = de format officiel)

---

footing

(construction)
semelle (de fondation)
S. Bibl. CST 6 et 7.

(foreman), v. *fâremane*

---

foul ball (a. « fall ball »), f.

(au base-ball, balle frappée hors de l'aire de jeu)
balle fausse
S. Bibl. SP BSB 1.

---

foxer

se prétendre malade / jouer au malade (pour manquer la classe) (« T'as foxé hier? »: Tu as manqué sous de faux motifs de maladie) ; **faire l'école buissonnière** (« aimer mieux foxer »)

Note: Emplois déviés par rapport à l'anglais. Le premier a dû évoluer à partir du sens de ruser qu'a le verbe to fox et le second, à partir du sens de fureter (puisqu'il s'agit d'une escapade pour baguenauder dans la campagne ou par les chemins) qu'a la locution to fox about.

---

frame

d'un bâtiment, d'un comble: **charpente** ; d'une cloison, d'une façade: **colombage, pan** ; d'une voûte, d'un navire: **ossature** ; d'une galerie de mine, d'un ouvrage en béton: **coffrage** ; d'un puits de forage, d'un tableau, d'une diapositive, d'une bicyclette: **cadre** ; d'une auto, d'une locomotive: **châssis** ; d'une machine, d'une dynamo: **bâti** ; d'un moteur: **carcasse, bâti** ; d'une pièce mécanique: **armure** ; d'un marteau à bascule: **soucherie** ; d'un crible: **cerce** (f.) ; d'une scie, d'un télescope, d'un parapluie: **monture** ; d'un fauteuil: **bois** ; d'un lit: **châlit, bois** ; d'une raquette: **armature** ; d'un verre de lunettes: **châsse**

---

framer, déframer

coffrer (une tranchée, une paroi de terre), **désencadrer, sortir** (une diapositive) **de son cadre, disloquer le cadre de**

---

free-for-all (a. « friforaille », Vx)

match ouvert, partie pour tous, partie libre ; foire d'empoigne ; mêlée générale ; méli-mélo

---

freezer (Vi)

compartiment congélateur

A C E F. — S. OLF. — Il nous semble que le mot *congélateur* (déjà largement utilisé au Québec dans le sens en question ici) peut suffire lorsque le contexte permet de distinguer ce compartiment du réfrigérateur d'avec le meuble où l'on conserve des aliments en grande quantité ou des quartiers entiers d'animaux, d'autant plus que Le Petit Robert donne *congélateur* au sens de compartiment de réfrigérateur.

---

fried rice

riz frit (au poulet, au porc, etc.)
S. OLF.

---

frock, f. dans certaines régions

sarrau, blouse (de paysan, d'ouvrier)

---

frosté

(rare) **glacé** (gâteau) ; **dépoli** (verre, ampoule) ; **givré** (vitre de voiture)

---

défroster, défrosteur*

dégivrer, dégivreur (a.s.d. pare-brise d'automobile)
*V. a. defroster. — Nous n'avons pas relevé le nom frost. On semble ne dire que « frimas » ou « glace » ou employer le terme propre « givre ».

---

fuck! (vulg.)

(juron marquant qu'on est déçu, contrarié ; qu'on abandonne une entreprise)
flûte!, zut!, merde!; au diable!

---

fuck off!

(expression de rejet)
la paix!, va au diable!, merde!, mon cul!
(vulg.)

---

fuckailler, fuckaillage

« J'ai fuckaillé (sous la commode, dans la fente, p. ex. avec une baguette, un tisonnier) pendant cinq minutes, mais je l'ai pas trouvé / rejoint » (l'objet qu'on veut ramener): **fourgonner** ; « Y a fuckaillé dans le tiroir mais y a pas trouvé le papier »: **fourrager, farfouiller**, « Viens pas fuckailler dans mes affaires »: **trifouiller**, « fuckailler pour trouver la poignée / le bouton »: **tâtonner** ; « On a fuckaillé pendant une demi-heure pour remettre ça en place / pour réparer ça », « On a fait du fuckaillage tout l'après-midi »: **bricoler, bricolage** ; « Au lieu de commencer l'ouvrage, y ont fuckaillé toute la journée » (cf. to fuck around, to fuck about): **bricoler, s'occuper à des riens** ; « T'as pas d'affaire à venir fuckailler dans ma chambre »: **fureter**

---

fucker, fucké

(de to fuck up, fucked up)
plans, organisation, assemblage (« Y est venu tout fucker »): **gâcher, foutre en l'air** ; organes, sys-

tème, fonctions (« Ça fucke l'estomac / la digestion »): **désorganiser** ; fils, cordes agencées: **emmêler**, **embrouiller** ; mécanisme, appareil, instrument, machine: **dérégler**, **détraquer**, **abîmer** (endommager, mettre hors de service), **bousiller** (casser, rendre inutilisable) ; chaise, séchoir, table: **démancher**, **démantibuler** ; outil, tout objet: **détériorer**, **amocher**, **massacrer** ; « le moteur est fucké »: **kapout**, **ruiné** ; « mon costume / mon chapeau est fucké »: **fichu** ; « un homme fucké »: **foutu**, **perdu** ; « dans une société fuckée »: **désaxé**, **détraqué** ; « un service fucké »: **embourbé**, **désemparé** ; « ç'a tout fucké nos projets »: **bouleverser**, **déranger** ; « ç'a fucké nos vacances »: **gâter**, **gâcher**, **faire tomber à l'eau** (a.s.d. projets de vacances) ; « ma sauce est fuckée »: **raté**, **foutu**, **kapout** ; « ma carte / mon pion est fucké(e) »: **plus bon**, **fichu** / **bloqué** ; « chu fucké / tout fucké » (au jeu ou dans la solution d'un problème, d'une énigme): **pris**, **coincé**, **bloqué** / **empêtré** ; « une question qui m'a fucké »: **embarrasser**, **faire buter**, **coller** ; vb in., a.s.d. un appareil, « Y a focké tout de suite »: **se détraquer**, a.s.d. une personne, « Y fucke rien qu'une fois par semaine » (rare bien que sens premier du vb angl. to fuck): **faire l'amour**, **baiser** (pop. ou vulg. selon les circonstances)

---

fudge
fondant (S. OLF)

---

fudgesicle
fondant glacé (S. OLF)

---

full, n.f.
(au long en angl., full house)
au poker, jeu composé d'un brelan (trois cartes de même valeur — v. **trois pareilles**) et d'une paire: **plein**, **main pleine**
> Note: On dit a. *full*, m., en France. — V. **straight** et **straight-flush**.

---

full, adj.
comble (sac, poche), **bourré** (valise, sacoche), **bondé** (local)

---

full *stime* (*à*)
à toute vapeur

---

fun

- « On a eu du fun à la récréation / à ce jeu-là / au party »: on a eu du **plaisir**, on **s'est** bien **amusé** ; « C'est un jeu le fun », « Ç'a été le fun, la partie / l'épluchette de blé d'Inde »: **amusant** ; « On a eu un fun avec ce gadget-là! », « On a eu un fun vert »: un **plaisir** fou ; « Le fun est fini »: la **fête**

- « Y faut un passe-temps l'fun pour les enfants »: **divertissant** ; « Ça fait pas un programme ben l'fun pour nos vieux »: **distrayant** ; « C'est pas une compagnie l'fun »: **égayante**, **qui désennuie** ; « Le dimanche, j'fais plutôt des lectures le fun »: **récréatives**

- « avoir son fun »: avoir sa **jouissance**, prendre son **pied** (arg.) ; « Si vous saviez le fun que j'ai à les renvoyer chez eux »: la **satisfaction**, le **plaisir**

- « Si tu penses que c'est une job le fun! »: un travail **amusant** ; « T'imagines-tu que c'est l'fun de partir pour la Baie James? »: **tentant**, **excitant** ; « C'est pas un avenir ben l'fun pour les jeunes »: **attrayant** ; « C'est pas une situation l'fun »: **rose** ; « C'est pas une nouvelle ben l'fun »: **réjouissante**, **gaie**, **rigolo** ; « J'ai pas trouvé la remarque ben l'fun »: **plaisante**

- « On a eu ben du fun avec c't affaire-là »: on a bien **ri** / **rigolé**, on **s'est bien marré** (terme « parigot ») ; « J'ai entendu une histoire le fun au café »: **drôle** ; « C'était assez l'fun, là, (son monologue, son spectacle) qu'on se tordait »: **comique** ; « J'ai le goût de voir un spectacle le fun / d'aller dans une place le fun »: **drôle**, **amusant** / **où on rit** ; « Parlez-moi d'un club le fun »: **où on s'amuse** ; « Parlez-moi de sortir avec quelqu'un l'fun »: d'**amusant**, de **drôle**, **qui aime rire** ; « C'est des gens l'fun, mes amis »: **gais**, **amusants**

- « On a un professeur le fun c't année »: **amusant**, **à la mode** ; « Y est l'fun c'bonhomme-là », « C't un vieux qu'est l'fun », « C't un gars l'fun »: **plaisant**, **sympathique** ; « J'l'ai trouvée ben l'fun ta sœur », « On a rencontré des gens l'fun tout le long du voyage », « A'est l'fun vot'tante »: **agréable**, **sympathique** ; « C'est un type vraiment l'fun », « Y est **l'fun** votre bienfaiteur »: **épatant** ; « J'ai un patron ben l'fun »: **gentil**, **large**, **chic** ; « Ses parents sont pas aussi l'fun que les miens »: **libéraux**, **à la mode** ; « Y est l'fun le curé »: **évolué**, **dans le vent**

- « Alle a appris des p'tites chansons l'fun à la maternelle »: **mignonnes**, **gentilles** ; « Un p'tit bébé tellement l'fun »: **chou** ; « Chu allé dans une boutique le fun », « Y a beaucoup de p'tits cafés l'fun dans le quartier », « C'est l'fun ton studio / ton logement / votre patio »: **sympathique** ; « Y sont vraiment l'fun les décors »: **chouette**

- « A'est l'fun ta robe »: **charmante**, **originale** ; « Un p'tit appartement / chalet / atelier ben l'fun »: **original**, **plaisant**, **charmant** ; « On va arranger ça l'fun, c'te pièce-là »: on va mettre ça **sympa(thique)**, **amusant**, **original** ; « Y est l'fun c't artisan-là », « C't un docteur le fun », « J'vais t'faire rencontrer quelqu'un l'fun »: **original**, **amusant** ; « Faut trouver des idées l'fun », « On monte une pièce le fun! »: **originale(s)**, **nouvelle(s)**, **amusante(s)**, « On a un projet l'fun! »: **emballant**

- « C't une trouvaille le fun »: **ingénieuse** ; « Y est ben l'fun ce hachoir-là »: **pratique**, **drôlement commode**, « C'est l'fun d'avoir le centre d'achat juste à côté »: **pratique** ; « C'est l'fun, on aura pas besoin de retourner là-bas »: c'est **bien**, c'est **une bonne nouvelle**

- « C'est **l'fun**, un résultat comme ça! »: c'est **sensass**, « Ça a marché? Ah ben ça c'est l'fun », « Y voyez-vous la binette? C'est tellement le fun! »: c'est **le pied**
- « Y est l'fun ton livre »: il est **fameux**, **fichument bien** ; « A'est l'fun sa collection »: **vraiment bien**, **intéressante** ; « Y a retenu surtout les détails le fun »: **piquants**
- « Le fun de l'affaire / de l'histoire »: le **plaisant**, le **drôle**, le **comique** ; « Ça faisait un incident plutôt l'fun »: **cocasse** ; « Regarde ça si c'est l'fun! » (cet arrangement, ce phénomène): comme c'est **curieux**, **drôle**, **amusant** ; « Y a des humeurs plutôt l'fun »: **fantaisistes** ; « J'le trouve un peu l'fun ton chum »: **bizarre** ; « Tu parles d'un bâtiment l'fun! »: **singulier**, **original**
- « J'ai eu du fun avec ce problème-là »: je vous dis que j'ai eu de la **difficulté** avec, je **me suis foulé la rate sur** ce problème-là
- « J'ai dit ça pour le fun »: **pour rire**, **en blaguant** ; « On va jouer une brasse (*une main*) juste pour le fun »: **sans que ça compte**, **sans compter les points**, **pour le plaisir** ; « Faut pas appeler la police juste pour le fun »: **pour le plaisir (de la chose)** ; « On y va-t-u, juste pour le fun? »: **pour voir**, **par curiosité** ; « Essaye donc, pour le fun, de me casser la gueule »: essaye donc, **voir**

funny (Vi ; pr. approx' *fonné* en amér. et québ.)
amusant, **drôle**, **curieux**

fuse, f.
- « Y a une fuse de brûlée »: un **fusible** de fondu, un **plomb** de sauté
- « Y a lâché une fuse », « C'est pas un pet, c'est une fuse »*: une **vesse**
    *Cet emploi dérive probablement du sens de *fusée* qu'a aussi l'angl. fuse.

gâdemme [**God damned** (vulg.)]
« Gâdemme! On aura pas le temps! »: **sacré nom!**, **nom d'un chien!**, **sacredieu!** ; « c'te gâdemme de bazou »: ce **sacré** tacot

gagne, f. [**gang**]
« Y avait une gagne de touristes qui se promenait su l'quai », « On fera mieux de rester en gagne au carnaval »: un / en **groupe** ; « C'est des animaux / des oiseaux qui se tiennent en gagne »: en **bande** / en **troupe** ; « une gagne de perdrix »: une **compagnie** ; « Y travaillent à la gagne, là-bas »: en / par **équipe** ; « Étais-tu là tout seul? — Non, on était une gagne »: **plusieurs**, un **certain nombre**, un **groupe** ; « On est une gagne, hein! »: **nombreux**, **toute une bande** ; « On y a en gagne? / toute la gagne? »: en **troupe** / toute la **bande** ; « Vous avez jamais (de la vie) assez de place pour not' gagne là-dedans »: notre **régiment** ; « Si la belle-soeur s'amène avec sa gagne »: sa **troupe**, sa **maisonnée** ; « À la gagne, ça va être assez vite fait » (ce travail): au **groupe** que nous sommes ; « Si on s'y met en gagne, ça prendra pas de temps »: à **beaucoup**,

en **masse** ; « On fait une belle gagne! »: un **groupe** édifiant / amusant, une belle **bande** ; « Gagne de peureux! », « C'est une gagne de voyous / de voleurs »: **bande** ; « Y étaient une gagne de chums / de durs »: un **groupe** de compagnons, une **bande** d'amis / de durs ; « Oui mais y était avec sa gagne »: il était avec sa **bande**, il avait son **escorte** ; « Les Spitfire c'est une autre gagne » (de motards): **bande** ; « Faut faire partie de la gagne pour avoir cet avantage-là »: du **clan** ; « C'est toujours la petite gagne qui décide du résultat du congrès »: **clique**

gambler (a. *gambleur*)
« C'est un gambler, un passionné du jeu »: un **joueur** ; « Lui, c'est un gambler, tu devrais voir les sacrés montants qu'y mise »: il **joue gros jeu**, c'est un **flambeur** (arg.) ; « Le bonhomme c'est un gambler qui vit pour les courses »: un **parieur** ; « C'est un gambler, ça fait bien des terrains qu'y achète pour les revendre »: un **spéculateur** ; « J'suis pas assez gambler pour essayer ces transactions-là »: **aventureux**, **risqueur** ; « Lui c'est un gambler, y a rien qui l'arrête »: un **risque-tout**

game, f.
« On a joué queuques games de cartes »: **partie** ; « Y a eu rien qu'une punition pendant toute la game » (de hockey), « C't à quelle heure la game de football? »: **match**, **partie** ; « Ça fait partie de la game »: du **jeu** ; « Pas un mot s(ur l)a game »: **Motus!**

game, adj.
« Y est game comme un coq »: **prompt**, **batailleur** ; « Game comme je le connais, y aura pas peur de lui »: **brave** ; « Game comme il est, on peut être sûr qu'y nous laissera pas tomber »: **fiable** (Vx en ce sens), **loyal**, **dévoué** ; « J'sais pas si y va être game pour commencer à corder le bois / pour pelleter »: **d'accord pour**, **en humeur de** (Vi), **d'humeur à** ; « Chu game! »: **ça me dit**, **je marche** ; « On voit que les électeurs sont game »: **gagné**s, **décidé**s, **engagé**s, **dans le mouvement**

gamique, f. [**gimmick**]
« Y a une gamique en d'sous d'ça »: une **manigance**, « Y a eu toute une gamique que les enquêteurs éclairciront jamais / Y sont bons pour faire des gamiques »: du **micmac**, des **micmacs** ; « Toutes ses gamiques du temps qu'y était organisateur »: ses **tripotages**, ses **fricotages** ; « Y trouvent la gamique pour réussir / C't une gamique qui est au fond d'ça »: **combinaison**, **combine** ; « C'est toute une gamique / Y sont toutes dans la même gamique »: **organisation** ; « J'connais la gamique »: je sais **de quoi il retourne** / **comment m'y prendre**, je connais la **musique**

(**gang**), v. *gagne*

gas bar
débit / **poste d'essence** (S. R. C.)

gear

    d'un laveur de vitres, d'un peintre, d'un mécanicien: **équipement, attirail** (humor.)

gearer ; gearé ; dégearé

    appareiller (Vi) / **préparer** (une machine), **équiper** (un ouvrier) ; **prêt à fonctionner, équipé** (doté de ses accessoires de travail), **gréé** (fig. et fam.) / **harnaché** (muni de ses vêtements de travail et des accessoires de soutien ou d'exécution qu'on porte sur soi), **prêt pour le travail ; déshabillé, dégréé** (fam.), **débarrassé** (de sa tenue de travail), fig.: **dépourvu, désorganisé** (à l'égard d'une activité à entreprendre)

gears, f.

    d'une machine: **roues dentées, engrenage** ; d'un camion: **vitesses**

gee! (pr. *dji*)

    (partie nord-est du Québec)

    (commandement à un cheval d'avancer ou d'aller à droite)

    hue!, huhau!

gee-whiz!

    sapristi!, pristi! ; sacrebleu!

Get up!

    Debout! ; allez!, en avant!, dépêchez!

    V. a. *guédoppe.*

(gimmick), v. *gamique*

gin

    « gros gin », « sloe gin »: **genièvre**

    S. OLF, selon qui « dry gin » devrait se dire *gin* tout court.

ginger ale

    soda (au) gingembre, gingembre (sur l'étiquette de la bouteille)

    S. Bibl. ALM 6.

go, f. dans le 2ᵉ sens

    • « Un, deux, trois, go! » (signal de départ dans une course, un jeu): **partez!**

    • être toujours sur la go »: être toujours **à trotter** / **à courir**, avoir toujours **un pied en l'air**

let's go

    Allons-y! ; Partons, Commençons, Assez flâné!

go ahead (pr. *goeèd* ; a. *goèd*)

    « avoir du go ahead », « Nous autres, au Lac-Saint-Jean, on a du go ahead »: de l'**initiative**, de l'**allant**

goal

    but (au sport)

goaler (a. *goaleur*)

    gardien (de but)

goaler, goaleur

    garder le but, gardien de but

(God damned), v. *gâdemme*

goède [v. go ahead]

goggles

    lunettes de protection* (pour différents ouvriers et pour motocyclistes)

      *Les publications techniques françaises donnent aussi *lunettes de sécurité* et *lunettes protectrices*, sans qu'on puisse déceler de différence entre les trois expressions.

good time

    « avoir un good time »: passer un **bon moment**, bien **s'amuser**

goof balls

    barbituriques

goofer

    (la boisson d'un consommateur, dans une taverne, un bouge)

    mettre un stupéfiant dans, camer

gosh!

    sapristi!, mince!, morbleu!

grader

    profileuse (S. CETTF), **niveleuse** (S. Bq des m. nᵒ

(gravy), v. *grévé*

grévé [gravy]

    jus (de viande), **sauce** (au jus)

grill (Vi)

    cabaret

grilled cheese

    sandwich fondant au fromage

    S. OLF.

grobeur [grubber]

    sarcloir

grober

    vb tr.: **sarcler, passer au sarcloir** ; vb in.: **sarcler, passer le sarcloir**

grocerie, f. (Vi) [grocery]

    « une grocerie »: une **épicerie** ; « de la grocerie »: des **articles d'épicerie**, de l'**épicerie**

    A.A.? (Du 12ᵉ au 16ᵉ siècle, « grosserie » désignait une épicerie en France)

(grocery), v. *grocerie*

gronde, gronder [v. ground, grounder]

groove, f.

    rainure (dans une pièce de bois, un article de menuiserie)

ground

    fil de terre (« conducteur assurant la liaison électrique entre un appareil télégraphique ou radio-électrique et la terre, ou une masse qui en tient lieu (…) tuyaux de canalisation d'eau ou (…) ceux de chauffage central, (…) charpente métallique, etc. », G.L.E. ; donné a. comme traduction de ground conductor par Bibl. ELT 4), **terre** (« tout conducteur relié à elle (*la terre*) par une impédance négligeable. (On dit aussi **terre franche**.) », G.L.E. ; « tout conducteur relié à une prise enfoncée dans le sol », Quillet ; « conducteur allant de l'appareil à la terre », Robert — qui donne comme autre acception: « réseau de conducteurs enterré, à potentiel constant » ; cet emploi de *terre*, d'après ces ouvrages, est une extension du sens de sol considéré comme ayant un potentiel égal à zéro, qu'a d'abord le mot ; ce mot figure a. comme équiv. de ground dans Bibl. ELT 3 ; — d'autre part, dans les machines où la liaison se fait avec leur bâti ou leur ensemble métallique plutôt qu'avec le sol, il semblerait plus juste de dire *fil de masse*, bien que *terre* désigne a. « toute masse jouant dans un circuit électrique le même rôle que le sol » (Robert) ; dans les installations téléphoniques, il s'agit d'un *fil de retour*, selon G.L.E.) ; **prise de terre** (le conducteur en forme de plaque enterrée ou de piquet métallique ou bien de ruban, enfoncé dans le sol — d'après G.L.E. et Quillet ; donné comme équiv. de ground connection par Bibl. ELT 4) ; **câble de masse** (dans une automobile, « fil ou tresse métallique reliant la batterie à la carrosserie », équiv. de ground connection ou ground strap, S. Bibl. AUT 5 — qui donne a. *électrode de masse*, « élément conducteur fixé au culot de la bougie », équiv. de ground electrode)

grounder

    mettre à la terre / à la masse (S. Quillet et Robert) ; **relier à la terre / brancher à la masse** (S. Robert / Lexis — s'il s'agit simplement du rattachement à la terre ou à la masse du conducteur déjà posé sur l'appareil ou la machine)

---

guédoppe! [get up!]

    (interj. pour inciter à se mettre au trot, pour stimuler un cheval et, par ext., un compagnon de jeu chez les enfants) **hop!**

---

guess

    « C'était un guess »: une **supposition** ; une **estimation**

guesser, guesseur

    « guesser juste / à tant »: **deviner / évaluer, estimer, apprécier**, « un bon guesseur »: **devineur / appréciateur**

---

gun

    revolver (pr. « révolvère ») ; **pistolet**

---

guts

    « Y a pas eu les guts / le guts de répondre ça », « Y a pas assez de guts pour affirmer ses opinions »: avoir le **courage / la hardiesse / le cran**, avoir assez d'**audace / d'estomac**

---

gyprock

    (marque de commerce pour gypsum board, panneau préfabriqué dont on fait des cloisons et qui est constitué de plâtre recouvert de papier) **plaque de plâtre***

    *Expression retenue par R.C., qui signale aussi le néol. *gypsoplaqué* et le terme *placoplâtre*, marque de commerce française figurant au G.L.E. — On trouve aussi *planche au plâtre* dans Bibl. CST 4 et *carton gypse* dans Bibl. DIV 12.

---

haddock, v. *hadèque*

---

hadèque (pr. *adèk*) [haddock]

    aiglefin, églefin ; aiglefin fumé
    S. Bibl. ALM 3.

---

half-and-half (Vi)

    moitié-moitié

---

ham and egg

    oeuf (au) jambon
    S. OLF.

---

hamburger

    hambourgeois*

    S. *Vocabulaire anglais-français de l'alimentation*, Office de la langue française, Ministère des affaires culturelles du Québec, 1968. — On trouve aussi, au fichier de l'OLF, *hamburger* à prononciation francisée.

---

hamburger steak

    • chez le boucher (v. a. steak *haché*): **boeuf haché***
    • au restaurant: **bifteck haché*** ; **grillade de boeuf haché** ; **bitok / bitoke*** (galette de boeuf haché nappée d'une sauce brune aux oignons et garnie de pommes de terre sautées ou rissolées)
    *S. Bibl. ALM 8.

---

happening (Vi)

    (pièce où les acteurs improvisent sur un thème donné et à laquelle le public est appelé à participer ; tout spectacle ou divertissement comparable à ce genre de pièce) **impromptu**

    Note: Traduction proposée par R.C. en ce qui concerne le théâtre — et sans doute extensible aux autres domaines. — A C E F.

---

hardtop

    • toit rigide amovible dont sont dotées certaines voitures de sport: **toit amovible***
    • voiture sans montant intermédiaire entre les glaces latérales: à deux portes, **néo-coupé** (m.)** ; à quatre portes, **néo-berline** (f.)**
    *S. R.C.
    **S. Bibl. AUT 5.

---

hatchback

    type de voiture dont l'arrière est muni d'une petite porte à axe horizontal donnant accès à un espace de rangement à même l'habitacle et habit. prolongeable par le repliement des sièges arrière: **à hayon*** (?)

*« Porte à axe horizontal fermant l'arrière de certains véhicules utilitaires » (Quillet), « Néol. Partie mobile articulée tenant lieu de porte à l'arrière d'une camionnette, d'une voiture de tourisme » (Robert).

---

heater
chauffe-plat, **réchaud**, **plaque chauffée**, **chaufferette** (de table) ; **réchaud** (à souder) ; **(tube) bouilleur** (de chaudière) ; **réchauffeur** (d'huile)
V. a. *iteur*.

---

heavy
lourd (ambiance, atmosphère, silence) ; **difficile**, **pénible** (rencontre, tête-à-tête) ; **ardu** (pourparlers, séance de discussion)

---

heavy duty
moteur: **à grande puissance** ; faucheuse: **à grand rendement** ; camion: (un) **poids lourd** ; équipement: **lourd** ; pneu: **super-résistant** ; bottes: **de fatigue**
S. R.C.

---

hello
(« Hello ; Dr X à l'appareil »)
allô

---

helper
assistant, **aide**

---

hide-a-bed
canapé-lit (S. R.C.)

---

highway
(région de Québec)
autoroute ; **grand-route**

---

hint
« pousser un hint à sa belle-mère »: une **allusion**, une **pointe** ; « passer un hint à un ami »: un **renseignement**, un **tuyau**

---

hisser (pr. comme le mot fr. « hisser »)
(« Il s'est fait hisser par les femmes »)
huer

---

hit
frappe (f.), **coup sûr** (au base-ball — S. Bibl. SP BSB 1) ; **coup réussi**, **beau coup** (au sport amateur) ; **grand succès** (a.s.d. une chanson qui a été lancée sur le marché du disque) ; **sensation**, **succès surprise** (à des examens scolaires et dans tout genre d'entreprise) ; **clou** (d'un spectacle, d'une soirée)

---

hit-and-run
délit de fuite (« dont se rend coupable l'auteur d'un accident qui poursuit sa route, quoiqu'il en ait connaissance », Le Petit Robert ; a. S. OLF MD 6ᵉ année, nᵒ 2)

---

hit parade (R.P.)
palmarès (de la chanson)
D'après R.C., qui signale aussi *bourse de la chanson* et *cote des chansons*.

---

hobo (R.P.)
vagabond, **chemineau**

---

home-made
(région de Québec)
(fait à la) maison

---

home run
(coup de) circuit (au base-ball)
S. Bibl. SP BSB 1.

---

hood
capot (d'automobile)

(horse-power], v. *orspore*

---

hose, f.
tuyau (d'arrosage)

---

hot chicken (sandwich)
sandwich chaud au poulet
S. OLF.

---

hot line
tribune téléphonique*, **tribune radio**
*S. R.C. — V. a. **ligne ouverte**.

---

hot pants (R.P.)
pantamini*
*Terme qui a été adopté et s'est répandu en France il y a une dizaine d'années.

(how do you do), v. *adidou*

---

hurray!
hourra!, **bravo!**

---

hurry up!
Allons!, **Dépêchons!**, **Grouillez-vous!**

---

hustings (Vi)
« après avoir clamé sur les hustings »: sur les **tribunes électorales**

(in fur wrap), v. *enfirouâper*

---

intercom (pron. habit. francisée)
téléphone intérieur ; **interphone** (installation téléphonique à haut-parleur)

---

iste [yeast]
en boulangerie, pâte de farine aigrie ou fermentée qui entre dans la composition de la pâte à pain pour la faire lever: **levain** ; produit à ferments pour faire lever la pâte à pain: **levure**

iteur [heater]
(région de Québec)
chaufferette (d'automobile) ; **radiateur** (électrique, portatif) ; **chauffe-eau**

---

jack
appareil à crémaillère et à manivelle pour soulever une automobile ou certains fardeaux à une faible hauteur: **cric** ; fort appareil à vis et à écrou pour lever de grosses charges ou exercer une force sur une masse dans certaines industries: **vérin**

---

jacker
« jacker son auto »: la **soulever** (avec le cric) ; « être jacké »: **porter sur le châssis** (plutôt que sur les roues à cause d'un amoncellement de neige) ; « rester jacké »: rester **les pieds en l'air** (de la part d'une personne ayant cherché à retenir une charge qui basculait et ayant été entraînée par elle)

---

jack
« un grand jack » (homme de haute taille): un grand **diable**

---

jack of all trades
bon à tout faire, homme à tous les métiers / à trente-six métiers

---

jack-pot
pot (dans divers jeux de hasard) ; « frapper le jack-pot », fig.: gagner le **gros lot**

---

jack strap
suspensoir (de sport)* (se portant sous un maillot de bain ou sous une culotte), **slip de sportif**, **slip (de sport)**(?)
*D'après Quillet à *slip*.
**S. Bibl. DIV 15.

---

jacket
• de costume, de complet: **veste, veston** (termes équivalents dans la lg. cour. — v. *coat*)
• de sport: **veston (tous sports)** ; **blouse (de) sport** (du genre casaque)
• de ski: **anorak**
• de pêcheur, de marin, de pilote (en grosse toile): **vareuse**

---

jam, f. (R. P.)
espèce de **marmelade** vendue dans le commerce comme garniture de tartes

---

jam, f.
« une jam de billots »: un **embâcle** de billes flottées

---

jamer, jamé
• **former un embâcle, se prendre** (billes flottées) ; **caler** (machine, moteur) ; **se coincer, s'engager** (pièces mécaniques) ; **s'arc-bouter** (roues d'engrenage) ; **s'enrayer** (arme à feu, mécanisme qcq)

• **calé, enrayé** (roue) ; **bloqué** (frein, engrenage) ; **adhéré, grippé** (billes de roulement, piston, bielle) ; **gommé, collé** (sous l'action du froid: cylindres, moteur) ; **mordu, coincé** (câble) ; **coincé, calé** (tiroir, glissière) ; **pris, bloqué** (billes de bois flottées)

• **paralyser** (la circulation) ; **obstruer** (un passage, un chemin) ; **boucher** (un tuyau)

---

jelly beans
(bonbons gélatineux en forme de haricots)
(bonbons) haricots
   S. R. C.

---

jigger
(petit récipient permettant de faire des dosages de boissons — « utiliser un jigger », « les bars ont des jiggers automatiques »)
doseur, bouchon doseur (si le récipient est incorporé au bouchon de la bouteille)
   S. R. C.

---

job, f.
• « chercher / trouver une job », « une job stable / temporaire / payante », « une bonne job », « se retrouver pas de (*sans*) job »: **emploi** ; « se trouver une job de gardien / d'employé de bureau quelque part »: **place** ; « avoir une job dans une grosse compagnie / une belle job »: **situation** ; « une job au gouvernement »: un **poste** dans l'administration ; « Y a eu sa job », « Y avait bien mérité une job, après avoir tant encensé le pouvoir », « Le premier ministre y a trouvé une job »: son / un **fromage**, une **sinécure** ; « une job de nègre »: un **emploi** de marmiton / de valet de pied
• « J'ai une job à te donner / te faire faire »: un **travail** ; « lâcher la job »: quitter le **travail**, lâcher l'**ouvrage** (m.) ; « Y est s'a job à c't heure-là »: au **travail**, à l'**ouvrage** ; « C'est pas une petite job! », « Ça fait une bonne job de faite »: **besogne, tâche** ; « Ça fait une meilleure job avec une couche de fond »: un meilleur **ouvrage**, « Y a fait une belle job » (le peintre, le plâtrier): du bon / beau **travail**, de la belle **besogne**, de la belle **ouvrage** (pop.)
• « Toi, ta job, c'est de répondre au téléphone, un point c'est tout »: ton **travail**, ton **rôle**, tes **oignons** (fam.) ; « C'est ça qui est ma job, à moi »: ma **fonction** ; « C'est pas ma job »: mon **boulot** (pop.), **dans** mes **fonctions** ; « C'est pas la job du ministre de distribuer les chèques »: le **rôle**
• « travailler / être payé à la job »: à la **pièce**, à la **tâche** (être payé selon l'ouvrage exécuté), à **forfait** (d'après une convention fixant d'avance un prix invariable)
• « une job de freins / de moteur » (de brake job / motor job): **pose** de nouveaux sabots de freins, **remplacement** de freins / de moteur
• « se faire faire une job » (de sucking job / blowing job, vulg.): le **cunnilinctus** / la **fellation***, pop.: **minette** / une **politesse*** (selon le sexe)
   *S. Zwang, Dr Gérard, *La fonction érotique*, tome 1, Paris, Éditions Robert Laffont, 1972.
   **S. DFAP, qui donne aussi, a.s.d. un homme, *se*

faire faire / se faire tailler une pipe, bien que *se tailler une pipe* veuille dire se masturber.

- « faire la job à un petit chat / à un poulet »: l'**assommer** / lui **tordre le cou**, le **tuer**, le **zigouiller** (pop.) ; « Y y a fait la job » (à son complice devenu rival): **faire / régler son affaire** à ; « faire la job à un outil »: le **ruiner**, le **zigouiller** (S. DFAP) ; « Tu y as fait une job! » (à mon canif, ma scie, etc.): **détériorer**, **maltraiter**, **amocher** (pop.), **bien arranger** (par antiphrase)

jober, jobeur
être entrepreneur, faire des travaux à forfait, entreprendre / construire à forfait (une maison), **entrepreneur** ; **faire de la revente, (intermédiaire) revendeur** (qui achète des fabricants ou des grossistes et revend aux détaillants) ; **ne pas mettre de soin, bâcler, bâcleur**

jobine, f.
« avoir une jobine de fin de semaine / se trouver une jobine pour avoir un peu d'argent de poche »: **petit gagne-pain / petit emploi, petit travail, petit boulot** (pop.)

Note: Les Français disent *un job* au sens de travail plutôt modeste qu'on ne considère pas comme un métier, ou au sens de « combine ».

jogging
sautillement, course sur place ; (en se déplaçant, en parcourant un circuit) **course (gymnastique)***, **trottinage****

*S. R.C.

**Proposé par un mouvement naturiste.

ACEF. — Il semble inutile, aujourd'hui, de chercher un équivalent à jogging. D'ailleurs, le mot semble céder du terrain de lui-même: beaucoup de gens, en effet, disent *faire de la course* ou *courir*.

joint venture
entreprise conjointe* (créée en commun par deux sociétés), **entreprise en copropriété, coentreprise**(?) ; **coexploitation** (établissement industriel exploité par une telle entreprise) ; **entreprise en coparticipation** (jur.)**, **entreprise commune****

*Sur le modèle de *obligation conjointe* (qui comporte plusieurs créanciers ou débiteurs) en droit commercial.

**S. R.C., au sens de: « Entreprise assurée par plusieurs entrepreneurs qui unissent leurs ressources ».

joke, le plus souv. f.
« Va pas voir / Ouvre-le pas, c'est une joke »: une **attrape**, « Y m'ont fait une joke plate »: une **farce**, « C'est pas une joke à faire »: un **tour** à jouer, « C'est un(e) bon(ne) joke à faire à un nouveau »: **blague** ; « monter un joke »: un **canular**, un **bateau** ; « Réponds pas, c'est une joke »: une **colle**, une **attrape** ; « C'est un(e) joke, j'y crois pas p'en toute »: une **nouvelle inventée**, un **canular**, une **blague ;** « **C'est une grosse joke, c't affaire-là »: une mystification**, une **fumisterie**, une **farce**, une

rigolade, un **attrape-nigaud** ; « lâcher une bonne joke »: **mot, trait, blague, plaisanterie** ; « Y avait queuques bons jokes, dans le film »: **gag**

jump (a. *djompe*)
(« faire un jump / des jumps »)
saut

jumper (a. *djomper*)
faire des sauts, sauter (de colère, de joie, comme jeu de la part des enfants) ; **faire un saut, sauter** (de frayeur), **sursauter** ; **bondir, sauter** (en bas du fauteuil, sur le lit, de la part d'un chat) ; **enjamber, sauter** (un fossé, une clôture) ; **déserter** (le travail, l'armée) ; **faire sauter, déplacer** (l'aiguille d'un cadran, d'un compteur) ; **voler, chiper, piquer** (un objet remisé ou exposé quelque part) ; **sauter, bondir** (de la part de miettes d'un aliment que l'on fait frire, du maïs que l'on fait éclater au feu) ; **dérailler, sauter hors de la voie** (train)

jumper
- habillement: v. *djommepeur*
- électricité: **cavalier** (sur un tableau ou dans un appareil, « dispositif à deux fiches mâles permettant d'établir un pont entre deux conducteurs »*)

*S. Bibl. ELT 5. — Dans une ligne aérienne, le « court élément de conducteur, sans tension mécanique, destiné à établir une connexion électrique entre deux tronçons d'un conducteur de ligne » s'appelle une *bretelle*, S. Bibl. ELT 1.

Note: Employé a. au sens de **breaker**, v.

jumpsuit (Vx)
combinaison(-pantalon) (f.)
S. Bibl. HAB 2 et la publicité française.

juniper [pron. francisée de **juniper**]
genévrier

just too bad
c'est dommage, je regrette, tant pis (pour lui / elle(s) / eux)

(Keating), v. *quétaine*

(kerosene), v. *kérosine*

kérosine (a. *caracine* et *carossine*), f. [kerosene]
kérosène, pétrole lampant

kick
« avoir un kick sur qn »: avoir **envie** de, avoir du **goût** pour, être **chipé** pour (pop., S. DFAP) ; « avoir le kick (sur qn) »: **en pincer** (pop.) / être **mordu** (pour) ; « c'était rien qu'un kick »: un **béguin** ; « avoir un kick sur les femmes grasses / les cheveux gris »: avoir un **penchant / un faible** pour ; « avoir le kick sur les robes-soleil »: être **affriolé** par ; « Y a un nouveau kick, se promener en mobylette »: **toquade** ; « Collectionner des timbres rares, c'est son kick »: sa **marotte** ; « Son kick, c'est de bousculer les grosses madames »: **fantai-**

sie, **lubie**, **folie** ; « Le faire débarquer (*exclure*), ç'a été un gros kick pour moi »: **plaisir**, **satisfaction**, **jouissance**

---

kick

« recevoir un kick »: un **coup de pied** / **de sabot**, une **ruade** ; « pour amortir le kick » (d'un fusil): le **recul**

---

kicker

ruer ; **donner un coup de recul**, **avoir du recul**, **reculer** (fusil) ; **donner des coups** (organe d'une machine) ; **regimber** (résister en frappant du pied, de la part d'un cheval) ; **regimber** / **se cabrer**, **se rebiffer** (de la part d'un être humain, devant une obligation / la volonté d'une personne en autorité) ; **marchander**, **hésiter** (à accorder une permission, à accepter le prix proposé par un marchand) ; **botter** (le ballon, au sport)

---

kick-back

« Ton auto fait du kick-back quand on arrête le moteur »: des **coups de contre-allumage**, des **hoquets**(?)

---

kick-down

« une auto qui a le kick-down »: la **postaccélération***, la **rétrogradation forcée****
   *S. les notices de la société Peugeot.
   **S. Bibl. AUT 5. — Dans le langage familier, peut-être pourrait-on dire « la poussée », selon le modèle de terme simple que nous fournit l'anglais. ACEF.

---

kid

« des gants de kid »: de **chevreau**

---

king size

format géant / **taille géante** (bouteille ou boîte d'un produit), **longues** (cigarettes)

---

kiss

• « donner un kiss à / un p'tit kiss su'a joue » (Vi): un **baiser**, une **bise** (fam.) ; « un French kiss » (Vx): **baiser passionné** / **glouton**
• « Je rentre la 8 par un kiss su'a 9 » (au billard): **frôlement**
• « Veux-tu une pastille ou un kiss? »: **papillote** (v. a. *clanedaque*)

---

kisser

frôler (au billard)

---

kit

nécessaire (de voyage, de toilette, de maquillage, à ongles, à dessiner, de décalcomanie, etc.) ; **trousse** (de réparations, de premiers soins, de survie, de vétérinaire, de cycliste, etc.) ; **mallette** (d'un colporteur, d'un voyageur de commerce) ; **pochette** (de documentation, pour les participants à un congrès), **cahier** (d'infor-

mation, de presse) ; **jeu (de construction / d'assemblage)**, **ensemble préfabriqué** (contenant les pièces à assembler pour réaliser un appareil-jouet, une machine miniature), **nécessaire** (contenant p. ex. les éléments d'une chaîne stéréo à monter soi-même — ACEF en ce sens) ; « Y avait tout un kit avec lui pour réparer la pompe »: un **outillage** ; « Les morceaux pis tout le kit »: et tous les **accessoires** ; « Les pensionnaires ont tout leu kit dans les armoires »: leur **trousseau**, leur **fourniment**, leur **fourbi** (fam.), leur **saint-frusquin** (pop.) ; « Y est arrivé avec tout son kit de campeur »: son **bagage**, son **barda** (pop.) ; « Y a remballé son kit pour aller peddler ailleurs »: son **chargement**, son **barda** ; « Le pupitre, les trépieds, les chaises pliantes pis toute le kit »: tout le **bazar** (fam.), le **bataclan** (pop.) ; « C'est ici: les lavabos, les toilettes pis toute le kit »: tout le **reste**, tout le **bazar** ; « Ça va être les banderoles, les robes longues, les macarons pis toute le kit »: le **tralala** ; « Les emplettes, la cuisine, le décrottage pis toute le kit »: tout le **reste**, tout le **truc** (fam.) ; « Les amis, les relations pis toute le kit »: tout **ce qui suit**, tout le **reste**, tout le **saint-frusquin** ; « Les dangers, la santé, l'avenir pis toute le kit »: le **refrain**

---

kiwi (nom scientifique: chineese goosebery)
   souris végétale, **actinidia**
   S. Bibl. ALM 2.

---

kleenex
   papier-mouchoir (de marque Kleenex)

(klondyke), v. *clanedaque*

---

kodak (Vi) [pron. francisée de **Kodak**, pr. *kôdak* ; marque de commerce]
   appareil-photo (v. a. *caméra*)

---

lacteur [lighter]
   briquet ; **allume-cigarette** (dans une voiture)

---

landrie, f. (Vi) [laundry]
   « envoyer le linge de ses trois pensionnaires à la landrie »: à la **blanchisserie*** ; « faire faire la landrie en dehors »: le **blanchissage**, la **lessive** à l'extérieur ; « venir chercher / rapporter la landrie »: la **lessive**, le **linge**

   ***Buanderie** désigne, non pas un établissement commercial, mais le local réservé à la lessive dans une maison privée, un pensionnat ou une communauté qcq.

Last call!
   (dans les tavernes, avertissement aux clients que c'est le moment limite pour commander de nouvelles consommations avant la fermeture ; on dit a. **dernier appel**)
   Dernière commande, **Dernier service**

(laundry), v. *landrie*

lay-offer

a.s.d. un ouvrier, « Y a été lay-offé »: **licencier**

---

ledger

grand livre (de comptabilité, de ventes, d'achats, de paye)

---

life-saver

(petit bonbon acidulé en forme de bouée de sauvetage) **bouée** (?)

---

lift

« J'ai eu un lift pour me rendre en ville »: une **occasion** ; « Je lui ai donné un lift »: je l'ai **fait monter, pris avec moi / dans ma voiture, emmené** ; « Y nous a demandé un lift »: de l'**amener**, de le **ramener** ; « Voulez-vous un lift? »: voulez-vous **monter avec moi, profiter de ma voiture** ; « Est-ce que je peux vous offrir un lift jusque chez vous? » vous **reconduire**, vous **déposer chez vous**

---

liftback

type de voiture dont l'arrière du toit est incliné vers le bas et constitue une portière s'ouvrant vers le haut pour donner accès à un espace de rangement non séparé de l'habitacle et dont le plancher peut être continué par les dossiers rabattables des sièges arrière: **mi-fourgonnette**(?)

---

lighter, v. *lacteur*

---

lime

« une blouse / une chemise lime / vert lime »: **limette**

---

lingne (Vx) [v. **lime**]

---

lip-sync (parf. pr. « lipsing »)

(abrégé courant de lip synchronization, c.-à-d. le fait pour un chanteur, sur une scène mais surtout à la télévision, de simuler, par le mouvement des organes de la parole et surtout des lèvres, l'interprétation d'une chanson dont c'est un enregistrement qu'on fait entendre au public: « Y fait du lip-sync », « C'est du lip-sync ») **synchronisation des lèvres*, mimique (de lèvres)** (?)

*S. Bibl. DIV 21.

---

laofer

chômer, être inactif, tuer le temps, n'avoir que faire ; errer (pour passer le temps), **(se) baguenauder, flâner ici et là, vagabonder** ; **prendre congé** (du travail, p. ex. pour participer à des noces) ; **fainéanter, flemmarder, traîner, vaurienner** ; **voler** (qch.), **subtiliser, choper**

---

laofer

(chaussure basse et souple conçue pour le loisir et la marche, généralement sans attaches) **mocassin***

*Cf. Petit Robert. — Quant à la chaussure faite en peau tannée sur toute sa surface (y compris le dessous) à la façon des Amérindiens, et qui représente le sens premier du mot *mocassin* (cf. Petit Robert et les autres dict.

---

français), on peut lui assigner l'appellation suivante pour éviter la confusion dans les cas de contexte insuffisamment clair: *mocassin (indien)*.

---

locker

case, armoire extérieure (à l'appartement), **armoire du sous-sol** ; **case** (pour les bagages dans une gare)

(loose), v. *lousse*

---

loque, f. [luck]

« C'est de la loque », « gagner par la loque »: la **chance** ; « C'est une loque », « Ça c'est une loque! »: une **chance**, une **veine**, un **coup de pot** (fam.) ; « avoir de la loque »: de la **chance**, de la **veine**, du **pot**, du **bol** (pop.)

---

*loqu*é [lucky]

« T'es loqué »: **chanceux**, « T'es un sacré loqué »: **veinard / verni** (fam.)

---

lousse [loose]

mal tendu, pas assez bandé, (un peu) lâche (câble ou corde fixés en leurs deux bouts): **mal tendue, qui joue, (un peu) flottante** (courroie sur la poulie): **trop lâche** (noeud): **qui a du jeu, desserré** (assemblage, vis, boulon): **desserré, déconnecté** (raccord): **désajustée** (planche): **détachée, branlante** (brique, pierre): **désajusté, lâche, branlant** (manche): **désenchâssée, déracinée, branlante** (dent): **mal ajusté, qui bouge** (dentier): **lâche, trop grand, qui flotte** (bracelet, anneau, vêtement): **non maintenue** (poitrine): **flous, tombants** (cheveux): **floue, non ajustée** (robe): **ample, non cintré** (manteau): **flottantes** (draperies): **pendant, libre, ballant** (bout d'une corde): **non attaché** (corde, fil): **décalée** (roue), **folle** (poulie): **sèches** (pierres d'un remblai): **en vrac** (fourrage, céréales, denrées alimentaires: « du foin / de l'orge / des pois lousse(s) »): **à la mesure** (« vendre sa farine / sa mélasse lousse »): **volantes, mobiles** (feuilles): **détachée** (page d'un livre): **séparés, en vrac** (papiers): **libres** (clés): **à même sa poche** (« Y a son argent lousse »): **isolé, égaré** (papier, clé: « Je l'ai trouvé(e) lousse au fond du tiroir »): **détaché, en liberté, libre** (animaux): **en toute liberté** (« J'aimerais ça être lâché lousse sur une île »), **tout seul, sans surveillance** (« À 16 ans, ils l'ont lâchée lousse en ville »), **laissé à soi-même** (« J'voudrais pas voir ces jeunes-là lousses trop longtemps »): « donner du lousse » (à un câble, à une courroie): du **mou**, « Y a du lousse / trop de lousse / un lousse » (dans un engrenage, dans un joint, dans un assemblage): un **relâchement**, trop de **jour**, du / un **jeu**, une **partie** / une **zone lâche**

---

lousser

vb tr.: **détendre ; desserrer, désajuster ; décoller, déprendre** (Vx), **dégager un peu** (une pièce rouillée qu'on veut dévisser, une pierre, qch. qu'on veut enlever d'un ensemble) ; vb in.: **se détendre**; **se desserrer, prendre du jeu ; se dégager, se détacher ; lâcher** (poignée, fer à cheval) ; **se démancher** (outil à manche rapporté)

---

low
- **première** (vitesse dans un camion)
- **doux** (degré d'intensité auquel on peut faire fonctionner un four, une chaufferette)

(luck, lucky), v. *loque, loqué*

---

lunch

« apporter son lunch »: son **repas**, ses **sandwiches** ; « Le midi, y mange un lunch »: manger des **sandwiches**, prendre un **déjeuner froid**, un **repas froid**, un **casse-croûte** (repas léger et rapide) ; « c'est rien qu'un lunch que j'emporte », « se garder un lunch »: un **en-cas** ; « boîte à lunch »: à **sandwiches*** ; « se payer un lunch / un bon lunch au restaurant »: une **bouffe** (pop.), « se payer un lunch dans le pâté / les beignets de qn »: se **régaler** de

> *Le mot *gamelle* désignant un récipient à usage semblable (cf. Le Petit Robert) mais de forme un peu différente, peut-être pourrait-on l'appliquer, par une légère extension de sens, à la « boîte à lunch ». — D'autre part, R.C. recommande *boîte-repas*, mot formé sur le modèle du terme *panier-repas* utilisé par certaines compagnies d'aviation pour désigner une boîte contenant un repas léger qu'on remet aux voyageurs.

---

mâchemâlo [marsh-mellow]
guimauve (f.)

---

machine-shop, parf. f.
atelier de construction mécanique ; atelier d'usinage

---

make-up (Vi ou péj.)
fard, maquillage

---

man-hole (pr. habit. sans le « h »), v. *mènôme*

---

manslaughter
homicide sans préméditation
S. Bibl. DRT 1.

---

map, f.
carte (d'un pays, d'une région), **plan** (d'une ville) ; « C'est en dehors de la map » (iron., a.s.d. un lieu perdu, encore moins connu et plus retiré que d'autres lieux dits « creux », qui ne mérite pas de figurer sur une carte): de la **planisphère**, de la **carte**

---

marketing
commercialisation ; techniques commerciales

> Note: Traductions entérinées par la Biennale de la langue française tenue à Menton en 1971.

(marsh-mellow), v. *mâchemâlo*

---

marigold
(grand) oeillet d'Inde* / **(petit) oeillet d'Inde**** (selon le cas)
> *Tagetes erecta en latin (S. Quillet à *oeillet*). Au long. african marigold (S. Harrap) ou big marigold (S. Bibl. DIV 26) en anglais.
> **Tagetes patula en latin (S. Quillet à *oeillet*). Au long. french marigold (S. Harrap) en anglais.
> Note: On rencontre le nom *tagète* (m., v. G.L.E.), dans la lg. scientifique. — Le nom *rose d'Inde* (v. Quillet à *tagetes* et à *rose* et G.L.E. à *tagète* et à *rose*) apparaît comme un syn. de *grand oeillet d'Inde* (a. d'après le Jardin Botanique de Montréal). — V. a. Bibl. DIV 26. — On dit a. « vieux garçon » au Québec, bien que ce nom soit appliqué plus souvent au zinnia.

---

masking tape
(ruban autocollant, opaque et étanche, dont on se sert surtout dans les travaux de peinture pour couvrir une surface qui doit rester non peinte avec une délimitation nette)
ruban de papier-cache (S. Bibl. TCH 1), **ruban-cache** (S. R.C.)
> Note: Le Petit Robert nous donne l'impression qu'on peut dire *cache* tout court. Voici comment il définit ce mot, n. m.: « Papier à surface opaque destiné à cacher une partie de la pellicule à impressionner. Tout élément destiné à masquer une partie d'une surface lors d'une opération effectuée sur cette surface. »

---

masonite (le « a » pr. *é* en angl.), f.
(marque de commerce d'un carton-fibre employé comme surface de parement)
carton-fibre Masonite (pourrait se prononcer comme dans le fr. « hypocrite »)
> D'après Bibl. CST 4.

---

matcher
appareiller (des chandeliers, des objets décoratifs), **assortir, marier** (des couleurs) ; **(r)apparier** (des gants, des chaussettes), **appareiller** (une chaussette bleue avec une grise) ; **combiner, allier** (du bois avec de la tôle, des épingles avec des agrafes) ; **accoupler** (deux pinces, deux instruments) ; **appareiller, apparier, atteler en paire, accoupler, coupler** (des chevaux) ; **accoupler** (un chien et une chienne, un étalon et une jument en vue de la reproduction) ; **présenter à / l'un à l'autre, faire se rencontrer, faire se connaître** (« J'veux matcher Paul avec / pis Suzanne ») ; **mettre avec** (pour une danse, une soirée, « On matche Pierre avec Thérèse ») ; **accompagner** (à une fête, à un mariage, « Jean va matcher Yvonne ») ; **s'harmoniser / faire / aller avec** (« La lampe va se trouver à matcher la table »)
« se matcher »: **se marier** (ensemble / avec), **faire / aller ensemble** / avec (objets décoratifs, couleurs, « Ça se matche pas, ça / avec ça ») ; **s'accoupler** (pour la reproduction — divers animaux), **s'apparier, s'appareiller** (surtout les oiseaux) ; **s'accompagner** (« Y s'matchaient, au party »), **se prendre pour partenaires** (dans une danse, un jeu), **se mettre / se caser** (fig.) **ensemble** / avec (à une soirée, « Y

ont fini par se matcher », « Y s'est matché avec Jeannine ») ; **flirter** (« Vous vous êtes matché en revenant de l'église? ») ; **rencontrer** (abs.), **rencontrer / trouver une fille / un garçon / une compagne / un compagnon / un parti, trouver** (abs., fam.), **se caser** (« chercher à se matcher », « Alle espère encore se matcher »)

p.p.: **accouplés, assorti** (« Y sont ben mal matchés, ses parents », « C'est un couple mal matché ») ; **apparié, accompagné**, etc.

---

maususse [(Holy) Moses! ; « a moses » : un usurier]
interj. d'étonnement / de déception: **diable! / zut!** ; « un (p'tit) maususse » : **roublard, madré, sacripant, coquin**

---

mean
petit, mesquin, bas (individu, comportement)

---

méné [minny*]
vairon
*Forme pop. de minnow, v. Deak.

---

mènôme, ménône [man-hole]
(région de Québec)
bouche d'accès, trou de visite, regard (d'égout, d'aqueduc)

---

merchandising
techniques marchandes
S. Bibl. GST 2.

---

meter
compteur (d'électricité) ; **compteur** (de taxi), **taximètre**

---

milk bar
bar laitier
S. OLF.

---

milk shake
lait frappé
S. OLF

(minny), v. *méné*

---

miteur [v. meter]

---

mitt, f.
gant de base-ball

---

mix, v. **mixer**, 3ᵉ sens

---

mixer, *mixeur*
• machine industrielle: **malaxeur** (à mortier, à beurre, à pâte à chocolat, etc.) ; **malaxeur à béton, bétonnière** ; **malaxeur-broyeur** (à cuve tournante droite)

D'après Quillet.

• appareil électroménager: **batteur** (à boissons, à pâtes — sur socle ou à main)
S. Bibl. DIV 24, qui signale aussi *malaxeur*.
• boisson gazeuse ou autre pour diluer, étendre une boisson alcoolique: **allongeur**
S. OLF.
• « C'est un bon mixeur » : il **est très sociable**, il **se sent chez lui dans tous les milieux**, il **sait se faire des amis**, il **est liant**, il **a du liant**

---

mixer
malaxer (des matières industrielles) ; **battre, mélanger** (des ingrédients, des boissons) ; **allonger, étendre** (une boisson alcoolique) ; « se mixer » : se **mêler** (à d'autres, à un groupe nouveau)
Note: En français, on dit *mixer* au sujet des divers éléments sonores d'un film qu'on regroupe sur une même bande.

---

mofleur [muffler]
pot d'échappement, silencieux

---

mop, f.
balai à laver / à franges ; **balai de marine, vadrouille** ; **bosse** (due à un coup reçu lors d'une bataille)

---

mopper
bâtonner, triquer (un chien, un cheval) ; **battre, échiner** (un gamin d'une bande adverse)

---

mopses, f. (Vx) [mumps]
oreillons

(Moses), v. *maususse* et *mousesse*

---

mosselles, mosseuls, mossules [v. muscles]

---

motor inn
motel autoroutier
S. OLF

---

motto (Vi)
devise (d'un groupement, d'une maison de commerce)

---

mousesse (A.A.*) [Moses ; v. *maususse*]
diable!, par exemple! ; **roublard, coquin**
*Ce mot serait tout aussi bien un descendant de *Moses* forme de *Moïse* dans le français de la Renaissance.

Move up!
Grouille-toi!, Ouste!

---

muffin
moufflet
S. OLF

---

muffler, v. *mofleur*

(mumps), v. *mopses*

---

muscles (pr. sans le « c » en angl. et québ.)
biceps ; muscles

---

my eye
« Le mauvais temps / Ses examens my eye »: **qu'importe** le mauvais temps / ses examens, **c'est de la
foutaise** ; « Le bilinguisme my eye »: **au diable** le
bilinguisme, le bilinguisme **mon cul** (pop.)

Note: En français, la locution *Mon oeil!* s'emploie pour
marquer l'incrédulité ou le refus.

---

naphtha [pron. francisée de **naphtha**]
(produit distillé du pétrole, servant notamment de combus-
tible dans les cuisinières de camping)
naphte (m.)

---

napkin, f.
serviette (de table)

(neck-yoke), v. *niquiouque*

---

necking
**câlineries amoureuses, mamours, bécota-
ge ; caresses intimes, papouilles, pelotage**

---

necker
se bécoter ; se peloter

---

néquiouque, v. *niquiouque*

---

net
de ping-pong, de badminton, de tennis, etc.: **filet** ; à
poissons: **filet**, à manche (avec cerceau, pour tirer des
poissons de l'eau): **épuisette** ; « du / en net »: du / en
filet ; à cheveux: **filet, résille** ; métallique, surtout
comme moustiquaire: **grillage** ; en tissu léger, servant
p. ex. à couler un liquide: de la **tulle**, un **morceau de
tulle**

Never mind! (Vi)
N'importe!, T'occupe pas! (fam.)

---

next
« next »: **(au) suivant!** ; « c'est moi qui est next »: qui
suis **le suivant** ; « prendre son next »: son **tour**, son
rang, faire la **queue**

---

nil
(dans questionnaires adm., relevés comptables)
néant

---

niquiouque [neck-yoke]
(barre de bois fixée en son centre au bout du timon et
suspendue par chaque extrémité au collier de chaque cheval d'une paire, par laquelle les bêtes supportent le timon
et peuvent le tirer vers l'arrière pour faire reculer la charrette ou la machine agricole ; cette pièce et le timon qu'elle
supporte sont le pendant des traits, qui, faits en une matière souple, servent à tirer la machine vers l'avant)
porte-timon, barre de reculement

S. le ministère canadien de l'Agriculture et Bibl. AGR 4.

---

nolle prosequi [pron. franco-latinisée de **nolle prosequi**]
ordonnance de classement
S. Bibl. DRT 6.

---

nowhere
« C'est un nowhere! »: C'est une **randonnée sans
destination**, Vous **ne savez pas où on vous
emmène!** ; « Ma foi, on est dans un nowhere »: On
s'en va n'importe où, C'est **destination in-
connue**

---

nozzle
tourniquet* (d'arrosage), arroseur (auto-
matique) ; gicleur***** (de lave-glace)
*S. Robert.
**S. id. et Bibl. DIV 15.
***S. Bibl. AUT 5.

N.S.F. (abrév. de **no sufficient fund**)
« chèque N.S.F. »: chèque **sans provision**, chèque
S.P.

O boy!
Eh!, Oh la-la! ; Grand Dieu!

---

off
« journée off »: **libre, de congé**, « j'suis off lundi »:
en congé

---

off - on
(inscription entourant boutons ou leviers de commande,
interrupteurs, « Mets-le à off »)
arrêt (appareil ménager, électrophone, machine qcq.),
hors circuit, abrév.: **HC** (p. ex. machine calculatrice),
fermé (p. ex. valve, robinet à gaz) - **marche, en
circuit** (abrév.: **EC), ouvert**
Note: L'OLF a normalisé, comme équiv. fr. de **on/off,
marche/arrêt** dans le cas d'un appareil ou d'une
machine et **ouvert/fermé** dans le cas d'un appareil
de robinetterie. Il a recommandé que « jusqu'à ce qu'il
y ait entente internationale, on utilise les symboles **O/F**
et **M/A** pour représenter les termes **ouvert/fermé** et
marche/arrêt. » (S. Gazette officielle du Québec, 8
mars 1980, 112ᵉ année, nᵒ 10, p. 3984 et 3985)

---

off(-)shore
• **au large / en haute mer / hauturière** (pêche,
exploration)
• **près des côtes / côtière** (navigation), **côtier /
caboteur** (navire)
Note: Dans le deuxième sens, on dit habit. in(-)
shore ou coastal en anglais.

---

off white
blanc cassé
S. Bibl. DIV 23.

Oh yes?
Ah oui?, Vraiment?

Olbine [All been]
Très bien, D'accord ; Prêt, En route

---

on, v. off

one-man show
« Je fais un one-man show à la cité des arts le 18 »: un **spectacle seul**, un **(spectacle) solo** (S. Bibl. DIV 4) ; « La boîte présentera ensuite un one-man show »: un **spectacle à un seul chanteur**, un **chanteur seul** ; « Cette campagne-là / Cette organisation-là, c'est un one-man show »: c'est **l'affaire d'un seul homme / l'oeuvre d'un homme-orchestre**

one-way
« La rue est one-way dans l'ouest »: **à sens unique** ; « C'est un one-way »: un **sens unique**

opener
ouvre-bouteille ; (rare) **ouvre-boîte**

orégano [oregano]
(aromate alimentaire)
origan

orspore (R. P.) [horse-power]
(« C'était le meilleur cheval pour l'orspore », « Ça, c'était du temps de l'orspore » ; dans les anciennes batteuses, plan incliné qui se déplaçait sous les pieds d'un cheval installé dessus pour y marcher sur place et qui actionnait ainsi les mécanismes de battage eux-mêmes)
trépigneuse

ouaguine, f. [wag(g)on]
charrette (à foin, à moissons) ; **chariot** (pour divers fardeaux) ; (au fig.) **tacot, guimbarde**

ouair [wire]
fil de fer (pour clôtures de champs, de prés — on dit « broche », en ce sens, dans de nombreuses régions du Québec) ; **câble d'acier** (amarrant un chalutier) ; **fil (électrique**, faisant partie du moteur d'une machine), **câble** (de commande, d'un appareil, d'une installation électrique)

ouairer, ouairage
connecter (les éléments d'un moteur), **câbler** (une installation électrique), **connexion, câblage** (montage ou ensemble des câbles, des fils), **filerie** (ensemble de conducteurs de très petite section)

ouch! (pr. *aoutch*)
(interj. exprimant la douleur)
aïe! (pr. « aille »)

ouise, f. [(cotton) waste]
(« Passe-moi la ouise », « Y a-t-u encore de la ouise? »)
chiffons (de coton servant à nettoyer des pièces mécaniques) ; **bourre** (de chiffons de coton pour les coussinets de wagons)

ouisse [whistle]
(« lâcher un ouisse à son chien / à un ami », pour l'appeler / l'interpeller)
sifflement, sifflet

Out!
En dehors! (de la ligne: ballon, balle) ; **Hors jeu!** (joueur) ; **Éliminé!** (concurrent, participant à un jeu à élimination)

outfit
accessoires, outillage (d'un mécanicien)
V. a. **all fit.**

overalls
bleu(s) (terme générique des vêtements de travail — salopette, cotte et combinaison — en forte toile ou gros coton lavables, de couleur bleue, se portant le plus souvent sur les autres habits pour les protéger) ; **salopette** (avec bavette et bretelles se croisant dans le dos et venant s'attacher à la bavette au moyen de boutons ou de boucles) ; **cotte** (« Vêtement de travail du genre de la salopette. », v. S.)
S. Bibl. HAB 2.

overdraft
« Y a un overdraft dans votre compte » (en banque): un **découvert**

overhaul
révision (d'un véhicule), **examen (complet)**, **remise au point** (d'un moteur)

overhauler
réviser, remettre au point / en état

overpass
passage supérieur* ; **toboggan**** (« o » pr. comme dans « robe », « an » pr. comme dans « plan ») ; **saut-de-mouton*****

*S. OLF, Gazette officielle du Québec, 9 février 1980, 112ᵉ année, nᵒ 6, p. 1964 (« Ouvrage, y compris ses accès, qui permet à une route, en relevant son profil, de passer au-dessus d'une autre route ou d'un obstacle. »).
**S. La clé des mots, nᵒ 11, sept. 1974 (« Rampe qui permet de passer au-dessus d'un carrefour. ») et Petit Robert (« Voie de circulation automobile (viaduc métallique démontable) qui enjambe un carrefour. »).
***S. Petit Robert (« Passage d'une voie ferrée, d'une route, au-dessus d'une autre, pour éviter les croisements. »).
V. a. **underpass.**

overtime
heures supplémentaires ; **période supplémentaire** (de travail)

pace-maker
stimulateur (cardiaque)
D'après R.C. et OLF MD, 5ᵉ année, nᵒ 4 ; ce dernier donne aussi: *noeud (sinusal)*.

pack-sack
sac à dos
S. Bibl. DIV 15, 1977.

package-deal
- voyage organisé offrant au client, pour un prix global, différents services (tels que logement, pension, transport local) qui s'ajoutent à la traversée: **(voyage à) forfait**
- en politique: **marché global, offre globale**

---

pad
    épaulette (de veston, de paletot, etc.) ; **genouillère** (pour différents sports et travaux) ; **protège-cheville / -tibia** (pour le football) ; **bourrelet** (en forme de couronne ou de bandeau, pour protéger la tête) ; **coussinet** (qu'on se met sous les genoux, qu'on adapte à une selle, etc.) ; **plastron** (large application de flanelle ou d'ouate pour tenir au chaud une partie du corps) ; **coussin chauffant** (pour soigner par la chaleur un membre ou une zone du corps) ; **tampon** (d'ouate, de gaze) ; **tampon encreur** ; **sous-main** , **buvard** ; **bloc (de papier** à écrire), **bloc(-notes)** ; **chausson** (de trépied, de pied de meuble) ; **tampon** (de butoir de pare-chocs) ; **patin** (de ressort, de frein), **(tampon) amortisseur**, **butée** (en mécanique)
    D'après Quillet, Robert, G.L.E. et Bibl. DIV 15.

---

paddé
    rembourré (aux épaules — veston, manteau) ; **matelassé** (garni d'une doublure ouatée — esquimau) ; **capitonné** (rembourré et piqué — siège) ; **préformé, ampliforme** (soutien-gorge)
    D'après Quillet, Robert et Bibl. HAB 2.

---

page-boy, v. *pitch-boy*

---

pageant [pron. francisée — correspondant à l'orthographe courante — de **pageant**]
    « le pageant que donnera l'école X »: le **spectacle de culture physique**

---

pan, f.
- en restauration: **sauteuse** ; **lèchefrite**
- dans l'industrie du sirop d'érable: **bac, évaporateur**

---

panel
    camion fermé
    S. Robert à *camion*. — V. a. *panèle*

---

panèle [panel]
    (région de Québec)
    camionnette

(pantry), v. *pènetré*

---

paparmane, f. [peppermint]
    (pastille de) menthe

---

parker
    vb in.: **stationner** ; vb tr. (« parker son auto »): **garer, parquer** ; « se parker »: se **garer**, se **parquer**

---

partner
    dans une entreprise: **associé** ; au jeu de cartes, dans un spectacle d'acrobatie: **partenaire** (m. ou f.) ; dans une danse: **danseur, danseuse** (« sa partner »), **partenaire**

---

partnership
    « dans un partnership »: **en partenaires**

---

party
    soirée (de danse), réception d'amis, fête, partie

---

patch, f.
    pastille / pièce (sur une chambre à air / un pneu) ; **guêtre, emplâtre** (pour renforcer ou colmater une enveloppe de pneu détériorée) ; **pièce** (à un ballon, un tube ou autre objet creux en caoutchouc) ; (habit. humor.) **pièce** (à un vêtement, un sac de jute, une bâche, un toit de tôle et toute chose en ce genre de matières) ; **placard** (d'asphalte neuf sur une route)

---

patcher, patché, patchage, repatcher
    poser une pastille à (une chambre à air), **rapiécer, mettre une pièce à** (un pneu, un tuyau de pompe à air, etc.) ; (habit. humor.) **rapiécer**, péj.: **rapetasser** (un vêtement, une surface qcq.), « des jeans vendus patchés »: **émaillés de pièces** ; **remplir les trous de**, fig. et péj.: **placarder** (une route) ; « C'est du patchage » (mesures prises par le gouvernement, réforme qcq.): du **replâtrage** ; « repatcher une clôture », « essayer de repatcher la Confédération »: **rabibocher, rafistoler**

---

pattern
    modèle ; **schéma** ; **configuration** ; **processus** ; **cheminement** ; **déroulement**

---

pâwâ [pow-wow]
    « Les enfants se sont mis à faire un pâwâ au grenier »: du **chambard**, un **ramdam** (pr. « ramedame »), un **sabbat** ; « On organise un pâwâ pour le baptême du chalet »: une **grosse fête**, une **grande partie**, un **surboum**

---

pawn-shop (la 1re voy. a. pr. *o*)
    mont-de-piété (habit. public), **maison de prêt sur gages, (officine de) prêteur sur gages**

---

pawner (a. *pôner*)
    (« pawner sa montre / un bijou »)
    engager, mettre en gage, pop.: **mettre chez ma tante, mettre / pendre au clou**

(pea-jacket), v. *pidjéquiette*

(peanut), v. *pinotte*

(pecan), v. *pécane*

---

pécane, f. [pecan(-nut), le « e » pr. *i* — l'assimilation s'est donc faite d'après le mot écrit]
    noix de Pécan, pacane
    S. Bibl. ALM 2.

pécoppe [v. **pick-up**]

peddler
    être colporteur, faire du colportage, porter la balle (fam.) ; **colporter** (p. ex. des fruits et légumes, des articles de toilette)

peddleur
    colporteur, porteballe (fam.) ; **marchandeur** (« Heureusement qu'on a pas rien que des peddleurs comme lui pour clients! ») ; **marchand sans prix fixes** (« On va essayer d'avoir un bon prix, c'est un peddleur »)

(**pedigree**), v. *pédigri*

pédigri [**pedigree**]
    confidences sur la carrière faite, « Y m'a donné tout son pédigri »: il m'a fait sa **biographie**, il m'a **raconté sa vie** ; tirade malveillante sur la nature de qn, « Y a fait tout un pédigri de sa belle-mère »: un **panégyrique** à ; description morale d'une personne, « Je le connais bien, je peux te faire son pédigri en cinq minutes »: je peux te faire son **portrait**, te le **décrire / dépeindre**
        Note: le mot *pedigree* est entré dans le français au sens de dossier généalogique d'un animal et (humor.) de généalogie d'une personne d'ascendance noble.

peeling
    (élimination des couches superficielles de l'épiderme pour corriger divers types d'affections chroniques)
    exfoliation*
        *S. Bibl. DIV 4. — R.C. C.A.D. semble approuver ce terme (v. vol. VIII, n° 5, p. 7), après avoir déjà proposé *dermabrasion* (fiche 325).

pen-shop
    (établissement vendant en principe des stylographes et autres accessoires de bureau, mais en pratique une quantité d'articles disparates et d'occasion ; local ou pupitre d'écolier comparé à l'intérieur de cette boutique)
    bric-à-brac

pènetré, f. [**pantry**]
    garde-manger

penthouse
    (appartement situé au sommet d'un immeuble et entouré d'une terrasse-jardin)
    appartement (de) terrasse
        S. R.C.

pep
    « Lui, y a toujours ben du pep dans un party »: de l'**entrain** ; « J'avais pas ben du pep pour travailler à matin »: beaucoup d'**entrain**, d'**ardeur** au travail ; « C'est un rôle où y faut mettre du pep »: de la **fougue**, de l'**élan** ; « C'est un jeune plein de pep »: de **dynamisme**, d'**allant**

pepper, peppé
    « Un verre de ça, ça va te pepper »: **donner de l'entrain** ; « Y était peppé au party »: **plein d'entrain**, il

pétait du feu ; « C'est ce qu'on peut appeler une danse peppée! » **endiablée** ; « Ça l'a peppé pour commencer la journée »: **mettre en train**, **donner du coeur** (à l'ouvrage) ; « Y est arrivé tout peppé »: **plein de dynamisme, fringant** ; « J'ai essayé de le pepper (p. ex. a.s.d. un voyage proposé) mais ça a pas réussi »: **donner de l'enthousiasme** ; « C'est un comédien peppé »: **fougueux** ; « Y est toujours peppé comme ça, ce gars-là »: **plein de vie / de vivacité**

(**peppermint**), v. *paparmane*

per capita [pron. francisée de **per capita**]
    par individu, par tête

per diem [pron. francisée de **per diem**]
    indemnité quotidienne* (versée à un fonctionnaire pour certains types de frais: déplacement, séjour, représentation) ; **prix de journée**** (accordé, par malade, à un hôpital dans le cadre du régime étatique d'assurance-hospitalisation)
        *S. R.C.
        *S. OLF MD, 5ᵉ année, n° 5.

permanent press
    (à) apprêt permanent
        D'après l'OLF, qui réserve l'adjectif *infroissable*, recommandé par R.C., à wash and wear.

pet shop
    animalerie
        S. OLF, Gazette officielle du Québec, 6 mars 1982, 114ᵉ année, n° 10, p. 2891.

phoney
    faux ; artificiel ; chiqué ; simulé

pick-up
    • (Vi) appareil avec lequel on fait jouer des disques:
    tourne-disque
        S. Bibl. DIV 5 et Le Petit Robert. Noter que ce dernier parle de *tourne-disques* aux mots *disque* et *électrophone*. On remarquera que ce dernier terme est un générique qui désigne un appareil de reproduction d'enregistrements aussi bien sur bande magnétique que sur disque. — A C E F.

    • camion à caisse de transport ou à plateau découverts:
    camion-plateau
        S. Bibl. DIV 25. — Le *camion-benne*, lui, a un plateau mobile qui peut déverser par un système à vérins (a. d'après Bibl. TCH 4). Noter que Le Petit Robert donne, à *camion*, l'expression **camion à plate-forme**. On pourrait aussi concevoir une expression plus simple: *camion ouvert*, sur le modèle de *camion fermé* (V. **panel**).

pickpocket (Vi)
    voleur à la tire, tireur (S. OLF MD, 7ᵉ année, n° 6)
    A C E F.

pidjéquette (m.) (Vx) [pea-jacket]
espèce de **caban** (manteau trois-quarts doublé de mouton, à col de fourrure de chat sauvage, utilisé surtout pour les travaux de ferme qui demandent qu'on soit à l'aise tout en étant protégé du froid)

———————

(**piece**), v. *pisse*

———————

pimp
souteneur, pop.: **barbeau**, **marlou**, **maquereau**, arg.: **mac**, **hareng** (S. DFAP)

———————

pin, f.
cheville (tige de bois ou de métal qu'on fait entrer dans un trou pour le boucher, pour faire des assemblages ou pour y accrocher un fil ; — a. « juille », dans la majeure partie du Québec rural) ; **cheville (d'attelage)** (espèce de boulon attachant la flèche d'une remorque ou d'un chariot à la barre d'accrochage du véhicule tracteur) ; **goupille** (tige métallique servant p. ex. à maintenir un mécanisme dans une charnière, à retenir une pièce emboîtée dans une autre) ; **clavette** (sorte de coin traversant une cheville ou un boulon pour les bloquer) ; **broche** (partie tournante d'une machine-outil, portant un mandrin, une pointe de tour ou une fraise et servant à usiner un trou dans une pièce) ; **broche**, (plus rare:) **fiche** (tige constituant la partie mâle d'une connexion électrique) ; **ardillon** (pointe de métal qui fait partie d'une boucle et s'engage dans un trou de ceinture ou de courroie) ; **goujon** (servant de lien et de pivot aux deux parties d'une charnière) ; (tout) **goujon**, **tenon**, gros **clou** fixe, (toute) **broche**, **tige**, **cheville(tte)**, **languette** en une matière rigide — « Tu vas voir, y a une petite pin à côté de la strap », « Tu sais ben, là, la pin su l'côté de la patente » — ; **pièce** (d'un jeu de « dames chinoises », de « crib », de « parcheesi », etc.) ; **quille** (« abattre une pin », « un bowling à grosses / à petites pins ») ; « *à full pin* »: **à plein régime** (au fig.), **à toute pompe**

> Note: Au sens de membre viril, il s'agit du mot français « pine » et non du mot anglais « pin ». V. l'Introduction, section « Remarques sur la première partie », 7e paragraphe.

———————

piner
mettre au jeu, **planter** sa pièce (p. ex. au jeu de « cribb »)

———————

pinouche, f.
téton (de fixation d'une pièce à usiner), **pointeau** (de valve de pneu), **crochet** (tenant lieu d'oeillet dans une chaussure), **bouton** (qui ouvre un parapluie), (toute) **petite caboche / tête / excroissance**

> D'après Quillet, G.L.E. et Harrap.

———————

pinch
barbiche(tte), **bouc**

> Note: pinch, en anglais britannique et américain, a les sens de pincée, pinçade, pincement, rétrécissement et des significations dérivées de celles-là, mais ne désigne pas une petite barbe de forme allongée sous le menton (cette notion s'exprime par goatee). Il se peut que cet emploi de pinch, en québécois, représente une extension de sens (étant donné que la barbe en question va en se rétrécissant vers le bas) ou que le mot constitue un arrangement à l'anglaise (ou une traduction anglaise d'amateur) du mot *pinceau*, qui s'emploie aussi au Québec au sens de barbe sous le menton.

———————

pinotte, f. [peanut]
« un sac de pinottes », « des pinottes salées »: **cacahuète** ; « beurre de pinotte »: de **cacahouètes**, d'**arachide** ; « Ça marche pas avec des pinottes » (un service, un secrétariat, = il lui faut de l'argent): avec des **ronds de carotte** ; « Pour lui, c'est une pinotte » (une petite somme): une **bagatelle** ; « Y est su'es pinottes »: les **barbituriques**

> Note: On trouve aussi en français la graphie *cacahouette*. — *Cacahuète* est le nom courant de l'arachide une fois que celle-ci est grillée. C'est pourquoi on parle d'*huile d'arachide*. Cela explique peut-être aussi le fait que le Petit Robert (le seul dictionnaire français, parmi les plus connus, à parler du *beurre* fait avec cette graine) donne *beurre de cacahouètes* au mot *beurre* et *beurre d'arachide* au mot *arachide* en rattachant, dans ce dernier cas, l'expression à l'Amérique du Nord. — Bien que sans parenté autre que de forme avec la pistache (en anglais, pistachio nut), qui pousse dans un arbre et qui est utilisée comme amande en confiserie et comme condiment en cuisine, l'arachide est parfois appelée *pistache de terre* vu que le pédoncule floral de la plante se recourbe après la fécondation et enfonce l'ovaire dans le sol, où s'accomplit la maturation.

———————

pisse, f. [piece]
(pièce de monnaie, somme que chaque joueur verse comme enjeu dans une partie de cartes)
mise

———————

pisser
miser

———————

pit
carrière de gravier, **gravière** ; **carrière de sable**, **sablière** ; **puits** (d'une mine) ; **haut**, **sommet** (des gradins d'un stade), **galerie supérieure**, fam.: **paradis**, **poulailler** (d'un théâtre — « On était assis / perchés dans le pit »)

———————

pitch, f. dans certaines régions
- **goudron (à calfater)**
- **inclinaison** (d'un fer de rabot ou d'autres instruments)
- **pas** (d'une vis, de la denture d'une roue)

———————

pitcher
calfater (une embarcation), **étancher** (une citerne, un toit de maison, de remise)

———————

pitch-boy (R.P.) [page-boy]
(« Que t'étais cute dans ce temps-là avec ton pitch-boy »)
coiffure **petit page** / à la **Jeanne D'Arc**

———————

pitcher

envoyer (une balle / un ballon à un joueur), **lancer** (une balle de jeu, un objet à qn qui en a besoin, un caillou à un animal qu'on veut chasser, un objet que l'on veut à distance — « Il l'a pitché dans le champ ») ; « se pitcher »: se **lancer la balle** (entre deux personnes, à défaut d'être un groupe pour jouer au soft-ball)

plain

- adj.: **(avec) pain nature** (sandwich) ; **simple, ordinaire** (pizza, omelette) ; **uni** (étoffe, blouse, tricot) ; **(à) bout uni** (cigarette)
- n.: **plaine-danse** (? — sur le modèle de *plain-chant*)

planer (souv. pr. avec l'accent sur la 2ᵉ syll., comme le mot fr. *planer*)

(« planer un voyage, une partie de chasse »)
projeter, organiser

plaster

sparadrap

Note: Un *diachylon* est un emplâtre résolutif (avec toile ou non) utilisé en médecine.

plate, f.

base (initiale)*, **plateau du logis****, **marbre***** (au base-ball) ; **plateau** (de balance, de diverses machines) ; **table** (d'enclume) ; **paumelle, penture** (de la charnière d'une porte) ; (toute) **plaque** (de métal) ; (Vx) **disque** (de phonographe)

*D'après Bibl. SP GEN 4.
**S. Bibl. SP GEN 1.
***S. Bibl. SP BSB 1.

plug, f.

- « La plug est su l'mur du fond / La plug qu'est au bout du fil »: **prise (de courant) / fiche (de connexion)**

- « Mets / Enfonce / Prends (etc.) la plug »: **bouchon** (d'une conduite, d'une chaudière) ; **nable** (m., bouchant le trou de vidage d'une embarcation) ; **tampon** (masse de linge bouchant une fissure dans une cuve, tout morceau de liège, de bois ou de pierre avec lequel on bouche une ouverture ; petit cylindre de fibre, de plomb ou d'une autre matière qu'on encastre dans un trou pratiqué dans un mur pour y enfoncer un clou ou une vis ; calibre cylindrique servant à vérifier les dimensions du trou d'une pièce mécanique taraudée ou alésée — a. « (plug-)gauge » en ce sens)

- « Conduire une plug / Miser su une plug / C't une plug, ce char-là / Avoir engagé une plug »: **rosse**, pop.: **canasson** (cheval de trait ou de promenade sans énergie) / **veau**, pop. et Vi: **carcan** (mauvais cheval de course) / **veau** (automobile insuffisamment nerveuse) / **rosse** (personne très paresseuse), **empotée(e)** (personne lente), **lambin(e), traînard(e)**
D'après G.L.E., Quillet et Bibl. TCH 1. — V.a. **spark plugs**.
Note: Au Nouveau-Brunswick, on rencontre en outre la forme *ploille*, au sens de **galette de sarrazin**, ainsi que de **tablette** de tabac à chiquer.

pluguer

brancher (une chaîne stéréo, un fil prolongateur, un appareil, une machine d'atelier ou autre) ; **boucher** (tout conduit ou contenant, un orifice, un trou) ; **tamponner, obturer** (une fissure, une surface présentant une ouverture)

V. a. **connecter** / **collecter**.

dépluguer

débrancher ; **déboucher**

plywood

contre-plaqué

pole, f.

tringle (à rideaux) ; **montant** (d'une tente) ; **perche** (de prise de courant d'un véhicule de chemin de fer, de manoeuvre d'organes sous tension, avec laquelle on conduit un bateau, on pousse un objet éloigné, etc.) ; **canne** (de ski — a. « bâton » en québ., terme assez légitime si l'on songe au fr. *bâton d'alpiniste*)

poll (parf. pr. *pol*, plutôt que *pôl*, en québ.)

bureau de vote / de scrutin (S. Bibl. POL 4) ; (lgg. des organisateurs électoraux:) **section électorale** (« dans une grande ville, groupe d'électeurs qui votent dans un même bureau », Le Petit Robert)

poma

téléski débrayable (décrit a. comme *à perches* ou *à disques* par Bibl. SP SK1 3)

pôner, v. pawner

pool

billard à blouses (Vx, p.c.q. les réceptacles des billes, dans les tables d'aujourd'hui, ne sont plus des blouses), **billard à trous**

pool

service de dactylographie, central dactylographique ; (**service de**) **mécanographie** ; **secrétariat volant** ; **service / centre de dépannage**

pop-corn

maïs éclaté

S. OLF. — On peut se demander si c'était bien la peine d'établir une traduction de ce mot donné dans tous les dictionnaires français modernes et dont, au surplus, tous les phonèmes (dans une bouche française) font partie du système phonétique français. D'autre part, la traduction qui est quelque peu implantée au Québec est *maïs soufflé* et elle figure, à côté de *maïs éclaté*, au Petit Robert sous le mot *pop-corn*.

popsicle

glace aromatisée

S. OLF.

post-mortem [pron. francisée de **post-mortem**]
(« se livrer à un post-mortem du parti / de l'association dissoute »)
autopsie

---

pot
« fumer du pot »: de la **marijuana**, de la **marie-jeanne** / de la **douce** / de l'**herbe** / le **chiendent** (pop. ; S. DFAP)

---

pôtine, f., v. *poutine*

---

poutine, f. [pudding]
• sorte de *pudding* qui comprend une garniture de fruits sous la pâte (se compare aux *plum-pudding, apple-pudding, blackberry-pudding* et autres *puddings* anglais plutôt qu'au pouding français, qui n'est qu'une sorte particulière de gâteau, sans garniture de fruits)
• personne ronde et grasse (« une grosse poutine »): un(e) gros(se) **empâté(e)**

---

pow-wow, v. *pâwâ*

---

power-brakes
(« Frein dont la commande hydraulique est munie d'un dispositif d'assistance appelé servo-frein »*)
frein à commande hydraulique assistée par servo-frein*, **frein assisté par servo-frein***
*S. Bibl. AUT 5. — Il est sûrement légitime de dire, en lg. cour., *freins assistés*. Remarquer que Quillet définit *servo-frein* ainsi: « Frein dont le serrage n'est pas provoqué directement par l'action du conducteur sur un levier de frein, mais qui fait intervenir une force extérieure (en général *air comprimé*) », tandis que Robert, à *servo-frein*, donne: « Servocommande de freinage ».

---

power-steering
direction assistée, **servodirection**
S. Bibl. AUT 5

---

praguer [to **pry**]
« On va la praguer » (la roche qu'on veut enlever du chemin de la machine agricole): **soulever avec un levier** (constitué d'une perche qcq., d'une barre de fortune)

---

praille, f. [pry]
levier (utilisé p. ex. dans un chantier de radoub, une carrière de pierres)

---

prailler
soulever (avec le / au levier)

---

pretzel
(pâtisserie croquante, habit. saupoudrée de sel et de cumin, en forme de huit à l'origine mais adoptant aujourd'hui diverses formes)
bretzel*
*Mot alsacien tiré de l'allemand *brezel* qui est issu du latin *bracchiatellum* (bras) et fait allusion aux deux bras croisés que comporte la pâtisserie.
S. Robert et OLF.

---

previews
« J'ai pas vu le film, j'ai vu rien que les previews »: la **bande-annonce** / le **film-annonce***

*« Courts extraits d'un film, présentés au public, en début de programme, lors d'une séance antérieure (de quelques jours en général) à celle où sera projeté le film en question. », Gilbert, à la rubrique *annonce*. Nous avons de plus relevé *film-annonce* sur des bandes cinématographiques françaises. — On rencontre parfois aussi *annonces* au Québec et ce mot est sans doute légitime surtout lorsqu'il s'agit de plusieurs bandes-annonces présentées toutes à la suite.

---

primer, parf. **primeur**
(peinture qui s'applique sur une surface pour assurer, de par ses propriétés spéciales, l'adhérence de la couche ou des couches ultérieures)
peinture primaire réactive*, **primaire** (m.)**, **apprêt*****
*S. AFNOR, norme T 30-001, p. 98.

**S. AFNOR norme T 30-001 p. 115 (qui précise: « par contraction de langage »), CETTF et La clé des mots.

***S. AFNOR norme T 30-001 p. 11 (« Appellation donnée communément à des peintures de caractéristiques spéciales, utilisées pour « garnir » la surface d'un subjectile nu ou déjà revêtu d'une ou plusieurs couches »), G.L.L.F. et v. a. ce mot dans Tr. lg. fr.

---

primer
amorcer (une pompe)

---

primeur, v. **primer**

---

process cheese
fromage fondu, **crème de** (nom du fromage)
S. R.C.

(pry), v. *praille*

(pry, to), v. *praguer* et *prailler*.

---

puck, habit. f.
disque de caoutchouc ou d'ébonite avec lequel on joue au hockey sur glace, a. appelé « rondelle » au Québec (terme qui n'est pas antifrançais car une *rondelle de saucisson* ou *d'oignon* n'a pas, non plus, de trou en son centre) et appelé « palet » en France (v. Petit Robert au mot *hockey* et Quillet au tableau *Sports*, lequel parle de **disque** d'ébonite dans sa description du palet)

Note: Quant à « poque » au sens de meurtrissure, bleu, bosse ou coup, v. l'Introduction, section « Remarques sur la première partie », 9e paragraphe.

---

pudding
(préparation sous forme granuleuse qui, une fois délayée, prend l'aspect d'une crème plus ou moins épaisse — « pudding à la vanille / au chocolat / au citron », etc.)
crème dessert
S. OLF. et les emballages de produits français.

puff, f.

  touche (goulée de fumée de tabac, « File-moi une touche »)*, **bouffée**
  *S. DFAP.

---

punch

  « une annonce (*publicitaire*) qui a du punch » / « donner du punch à son article » (de journal): qui **frappe**, / qui a du **mordant**

---

punch

  poinçon (instrument de contrôleur, de cordonnier, de tôlier, ou accessoire d'une machine-outil) ; **poinçonneuse** (machine-outil pour perforer ou découper) ; **perforateur** (appareil pour percer des documents à classer dans des reliures à anneaux) ; (rare, au sens de key-punch:) **perforeuse** (rare), **perforatrice** (de cartes informatiques) ; **emporte-pièce** (instrument dont le tranchant a exactement le contour de la pièce qu'on veut enlever dans une feuille d'un matériau) ; **pointeau** (pour percer les fers minces, pour marquer un tracé sur les métaux ou pour amorcer le centre d'un trou à percer au foret) ; **chasse-clou**/**-pointe**/**-goupille** ; **chasse** (pour enfoncer les cercles sur un tonneau) ; **poinçon à river** ; **étampe** (pour emboutir ou marquer en creux des pièces de métal)

---

puncher

• vb in.: **poinçonner sa carte** (de présence à l'usine), **pointer** (v. Robert-Collins à punch in) / **se pointer** (à l'usine à l'heure réglementaire d'arrivée) ; (humor.) **rentrer**, **se pointer** (auprès de sa femme à la maison, à l'heure traditionnelle — « Y est obligé de puncher », « Moé, j'ai pas à puncher »), **se présenter à la maison**, **faire acte de présence** (« Y faut qu'y alle puncher »)

• vb tr.: **poinçonner** (sa carte à l'arrivée à l'usine ou au départ, une carte ou un billet d'entrée quelque part, une tôle — = y percer une rangée de trous ou la découper à la poinçonneuse) ; **percer**, **perforer** (une formule de bureau, une pièce de cuir, une feuille de fibre ou de métal) ; **découper à l'emporte-pièce** (un trou dans une feuille d'un matériau) ; **pointer** (une pièce de métal, en la marquant d'un trou au pointeau à l'endroit où on la forera) ; **étamper** (une plaque de fer) ; **flanquer un coup de poing à** (qn) ; **cogner sur** (une personne, un ballon suspendu)
  S. G.L.E., Quillet, Robert et Bibl. TCH 1.

---

punching-bag
  sac de sable (pour l'entraînement des boxeurs)
  S. R.C.

---

punching-ball
  ballon de boxe
  S. R.C. — ACEF.

---

push-up
  (exercice de flexion des bras en station allongée face au sol)
  traction*, **pompe** (pop.)**
  *S. Robert, Lexis et Bibl. SP GMN 1. — Lorsqu'il faut

distinguer ce mouvement de la traction en position verticale avec des cordes, on peut sans doute dire: *traction au sol*.
  **S. Quillet.

---

pusher
  revendeur (de drogue)

---

pushing
  « Y faut du pushing pour obtenir un emploi là »: des **relations**, des **influences**, du **piston** ; « entrer par du pushing »: par **pistonnage**

---

quétaine [Keating*]
  (Vx) **pauvre**, **loqueteux**, **déquenillé**, **dépenaillé** ; **niais** (personnes), **sans allure** / **de mauvais goût** / **kitsch** (choses, p. ex. aménagement, décoration d'une maison) ; **bizarre** ; **ancien**, **démodé**, **rétro** ; **pas cher**, **de pacotille**

  *Selon des habitants de Saint-Hyacinthe, nom d'un Écossais qui s'est établi dans cette ville et dont la famille, par son aspect singulièrement indigent, est devenu le « point de mire » du quartier. Pétri par la langue populaire, le nom propre est devenu nom commun et adjectif, si bien qu'à la faveur de la diffusion géographique, il a engendré un masculin, *quétain* (dénué, haillonneux), et des dérivés comme *quétaineville* et *quétainville* (bidonville). Et son sens a évolué de celui de pauvre à celui de niais — ainsi que bizarre, démodé, sans valeur dans certaines régions. L'adjectif invariable *quétaine*, au sens de niais quant aux personnes et d'apparence niaise quant aux choses, semble la forme dominante aujourd'hui dans la majeure partie du territoire québécois.

---

quètche [v. **catch**]

---

quècher, què*tcheur*, v. **catcher**, **catcheur**

---

quioune, f. (Vx), v. *toune*

---

quiz
  jeu de devinettes ; **jeu-questionnaire** (à la télévision), **émission-questionnaire** ; **questionnaire** (p. ex. dans une revue, pour permettre au répondant de définir sa personnalité) ; **examen pratique** (présenté aux élèves d'une école technique), **simple questionnaire**

---

rack
  ridelle (de camion, de charrette, de fourragère) ; **cadre** (S. R.C., charpente d'un casier, structure métallique destinée à recevoir des tiroirs) ; **support à claire-voie**, **claie** (p. ex. dans une caisse, un cageot), (toute) **pièce à claire-voie** ; **galerie**, **porte-bagages** ou **porte-skis** (d'une automobile), **porte-bagages** (dans un train, dans un car, à l'arrière d'une motocyclette) ; **portemanteau** (supportant les manteaux, les costumes, etc., dans un magasin) ; **râtelier** (avec encoches pour suspendre des objets longs en un plan vertical, ou avec trous pour ranger de petits objets en un plan horizontal) ; **claie**, **clayon**, **clayette**, **(é)clisse** (pour

faire égoutter ou remiser des fruits, des fromages, des verres, des bouteilles) ; **égouttoir** (de vaisselle) ; **diable** (longue baguette avec plaque perpendiculaire encochée à un de ses bouts, qu'on peut utiliser pour y appuyer la queue de billard lorsque la bille à frapper est située trop loin du bout de la table pour qu'on puisse soutenir l'avant de la queue avec la main gauche), **râteau** / **rallonge** (régional)

racké, racker

- pris de sensations douloureuses de fatigue et de raideur dans les membres et l'ensemble du corps, par suite d'un long effort en posture défavorable ou du sommeil dans des conditions inconfortables: **courbaturé**
- ressentant une lassitude extrême dans les membres et tout le corps à cause d'un long travail en posture difficile: **courbatu**, **rompu**, **moulu**
- très fatigué par le travail physique (dur et prolongé) d'une façon générale: **harassé**, **éreinté**, **mort**, **épuisé**, **flapi** (las à l'extrême, accablé)
- fatigué par un long travail exécuté rapidement: **fourbu**, **esquinté**, **vanné**, **rendu**
- fatigué p. ex. par de longues courses, par des activités ou des efforts rapides et trop prolongés: **claqué**, **crevé** « Ça m'a racké », « Ça va te racker »: **épuiser**, **esquinter**, etc.

  Note: Il s'agit ici du verbe anglais dérivé du nom rack au sens de chevalet de torture et signifiant donc faire subir le supplice du chevalet, par ext.: *torturer*, *tourmenter*, *harceler*, *détraquer* (une machine en en abusant), *épuiser* (un bien ou les forces d'un ouvrier).

racoon
raton laveur

raid (pr. *ré*ʲd)
descente (de police dans une boîte de nuit, un bar, etc.), **rafle** (comportant arrestation massive)

raider
descendre / **faire une descente** / **une rafle à** (« La Boîte à Mimi ») / **chez** (« Bill Armstrong's ») / **dans** (« l'Hôtel des Quatre Vents »)

  Note: Le mot *raid* (pr. *rèd*) s'emploie en français pour désigner une incursion ou une reconnaissance rapide en pays ennemi, une attaque aérienne contre un objectif éloigné, une longue course comme épreuve d'endurance des hommes dans le sport et de résistance du matériel en aviation.

rail
rail (de voie ferrée)

rail, f.
raie, **rayure**, **égratignure** (sur un meuble, un mur), **rayure** (pratiquée sur une vitre ou une surface de cuivre avec une pointe de diamant ou d'acier)

railer
égratigner, **rayer**
  Note: les anglophones disent scratch ou score en ce sens. On a ici une extension du sens de rainure de

coulisse ou de coulisseau, qu'a rail en anglais technique.

rail [rye]
whisky américain

raille, f. [v. **ride**]

railletrou [right through]
« A'est rentrée railletrou » (a.s.d. p. ex. une bille, un projectile qcq. qu'il faut lancer dans une cible): **en plein (dedans)**, « On a filé railletrou en ville »: **directement**, **tout droit**

ravel
(« glace enrobée de chocolat qu'on tient comme les sucettes par un bâton »*)
esquimau
  *Définition empruntée au Petit Robert, au mot *esquimau*. Les esquimaux français nous ont en effet paru à peu près de même forme et de même composition que les *ravels* vendus en Amérique du Nord.

Re [pron. francisée, en *ré*, de **re**, pr. *ri*]
(employé en tête de lettres d'affaires: « Re: Lenoir et Fils Ltée »)
Objet: ; **En l'affaire:** (domaine juridique)

ready-mix
béton liquide ; **camion-mélangeur**

red tape
(administration, gestion)
chinoiseries administratives ; **paperasserie**

reel, v. *ril*, les deux rubriques

refill
cartouche (de stylo à encre), **recharge** (de stylo à bille, de tube de rouge à lèvres), **mine** / **feuilles** / **pile(s) de rechange**

réguine, f. [rigging]
- « la réguine du bateau de pêche »: le **gréement**, les **agrès**
- « toute la réguine du moulin à scie / de la manufacture / d'une ferme »: l'**outillage**, l'**équipement**, le **matériel d'exploitation**
- « C'est rendu une grosse réguine » (son exploitation, sa société): une grosse **entreprise**, une grosse **affaire**
- « J'ai tout sacré sa réguine dehors »: son **attirail**, son **matériel** (p. ex. de montage d'une bicyclette)
- « On y a dit de ramasser toute sa réguine pis de s'en aller crécher ailleurs »: son **bagage**, ses **effets**, ses **affaires**
- « Quelle réguine que t'as su l'dos? »: quel **accoutrement**, quelles **frusques** (pop.) ; « J'ai assez hâte d'ôter c'te réguine-là! »: cette **vieille robe**, cette **nippe** (pop.), cette **fripe** (arg.)

remover
> **décapant** (pour peintures et vernis), **dissolvant** (pour vernis à ongles) ; **détachant** (pour salissures adhérentes)

Rent-a-car
> (enseigne, élément de raison sociale)
> **Location de voitures**, **Voitures de location**

---

riboule, f. [ring-bone]
> (tumeur osseuse en haut du sabot d'un cheval)
> **forme** (V. Quillet à ce mot)

---

ride, f.
> « Ça fait toute une ride »: tout un **trajet**, toute une **course** ; « On a fait une ride du côté de Terrebonne »: on **est allé se promener** du côté de, on a **poussé une pointe** en direction de ; « On a fait une ride dans la campagne »: une **balade**, une **randonnée** ; « faire une petite ride » (sur un monte-charge, un chariot, etc.): une petite **promenade** ; « Québec-Trois-Rivières, on a fait ça en trois rides » (en auto-stop): en trois **coups**

---

rider
> « Si on a ridé pour trouver ça! »: **rouler (longtemps)**, **faire de la route** ; « Y a fallu rider »: **rouler vite**, **foncer**, **gazer** ; « On a ridé un peu dans les environs »: **rouler (au hasard)** ; « Son petit frère l'a ridée une secousse avant de la vendre » (la voiture): s'**est ballladé avec** ; « Ma Ford, je la ridais autrement plus vite que ça »: **piloter**

(rigging), v. *réguine*

---

right through, v. *railletrou*

---

ril [reel]
> **branle écossais*** (?)
>> *Traduction tirée du Harrap (qui donne aussi: *danse écossaise à quatre ou à huit (d'un mouvement très vif)*) mais applicable seulement par une adaptation sémantique au « ril » québécois, qui comporte tout probablement des caractères différents et qui consiste d'abord dans le morceau de musique sur lequel on peut danser: de fait, on le joue souvent, p. ex. dans des émissions de folklore à la télévision (« M. X va maintenant nous jouer le reel du Pendu »), sans qu'il soit accompagné d'aucune danse. — Noter qu'on peut trouver *branle d'Écosse* au Quillet.

---

ril [reel]
> • **moulinet** (de canne à pêche)
> • **dévidoir** (de tuyau d'arrosage)

---

rim (pr. comme fr. « rime »)
> **jante** (de roue de bicyclette, de véhicule tiré ou automobile)

(ring-bone), v. *riboule*

---

rip, f. (pr. comme fr. « ripe »)
> « prendre des rips pour allumer le poêle »: des **copeaux**, de la **raboture** ; « de la rip pour la stall / le poulailler » (copeaux courts et étroits qu'on répand sur les planchers comme litière ou pour fournir un sol plus poreux): de la **planure** ; « C'est enveloppé dans de la rip » (vase, objet fragile acheté dans un magasin): de la **laine de bois**, de la **fibre de bois**

---

roast beef
> **rôti de boeuf**, **rosbif** (généralement coupé dans l'aloyau)

---

robeur [rubber]
> **caoutchouc** ; (Vi) **pneu** d'auto, de camion

---

robine, f. [rubbing (abrégé discret de rubbing alcohol)]
> **alcool à friction** et produits comparables que consomment les toxicomanes alcooliques, **succédanés d'alcool** éthylique (« Y boit de la robine »)

---

robineux
> **buveur d'alcool à friction / de succédanés d'alcool** ; par ext.: **ivrogne** traîneur de rues (ce qu'on appelle aujourd'hui rubby-dub(by) en amér. pop.), **clochard** (personne qui vit dans les parcs et autres endroits publics à défaut d'un domicile)

---

roll
> **gâteau roulé** ; (usité surtout à la ville) **petit pain**

---

ronignes, f. [running shoes]
> **chaussures de sport***
>> *Expression qui représente un générique assez peu usité en France, où on désigne plutôt la chaussure selon son usage précis: *chaussures de course, (chaussures de) tennis, baskets,* etc. L'OLF a adopté **(chaussures de) basket(-ball)** et **(chaussures de) tennis**, selon le cas, comme équiv. fr. de running shoes, et accepte aussi **chaussures de sport** comme générique. Dans ce dernier cas, nous proposons que le même genre d'abréviation (c.-à-d. *sport*) puisse s'employer. Noter que pour les **adidas**, l'OLF a adopté **chaussures d'entraînement**. V. a. sneakers.
>> — On notera qu'*espadrille* désigne une chaussure à empeigne de toile mais à semelle de sparte tressée ou de corde, et dont les côtés montent beaucoup moins haut que ceux du running shoe.

---

ronne, f. [round]
> **ronde** (d'un veilleur de nuit) ; **tournée** (d'un facteur, d'un laitier, d'un boulanger, d'un colporteur — « Y commence sa ronne », « Y a une ronne de biscuits »), **route** (d'un livreur d'une grande boulangerie) ; **pratique** (Vi), **clientèle** (de débiteurs pressurés, « une ronne de shylock » ; d'acheteurs, « un boulanger qui a une grosse ronne »)
> V. a. **run**.

---

ronner
> **faire la tournée** (« Y ronne pour la boulangerie La Sole »)

---

root beer
> **racinette**
>> S. OLF.

---

rosebive [v. **roast beef**]

---

rough (pr. *rof*)

a.s.d.

- brosse ou autre objet à surface hérissée: **rude** ; toile, étoffe (âpre au toucher et présentant une certaine raideur propre à aiguiser les nerfs): **rêche** ; surface de ciment, mortier d'un mur: **râpeux** ; brique, madrier, planche (qui présente de petites aspérités, des espèces de petites rides peu abrasives): **rugueux** ; morceau de bois (dont la surface présente des inégalités brusques, des aspérités considérables): **raboteux**
- pièce de fonderie, minerai: **brut** ; poutre, finition, ouvrage d'un plâtrier: **grossier** ; joints, plâtre: **nu** ; « poser le rough su'a maison »: le **crépi**
- montant: **brut** ; chiffre, calcul: **approximatif**, **grossier**
- chemin: **raboteux**, **rude**, **difficile** ; cours d'eau: **houleux**, **difficile** (pour le ski nautique, le canotage) ; tâche, métier: **rude** ; hiver: **rude**, temps: **âpre**
- enfant dans son comportement avec son cadet ou ses compagnons: **brutal**, **rude**, joueur de crosse, de soccer, etc.: **rude**, « jouer rough »: **dur**, **rude**, coup: **dur** ; mouvement: **brusque** ; remarque, farce: **crue** ; réponse: **brutale**, **raide** ; caractère, air: **revêche** ; voix: **rauque**, **rude** ; visage: **grossier**, traits: **lourds**

rough(e)ment

approximativement, **grossièrement** ; **brutalement**, **brusquement**, **rudement**, **durement**

dérougher

dégrossir (une pièce de bois), **aplanir** (une poutre, une solive)

rough and tough (humor.)

dur à cuire (élève), **dur de dur** (p. ex. hanteur de boîtes de nuit) ; **éreintant** (effort)

(round), v. *ronne*

---

rubber, v. *robeur*, 1ᵉʳ sens

(rubbing), v. *robine*

---

run, f. (pr. comme *ronne*)

« Ça fait une grande run » (en camion, en auto): un grand **trajet** ; « C'est là que l'autobus finit sa run »: son **parcours**, son **circuit** ; « L'autobus commence sa run à 7 heures / finit sa run à minuit »: est **en service** à partir de 7 heures / finit **le service**, finit **de circuler** ; quand le piston est au bout de sa run »: sa **course** ; « la première run » (d'une machine): la première **marche**, la **marche** d'essai

---

runner

vb tr.:

(Vi, concurremment avec « mener », dans un sens ponctuel, s'emploie auj. surtout dans un sens habituel, dans le cas d'un métier) **conduire** (un camion, un tracteur, un engin de chantier, une machine industrielle) ; **diriger** (une entreprise, un commerce — « C'est lui qui runne la bésenisse », « C'est son garçon qui runne le magasin pendant ses voyages »), **mener** (ses affaires, une affaire — « Y sait comment runner sa bésenisse », « De la façon qu'y runne ça! ») ; **gérer** (les affaires de qn, un commerce pour qn, par ext.: diriger ses propres affaires, son propre commerce sur le plan financier) ; (Vi) **administrer** (une compagnie commerciale de la part d'un conseil, des fonds, une municipalité) ; **exploiter** (un établissement industriel, une grosse entreprise — « Y runne une grosse affaire ») ; **diriger** (des travaux, un groupe d'ouvriers) ; **commander à** (une main-d'oeuvre occasionnelle — « C'est elle qui runne les ouvriers ») ; **avoir la haute main sur** (le personnel ou l'activité d'une maison — « C'est elle qui runne la baraque ») ; **gouverner** (Vi), **commander**, **mener**, **conduire** (« se laisser runner par sa femme »), **régenter** (« Y veut nous runner / runner tout le monde / tout runner »)

vb in.:

circuler, fam.: **rouler** (« pendant que les autobus runnent ») ; **circuler**, **courir** (fig., de la part d'une prostituée, d'un dragueur, d'une blague — « Ça fait longtemps que ça runne, ça! ») ; **être en activité**, fam.: **marcher** (« Ça runne toute la nuit (*cette usine*) ») ; **être en marche**, **tourner** (« Le moulin runne 24 heures sur 24 ») ; **fonctionner**, **marcher** (« pas laisser runner la machine pour rien ») ; **aller vite**, fig.: **tourner** (« J'vous dis qu'ça runne, ça! (*cette machine*) ») ; **tourner** (« Le moteur runne à cinq mille tours à la minute »)

---

runneur

conducteur (d'un engin, d'une machine) ; **meneur** (dans un établissement, d'une activité) ; **maître d'oeuvre** (de travaux, d'un chantier) ; **régenteur** ; **commissionnaire**, **coursier** (d'un grand hôtel)

---

running shoes, v. *ronignes*

---

rush

ruée, **affluence** (de clients dans un établissement — « Quand y a un rush », « Un garçon d'extra pour le rush de midi / du temps des fêtes ») ; **période de pointe / d'affluence** (dans les autobus, le métro — « Pendant tout le rush ») ; adj. (note sur un document à traduire ou à dactylographier): **urgent**

---

rust

« un chandail / une jupe rust », « Il l'a acheté rust » (couleur): **rouille**

(rye), v. *raille*

---

safe

« Y ont vidé le safe »: **coffre(-fort)** ; « vendre des safes », « se mettre un safe »: **préservatif**, **condom** (terme médical ou adm.), **capote (anglaise)** (pop. ou vulg.) ; « C'est pas safe »: **sûr**, **de tout repos** (a.s.d. une cachette, un procédé), **solide**, **sûr** (p. ex. pont de bois), **sûr**, **à toute épreuve** (p. ex. verrouillage, dispositif de protection) ; « Y est safe » (joueur, au base-ball): **sauf***

    *S. Bibl. SP BSB 1.

safety
    rasoir de sûreté

saillebord, v. *saillebôte*

saillebôte [sideboard]
    buffet (antique)

samarsatte (Vx) [somersault (Vi)], v. **somerset**

sâquette, f. [socket]
    douille (d'ampoule électrique)

sarlagne, f. (Vx) [v. sirloin]

satchel
    sac de voyage ; **sacoche** (d'encaisseur)

saucepan (rare), f., v. *chassepane*

saut morissette (Vx) [v. somerset]

scab
    renard (peu usité), **jaune** ; **briseur de grève** (lg. adm.)

scaffe [scarf]
    (région de Québec)
    cache-nez

(scarf), v. *scaffe*

score (la finale pr. comme dans fr. qué. « fort »)
    décompte des points, **marque** (dans une partie, un match)

scorer
    marquer, **compter*** (un point, un but, ou abs.)
    *S. communiqués de l'Acad. fr., in OLF MD, 5ᵉ année, nᵒ 6.

scotch tape
    (du) **ruban adhésif**, (une) **bande adhésive** (= un bout de ruban adhésif appliqué sur qch.)
    Note: L'appellation populaire en France est *scotch*. Il est frappant que dans *Pygmalion* de G.B. Shaw, version française, le héros qui est intellectuel parle de « ruban adhésif » et de « bande adhésive », alors que sa compagne prostituée parle de « scotch ». Cela illustre les niveaux sociologiques différents auxquels se situent les expressions en cause. D'autre part, *ruban adhésif* figure au Petit Robert et au G.L.E.; on ne voit pas que l'expression prête à confusion et qu'il faille lui ajouter le qualificatif *transparent*, le ruban qui est opaque s'appelant traditionnellement *papier collant*. Malgré cela, on trouve, parmi les acceptions de *collant* exposées au Petit Robert, la définition suivante : « N.m. Terme proposé pour remplacer « scotch » (ruban adhésif). » — Le mot *scotch* figure dans les dictionnaires français aussi au sens de whisky écossais.

Scram! (amér. pop.)
    Déguerpis!, **Ouste!**

scrap, f.
    « C'est de la scrap », « mettre la scrap dans des barils »: du / des **rebuts**, les **rebuts** (portions de matériel, d'aliments, de marchandises qu'on rejette comme étant inutilisables), « Ça, ça se met à la scrap »: au **rebut** ; « ramasser la scrap »: les **déchets**, les **résidus** (ce qui tombe après une coupe, une rognure, le travail d'une matière, restes de matières utilisées) ; de la scrap de fer / de cuivre » (ind.): de la **mitraille** de, des **débris** de ; « Y vend de la scrap »: des **marchandises de rebut**, du **rebut**, « passer sa scrap »: ses **restants** (fam.), ses **restes**, ses **déchets** ; « Y a un tas de scrap en arrière du garage »: de la **ferraille**, « Y commerce de la scrap »: de la **ferraille**, des **ferrailles** ; « acheter un rim (*une jante*) à la scrap »: chez le **marchand de ferraille**, le **ferrailleur**, au **dépôt de ferraille** ; « une cour de scrap » (de scrap yard): un **dépôt d'autos abandonnées** (contexte commercial), un **dépotoir d'automobiles**, un **cimetière d'automobiles** ; « envoyer son char à la scrap »: sa voiture à la **ferraille**, à la **casse**

scrapper
    mettre au rebut (du matériel, des restes de marchandise) ; **mettre hors de service**, **réformer** (une machine, du matériel industriel) ; **envoyer à la ferraille**, **mettre à la casse** (sa voiture) ; **démonter** / **déchiqueter**, **démolir**, **casser** (une voiture, de la part de l'exploitant d'un dépôt / d'un service de démolition de véhicules usés) ; **démolir**, fam.: **bousiller** (sa voiture dans un accident)

scrappeur
    « porter son char à un scrappeur »: porter sa voiture à un **récupérateur de métaux**, à un **ferrailleur**

scrap-book
    album (de plantes qu'on recueille à la façon d'un herboriste ou d'un naturaliste, de coupures de journaux, d'échantillons qcq., de collections qcq.)

scraper / -eur
    décapeuse (engin de terrassement — S. Bibl. TCH 5 et Bq des m. nᵒ 3 — ACEF) ; **rabot-racloir** (pour dresser la surface d'un parquet, aplanir des planches) ; **racloir** (pour apprêter des parquets à revernir, des peaux, des moules à métaux) ; **racle** (pour retirer les saletés sèches qui adhèrent aux parois d'un four) ; **raclette**, **grappin** (pour faire tomber la suie des parois d'une cheminée) ; **grattoir** (pour enlever le givre d'un pare-brise) ; **gratte** (pour décrasser les surfaces d'un bateau) ; **curette** (pour retirer les débris d'un trou de mine après son perçage au foret)
    D'après Quillet, Robert et Bibl. AUT 5.

scraper
    décaper ; **racler** ; **gratter** ; **curer**

scratcher
- (rare) **égratigner** (une voiture, une surface qcq.)
- **blouser sa bille de jeu** (au billard à trous)

screen
- **écran** (de locomotive)
- v. *scrigne*

screening
tamisage (de poudres industrielles), **criblage** (de différentes matières) ; **tri** (des candidats sérieux à un poste) ; **dépistage** (« Il faut d'abord faire un screening des cas de mésadaptation sociale dans la classe »)

screening test
test de classement (pour déterminer le genre de troubles psychologiques d'un délinquant confié à des services de réadaptation, d'un nouveau patient en psychiâtrie, etc.)

scrigne [screen]
moustiquaire (de fenêtre) ; **grillage** (d'une moustiquaire ou dans une porte à jour) ; « porte de scrigne »: porte **grillagée**

(sea-pie), v. *cipaille*

seal
« un manteau de seal »: de **phoque**

seal
joint serti (d'un contenant ou d'un appareil industriel)

sealer
sertir

sedan [pron. francisée de **sedan**]
(automobile dont le toit est soutenu, de chaque côté, par un montant qui sépare la glace latérale d'avant de celle d'arrière — par oppos. à hardtop, v.)
à deux portes: **coupé** (m.), à quatre portes: **berline** (f.)
S. Bibl. AUT 5.

set
mobilier (de cuisine, de salon, de chambre) ; **ensemble** (de fauteuils) ; **service** (de vaisselle, à café) ; **batterie** (d'ustensiles de cuisine) ; **garniture** (de foyer: pelle, pincettes, etc.) ; **train** (de pneus, de roues) ; **jeu** (d'outils, de clés, de brosses, d'aiguilles à tricoter, de boîtes alimentaires de cuisine, de cuillers à mesurer, d'échantillons d'étoffes ou de matériaux, d'épreuves d'imprimerie, de cartes, de formules, etc.) ; **assortiment** (de bijoux, de bibelots, de couleurs) ; **série** (de vêtements de confection, d'objets fabriqués à la chaîne)

set
« set (américain) »: **quadrille américain** ; « set carré »: **(quadrille des) lanciers** (?)
D'après Robert. — Note: Le mot *set* n'est d'usage en français que dans le sport, où il désigne une manche d'un match de tennis, de ping-pong, de volley-ball.

settler (la 1re syll. souv. pr. *sé*)
régler (une affaire, un problème, une querelle) ; **payer**, **régler** (un compte) ; **régler**, **mettre au point** (un appareil, une machine, un moteur)

resettler
remettre au point

désettler, -é
dérégler, -é ; **détraquer, -é**

(sewer), v. *sour*

shack
cabane (abri de chasseur, de pêcheur ; réduit servant de logement sur un bateau de pêche ; petite maison rudimentaire ou grossièrement construite — usité souvent par hyperbole) ; **baraque** (construction provisoire en planches pour un groupe de personnes ; par ext.: maison mal bâtie, de chétive apparence — « On est pas pour acheter ce schack-là! ») ; (« Y vivent dans un shack, un vrai shack ») **bicoque** (petite maison de médiocre apparence, d'aspect peu solide et peu confortable), **masure** (petite habitation misérable, ou maison vétuste et délabrée), **cambuse** (habitation pauvre, d'aspect très négligé) ; **cahute** (abri très sommaire et grossièrement construit, p. ex. d'un piégeur) ; **cabanon** (mot que nous empruntons à la Provence pour désigner, dans le contexte québécois, ce pied-à-terre très modeste ou rudimentaire à la campagne, que l'on construit souvent à défaut ou en attendant de pouvoir se permettre une véritable maison de plaisance ou un chalet)

shaft
- *machines d'atelier.* — pièce cylindrique autour de laquelle une pièce tournante effectue sa rotation: **axe** ; organe, le plus souvent cylindrique, qui reçoit d'un moteur un mouvement de rotation: **arbre**, ou le transmet à une machine réceptrice ou à un appareil récepteur: **arbre de transmission**, ou qui reçoit directement le mouvement et le transmet à des machines qcq. ou à des arbres secondaires: **arbre moteur**, ou qui reçoit le mouvement de l'arbre moteur en tant qu'arbre principal d'une machine: **arbre récepteur** ; l'un des axes rectilignes des machines motrices ou réceptrices, machines à vapeur, pompes, compresseurs monocylindriques: **arbre de couche** ; axe de machine-outil qui reçoit le mouvement et le transmet soit à la pièce (tour), soit à l'outil (perceuse, fraiseuse): **broche**
  D'après Quillet.
- *automobile.* — au sens de **drive / propeller shaft**: **arbre de transmission** ; steering shaft, « shaft du steering »: **arbre de direction** ; crankshaft: **vilebrequin**, **arbre moteur** ; dummy shaft: **faux arbre**
  Note: Quant aux autres « shafts » d'une automobile, v. S. Bibl. AUT 5.

shake
« avoir le shake »: la **tremblote** (fam.)

shaker
trembler (de froid, de peur, sous l'effet d'un choc

nerveux) ; **vibrer** (de la part d'une table ou d'un objet subissant de rapides secousses), **branler** (lorsque les mouvements sont plus écartés)

(**shampoo**), v. *champou*

---

shape, f.

taille (d'une personne — « Alle a pas la shape d'une femme de seulement 30 ans ») ; **forme** (d'un objet)

---

shapé

« A'est shapée comme une femme mûre »: **tournée** ; « Y est shapé pour devenir chanoine »: il est **moulé** pour..., il **a la taille / la forme** d'un futur chanoine

---

sharp

« Y est sharp » (a.s.d. un homme dans sa mise): il est **impeccable** ; « C'est sharp » (a.s.d. un endroit quant à son aménagement, un intérieur quant à sa décoration): **élégant, au poil**

---

shears, v. *chire*

(**shebang**), v. *chibagne*

---

shed, f.

hangar (à marchandises dans un port, à locomotives), **dépôt** (de machines), **garage** (de canots), **remise** (à fardiers, à chariots) ; **resserre** (dans un jardin) ; **bûcher** (« shed à bois ») ; **appentis** (adossé à une remise ou à un autre bâtiment de ferme) ; **cabane** (abritant les tuyaux d'arrosage d'une patinoire)

---

sheer ou *chire*, f.

écart de direction brusque et dangereux que fait un véhicule ou une bicyclette (vu du point de vue de ces derniers ou du conducteur), « faire une chire »: une **embardée** ; chute que fait le cycliste par suite d'un virage brusque de la roue avant, « faire / prendre une chire »: faire une **culbute**, faire **panache** ; glissement de côté des roues d'un véhicule ou d'une bicyclette (souv. vu du point de vue du conducteur), « faire / prendre une chire »: faire une **glissade, déraper** ; « être (parti) su une chire » (surtout Saguenay): une **rengaine** ; **déviation** que fait une bille de billard pendant son parcours (« Alle a faite une chire / sheer »)

---

sheerer ou *chirer*

faire une embardée ; (rare) **culbuter** ; **déraper** ; **dévier, subir un effet** (bille de billard)

---

shellac, shellacquer, v. *chalac, chalaquer*

---

shift (souv. pr. sans *t*)

« changer de shift / être sur le shift de nuit » (à l'usine): de / au **poste**, « être sur le 1er / 2e / 3e shift »: être du 1er / 2e / 3e **huit** ; « l'arrivée du shift de nuit »: de l'**équipe**, la **relève** ; « travailler sur les shifts » (personnel d'une usine): par **roulement**, par **relais** ; « être su(r l)es shifts » (ouvrier): changer **de poste**, être **en rotation**

Notes: Souv. assimilé au fr. *chiffre* (pr. sans *r* en québ. pop. et fam.). — Le mot *quart* s'emploie dans la marine, où la période de service continu était autrefois de six heures, soit le quart d'une journée.

---

shifter

« il faut shifter », « dans la côte, j'ai été obligé de shifter »: **changer de vitesse** (en camion ou en auto à changement de vitesse manuel), « shifter en deuxième »: **passer** en

---

shine

« donner un shine à son auto / à ses chaussures »: **cirer, passer une cire** sur ; « donner un(e espèce de) shine »: un / du **brillant** ; « du shine à chaussures »: du **cirage**, de la **crème**

---

shiner

cirer ; **astiquer, faire briller**

---

shiper

expédier (de la marchandise) ; **expédier** (qn dans un autre service, à un autre endroit pour s'en débarrasser) ; **congédier, renvoyer** (un aide, un employé) ; **expulser** (p. ex. un garnement)

---

ship(e)ment

« Y a eu un shipement (*de marchandises, de fournitures*) avant-hier »: une **expédition**, un **envoi**, « On en attend un autre shipement »: une **livraison**, un **lot**

---

shock absorbers (Vi)

amortisseurs (des oscillations du système de suspension dans une auto — S. Bibl. AUT 5)

---

shock-proof

anti-choc (adj. inv.)

---

shoe-*claques*, f., v. *ronignes*

---

shoe-shine

« se faire faire un shoe-shine » (dans une boutique de coiffeur pour hommes): faire **cirer ses chaussures**, « C'est combien pour un shoe-shine? »: pour un **cirage**, pour **faire cirer ses chaussures**

---

shoo!

(rare) interj. pour chasser d'un jardin des écureuils, des pigeons: **Ch-ch!** ; (rare) cri pour exciter un chien qu'on envoie à la poursuite d'un animal intrus: **Hou!*** ; interj. de désapprobation d'une parole d'un orateur, cri pour conspuer un personnage, huer un discours: **Hou!***

*V. Quillet.

Note: Dans le cas de la huée, on a une déformation sémantique de shoo, qui ne sert en anglais qu'à chasser ou faire s'éloigner un animal ou un enfant ; le cri anglais de huée est boo.

---

shoot

tir* (lancer brusque et rapide au hockey ou à un autre sport)

shooter

tirer* (au sport) ; **lancer** (un objet à qn — « Shoote-moi les pinces »)** ; **jeter**, **culbuter** (des déchets dans un baril — « On va shooter ça là-dedans ») ; **y aller**, fam.: **accoucher** (dans une circonstance où l'action ou la parole tardent — « Envoye! Shoote! ») ; **peindre au pistolet** (une automobile) ; « se shoo-ter »: se **piquer**

*S. communiqués de l'Acad. fr., in O'.F MD, 5ᵉ année, nᵒ 6.

A C E F dans le football.

**Shooter, en ce sens, se différencie de *pitcher* (v.) en ce qu'il désigne un geste vif fait avec le bras baissé ou replié vers la poitrine et qui va en remontant (vers un objectif habit. situé plus haut que le lanceur mais à courte distance), tandis que *pitcher* désigne un lancer avec force fait avec le bras relevé à la hauteur de la tête et allant en se rabattant.

shop, f.

« arriver à'a shop à 8 heures », « J'vas raconter ça aux gars à'a shop »: **atelier** ; « Y tient une shop dans le devant de sa maison » (artisan, marchand): une **boutique** ; « Y veut ouvrir une shop au village » (pour vendre de la viande, des provisions — Vx): **boucherie, boucherie-épicerie**

shopping bag

(a. « sac à poignées »)

sac à provisions, filet à provisions (selon le cas — S. R.C.)

short

« On va arriver short » (quant à l'argent qu'il nous faut): se trouver **court** (adv.), « On va être short »: **à court**, « La patronne est short c'te semaine » (elle n'a pas assez / que peu d'argent): **courte d'argent** (fam.)

shorts

caleçon (d'homme), **slip** (sous-vêtement échancré haut sur les cuisses et à ceinture basse)

Note: *short* s'emploie en français pour désigner une culotte courte servant de tenue de sport ou d'aise.

shortening

graisse alimentaire, graisse végétale

S. OLF. L'OLF, après de très nombreuses années d'é-tude, n'a pas encore pu choisir entre ces deux expressions. Peut-être la solution résiderait-elle dans une troisième dénomination: *graisse culinaire*, que nous soumettons sous toutes réserves.

shot, f.

• « une shot de gin », « Prends-en une shot »: un **coup**, une **bonne gorgée**, une **lampée** (fam.) ; « arrêter prendre une shot »: un **verre**, un **coup**

• « prendre une shot pour son mal de tête », un **cachet**, une **aspirine**

• « une shot de LSD »: une **injection**, arg.: une **picouse** (S. DFAP)

• « à petites shots » (p. ex. façon dont on a dépouillé un concurrent au jeu): à petits **coups** ; « On en a pelleté / pédalé / mangé un shot »: un **coup** ; « à 25 (/30/40/n) piastres *de la* shot »: **de la fois, du coup, le coup** (a.s.d. séances de physiothérapie, visites chez un chiro-praticien, consultations juridiques, etc.) ; **de la ra-fale** (a.s.d. tournées dans un bar); **de la giclée** (arg.), **de la passe** (a.s.d. commerce d'une prosti-tuée)

• « Ça, c'est une bonne shot! » (au jeu): un bon **coup**

• « As-tu entendu la shot? »: la **plaisanterie**, le **trait** ; la **vanne** (répartie plutôt de mauvais goût)

show

• Contexte des cabarets populaires. — « C'est à quelle heure le show? », « avant / après le show »: **spectacle**

• Contexte de la jeune génération. — « le show des Eagles », « un bon show »: **spectacle (musical)**, **spectacle** (de tout genre)

• Contexte « moyen ». — « C'est ce qu'on peut appeler un show »: **spectacle d'envergure** *ou* **spectacle pour les foules / populaire** ; « C'est un show à l'américaine »: **spectacle de music-hall** ; « Y va y avoir un show au cours de la fête »: un **spectacle de variétés**, des **attractions**

• Contexte général. — « voler le show à »: la **vedette** ; « Y / A nous a donné un show »: un **spectacle (comique)**, il **a fait des bouffonneries / a été le centre d'attraction**, elle **s'est exhi-bée** ; « Y a fallu qu'y nous fasse son show » (dans le but d'attirer l'attention sur soi): son **numéro** ; « C'est pas nécessaire de faire un show »: de jouer une **comédie**, C'est pas la peine de jouer la comédie

A C E F au sens de spectacle de variétés, surtout centré sur une vedette.

show-off

« faire du show-off » — prendre des dispositions pour frapper l'imagination p. ex. a.s.d. la gravité d'un événe-ment: **faire une mise en scène, en mettre plus que nécessaire** ; — mettre en évidence avec ostenta-tion tel ou tel de ses avantages: **faire de l'étalage** ; — chercher à susciter une admiration supérieure au mérite: **faire de l'épate** ; — chercher à en imposer par un air important, par un étalage de manières fanfaronnes: **faire de l'esbroufe**

shower

(réception donnée pour une fiancée par ses amies et où les invitées offrent des cadeaux ; tire son nom d'un sens amér. de shower: « pluie » de cadeaux (de noces, de fian-çailles), et de l'expression qui en est dérivée, shower party: réception où chacun apporte un cadeau, et spéciale-ment, fête à une jeune fille qui va se marier)

fête prénuptiale, une **prénuptiale** (?)

shut up!

Silence!, Ferme-la! (pop.), **Ta gueule!** (vulg.)

shylock

« le shylock » (comme phénomène): la **pratique (or-ganisée) du / le prêt usuraire** ; « devoir au shy-lock »: à l'**organisation des usuriers** ; « aller voir un shylock »: un **usurier (professionnel)** ; « Y s'est retiré de la pègre, y a pus juste une ronne de shylock »: une **tournée d'usurier**, une **clientèle de débiteurs pressurés**, une **clientèle de prêt usuraire** (?)

---

side

« caller la 7 dans l'side »: annoncer la 7 dans le **(trou du) côté** (de la table de billard)

(sideboard), v. *saillebôte*

---

side line

« Y a un side line pour pouvoir joindre les deux bouts »: **métier de complément, emploi / travail complémentaire, deuxième travail** ; « À part de tenir la maison, y lui faudrait un side line pour la désennuyer »: une **occupation secondaire**

---

signe [sink]

évier

---

single-breast, v. **double-breast**

(sink), v. *signe*

---

sirloin, v. **steak**

---

sit-up

(exercice de gymnastique consistant à se coucher sur le dos puis à redresser le tronc sans déplacer les jambes) **élévation du tronc en couché dorsal** (S. Bibl. GMN 4). **redressement assis** (S. L'act. term., vol. 3, n° 9)

---

size

dimension, cote (d'un rivet, d'une pièce de mécanique) ; (habit. humor.) **taille** (d'une femme) ; **classe** (d'un personnage, du client qui s'amène dans un restaurant) ; **calibre** (d'un batailleur)

---

sizer

- calculer approximativement (« sizer une longueur / un prix »): **estimer**
- déterminer d'après des signes, des indices (« Y size ça, lui, la fiabilité dans une femme / si une personne est travaillante »): **apprécier, juger, deviner**
- apprécier la valeur morale ou intellectuelle de (« Le bonhomme m'a sizé la première fois que chu allé chercher sa fille pour sortir », « Y m'a posé queuques questions pour me sizer, pis y m'a expliqué en quoi le travail consistait »): **jauger**
- estimer l'importance financière, la catégorie sociale de (« Le waiter a coutume de sizer le client en le voyant entrer »): **classer**
- juger de la force, du calibre de (« Y l'a sizé pis y y'a dit d'aller se battre avec un enfant »): **prendre la mesure de**
- regarder avec défi ou mépris (« Y l'a sizé comme si ç'avait été un avorton »): **toiser**

---

ski-tow

au sens du générique lift: **remontée mécanique** (S. Bibl. SP SKI 1) ; au sens propre, indiquant que le skieur est tiré sur le sol (plutôt que transporté dans les airs — v. chair-lift): **(re)monte-pente, télémonte-pente, téléski** (S. Quillet et G.L.E.) ; au sens de rope tow, marquant que le skieur se tient par les mains à un câble qui le tire sur ses skis: **fil-neige** (S. Bibl. SP SKI 3)

---

skid

planche / chantier de glissement sur laquelle ou lequel on pousse un fardeau pour le déplacer ; espèce de **poulain**, de traîneau avec lequel on déplace des matériaux lourds

---

skider

vb tr.: **traîner, faire glisser** (les billes de bois par un couloir menant au dépôt d'empilement à l'extérieur de la forêt) ; vb in.: **glisser de côté, riper, chasser** (de la part des roues d'un véhicule)

---

skidage

glissage (des billes de bois en forêt)

---

skidoo

motoneige

---

slab, f.

(première ou dernière planche, à une face recouverte d'écorce, qu'on a sciée d'un tronc d'arbre et qui constitue un rebut souvent destiné au chauffage) **dosse** (f.)

---

slack

mou, lâche, relâché, détendu (câble, corde, ficelle, courroie) ; **lâche, délié, défait** (nœud) ; **lâche, relâché** (ficelage), **disjoint** (assemblage) ; **dévissé** (écrou, roue, couvercle) ; **flasque** (peau, seins) ; « avoir le ventre slack »: avoir le ventre **lâche** (= « trop libre » selon Quillet) ; « C'est slack de ce temps-citte » (dans les affaires): c'est **calme**, il y a **un ralentissement**, nous sommes dans **une période creuse** ; n.: « Y a du slack dans la construction »: il y a du **chômage** dans le secteur du bâtiment ; « Y a un slack » (dans un câble passant dans des poulies): une **partie lâche**, un **mou**, « ôter le slack »: **tirer / tendre / raidir le câble** ; « un grand slack »: **efflanqué / échalas / manche à balai** (personne grande et maigre), **dégingandé** (qui a qch. de disproportionné dans sa haute taille et a l'air disloqué dans ses mouvements et sa démarche)

---

slacker

vb tr.: **mollir** (Vi), **relâcher** (un câble, etc.) ; **dévisser** (un boulon, etc.) ; **relâcher** (les intestins de la part d'un aliment purgatif) ; **licencier** (un salarié)* ; vb in.: **mollir, se relâcher** (câble) ; **se desserrer, se relâcher** (ficelage, assemblage)

*En ce sens, il pourrait s'agir d'une déformation du vb fr. *sacquer* (renvoyer, congédier, litt.: « rendre son sac à »), vu qu'un tel emploi de to slack n'est attesté ni en amér. ni en brit. Toutefois, il nous semble plus probable qu'il s'agisse d'un dérivé du n. slack au sens précité de chômage, qui représente lui-même une ext. de sens par rapport au slack anglais désignant un ralentissement d'activité.

slaille, f. [slice]
(Vi) **tranche** (de tomate, d'oignon, etc., destiné à faire partie d'un sandwich) ; (Vx) **tartine** (d'oignon tranché, d'oeuf dur tranché ou pilé, etc.)

slaille, f. (*sur la*) [on the sly]
« (r)entrer su'a slaille »: **furtivement**, « sortir (*avec une autre femme*) su'a slaille »: **en cachette, en « à-côté »**, « Y m'en a passé / prêté un su'a slaille »: **en catimini, en cachette, à la dérobée** ; « Des films qui circulent su'a slaille »: **sous le manteau**

slaille, f. [slide]
« faire une slaille »: une **glissade (de côté)**

slailler
glisser (de côté), déraper ; **glisser d'un côté et de l'autre, zigzaguer**

slap shot (Vi)
frapper, lancer-frappé
S. Bibl. HCK 1

sleeping bag
sac de couchage (abrégeable en *sac* dans les cas où on abrège en sleeping)

sleigh, f. (pr. *slé*)
luge (petit traîneau de jeu pour les enfants, à patins constitués par des lames de fer larges, reliées au plancher par des montants métalliques) ; (R. P.) **traîneau** (de transport des personnes l'hiver et tiré par un cheval) ; **traîneau** (de promenade organisée pour des groupes amateurs de divertissements « à l'ancienne » et tiré par deux chevaux — il s'agit habit. du type bobsleigh, v. ci-dessous)

bobsleigh (m., Vx)
traîneau à deux paires de patins en **tandem**, utilisé surtout pour le transport du bois dans des chantiers forestiers et de matériel divers dans des fermes (— en est venu, après qu'on eut commencé à se déplacer en automobile même l'hiver, à servir parfois de moyen original de déplacement ou à des promenades de plaisir)

(double-)sleigh, f., **sleigh (double)**, f.
traîneau du type bobsleigh ayant servi autrefois au transport du bois de chantiers forestiers et limité aujourd'hui au transport de matières telles que bois de chauffage et fumier dans les fermes, où on le tire souv. avec un tracteur lorsque l'épaisseur de neige le permet

grand-sleigh, f. (R.P.)
traîneau du type bobsleigh utilisé pour le transport du bois dans les chantiers forestiers (a. « sleigh de chantier », « sleigh double » et « bobsleigh » dans le même sens)

sleigh ride
(divertissement organisé pour un groupe, consistant en une promenade en traîneau à chevaux à la campagne, suivie d'une soirée de danse ou d'un souper et d'une danse — est de plus en plus offert comme service commercial par des propriétaires de grandes écuries)
partie de traîneau*
*Sur le modèle de *partie de campagne*.

slépines, f. (Vx), v. *stépines*

(slice), v. *slaille*

(slide), v. *slaille*

slides, f.
diapositives, abrév. fam.: **diapos**

sligne, f. (Vi) [sling]
ceinture (de pantalon) ; **élingue, câble de levage**

slim
élancé, mince, svelte

sline, f., v. *sligne*

sling, f., v. *sligne*

slingshot (Vi ; « ng » a. pr. comme « gn » fr.)
lance-pierres

slip, f.
• (parf. m.) formule qui spécifie la nature et la quantité de marchandises expédiées par des services de transport ou livrées par un camion du fournisseur: **bordereau d'expédition, bon de livraison** ; document qui explique la paye nette d'un salarié à partir de son salaire brut, « slip de paye »: **feuille** de paye
• (Vx) sous-vêtement féminin à forme de robe à corsage ajusté soutenu par des bretelles étroites, qui se porte sur les autres dessous et directement sous la robe: **combinaison-jupon** (f., S. Bibl. HAB 2)

sloe-gin
(liqueur de) prunelle
S. OLF.

sloppy
négligé (dans sa tenue vestimentaire), **débraillé**

slow
tardif (Vi), **lent** (dans son développement, à commencer à marcher ou à parler — enfant) ; **pas pressé, lent** (à commencer à courtiser les filles — jeune homme) ; **lent** (dans son apprentissage — élève) ; **mou** (qui manque d'énergie, de vitalité, de vigueur — élève, apprenti, toute pers., cheval) ; **lambin, traînard** (employé, ouvrier) ; **lent à agir** (p. ex. à prendre des mesures appropriées) ; **lent à réagir, lent à comprendre, à l'esprit lent** ; **ennuyeux, à l'esprit lourd** (p. ex. compagnon dans une soirée au café) ; **lent** (à remplir une pro-

messe, à fournir un service — pers., administration) ; **long** (à s'habiller, à exécuter quelque action en cours) ; **au ralenti** (affaires — « Ça va slow », « Les ventes sont slow ») ; **qui retarde** (montre) ; **(à l'action) lent(e)** (film) ; **lent** (rythme, musique)

slow motion
« projection en slow motion » (cinéma): en / au **ralenti**
Note: slow, n. désignant une sorte de danse, est donné dans les dictionnaires français.

---

slush, f. (parf. pr. *slotch*)
neige boueuse, gadoue* / pop.: **gadouille** (?)
*Sens techn.: déchets végétaux et animaux, et ordures ménagères ; sens pop.: « boue » (Quillet) — *Boue* désigne de la terre détrempée et différents dépôts, ainsi que différents résidus d'opérations chimiques (v. Quillet).

(sly), v. *slaille*

(smart), v. *smatte*

---

smatte [smart]
« Y a été assez smatte (*le voleur*) pour pas se faire prendre », « Y est smatte en affaires »: **habile**, « Y en a eu des plus smattes que lui » (pour le déjouer): **rusé**, « C'était pas smatte de sa part »: **malin**, « Y est assez smatte pour pas tomber dans le piège / pour comprendre »: **fin**, « jouer au plus smatte »: au plus **fin** / **malin**, « Essaye pas de jouer au smatte avec moé »: jouer au **malin**, faire le **finaud** ; (en réponse à une remarque plaisante) « T'es trop smatte, toi! »: tu es trop **malin**, tu **as** trop **d'esprit**, « Y cherchait à faire le smatte » (par sa conversation au milieu d'un groupe): à **briller**, à **se montrer drôle / spirituel**, « Fais pas ton smatte! »: le / ton **drôle** ; « Y a commencé à faire le smatte » (dans une discussion): à faire l'**esprit subtil** / le **raisonneur**, *ou* à jouer les **phénix** ; « Y a voulu faire le smatte » (en appliquant un remède inconsidéré à un problème que d'autres étaient en train d'examiner): se montrer **lumineux**, faire l'**ingénieux**, le **sorcier, se faire valoir** ; (par antiphrase) « T'es smatte! »: Tu **en fais de belles!**, « T'es un beau smatte, toé! »: un beau **gaffeur**, « C'est smatte de y avoir promis ça! / d'avoir barré sa porte! / d'avoir employé du plastique! / d'y avoir donné c'te raison-là! »: C'est **du propre / bien inspiré / génial / intelligent**, « Leu plus jeune est pas smatte »: pas **fin**, pas **développé** ; « A / Y est pas assez smatte pour voyager en ville tout(e) seul(e) »: **dégourdi(e)**, « pour recevoir les arrivants »: **délurée**, « pour parler avec les adultes »: **déniaisée** ; … « pour être sortable »: **policée** ; « A'essayait de passer pour une personne smatte / pour une smatte »: pour une personne **distinguée** / pour un **bel esprit**, « C't un homme smatte en grand! »: **renseigné, de belle société, qui a de la classe**, « Y est pas assez smatte pour parler avec ces gens-là »: **instruit** ; « Chu pas encore assez smatte pour me retrouver dans la bâtisse »: **habitué**, « pour employer c't outil-là »: **habile** ; … « pour me lever tout seul » (après une maladie, une période d'impotence): **bien, rétabli, remis** ; « Y est

encore smatte, pour son âge » (vieillard): **capable** ; « Y est déjà smatte, pour son âge »: **adroit**, « Y commence à être smatte » (cet enfant): à **avoir du savoir-faire**, à **savoir rendre service** ; « J'ai un p'tit gars ben smatte pour m'aider quand j'en ai besoin »: **serviable** ; « Que t'es smatte de nous mettre la table, comme ça! », « Merci, t'es ben smatte »: **gentil** ; « Vous êtes ben smatte de nous inviter mais on peut pas y aller »: **aimable**

---

smock
de ménagère: **blouse, tablier-blouse / blouse-tablier** (plus long, habit. avec ceinture) ; de peintre, de sculpteur: **sarrau** ; de médecin, de laboratoire: **blouse**
S. Bibl. HAB 2.

---

smoked meat
boeuf mariné (fumé)
S. Bibl. ALM 8.

---

snack
« se payer un gros / un bon snack au restaurant »: **gueuleton** ; « C'est aujourd'hui que les voisins font leur snack »: donnent leur **régal** (Vx), leur **festin** ; (humor.) « La municipalité donne un snack en son honneur »: un **banquet** ; « faire / organiser un snack de deux jours »: faire **ripaille** pendant / organiser une **ripaille** de deux jours ; « Qui'st-ce qui va fournir le snack? »: la **boustifaille** ; « Vous avez fait un snack dans mes gâteaux? / avec la salade au poulet? »: **s'empiffrer** avec / **bâfrer** la ; (rare) « C'est rien qu'un petit snack »: une **collation**
Note: Le sens anglais (brit. ou amér.) de snack est petit repas, goûter.

---

snack-bar*
casse-croûte**
*A C E F, souvent — et surtout oralement — sous la forme *snack*.
**Adopté par l'OLF. Ce terme désigne traditionnellement un repas léger pris rapidement ; il s'agit donc ici d'une métonymie qui semble légitime.

---

snap
d'un vêtement: **bouton à pression, bouton-pression**, fam.: **pression** (f. ou m.) ; d'un sac: **fermoir à pression** ; d'un harnais: **anneau / boucle à ressort, mousqueton**

---

sneaker
fouiner
V.a. *cheniquer*.

---

sneakers
tapinois
s. OLF. — ACEF, sous la pron. *sniquère*. — V. a. **running shoes**.

---

snic [v. sneakers]

---

sniff (surt. f.)
pincée, prise (de cocaïne), **reniflette** (arg., S. DFAP)

sniffer
  humer, **renifler** (de la colle — comme drogue bon marché pour un jeune sans ressources) ; **priser** (de la mescaline, de la cocaïne — on dit surt. to snuff en angl.), **aspirer**, **renifler** (la prise qu'on a aux narines — on dit plutôt to snort en angl.) ; **fouiner** (au sens de to nose — « Y sont venus sniffer »), **reluquer** (« Y en a qui sniffent dans la vitre)
  Note: *snif*, f., et *sniffer* sont donnés dans DFAP aux sens de « cocaïne » et de « renifler de la drogue ».

---

snow suit, v. suit

---

so what?
  Qu'est-ce que ça fait / change?, **Et (puis) après?**, **Et alors?**

---

soaker (Vi)
  faire cracher (qn — lui faire verser de l'argent qu'on considère dû) ; **estamper**, **faire casquer** (qn — lui soutirer de l'argent en le trompant ou en l'intimidant) ; **écorcher**, **estamper**, **rouler**, **voler**, **exploiter** (des clients — en leur vendant à des prix exagérés)

---

socket, v. *sâqu ̧ette*

---

some
  « some cadeau », « some réussite »: **tout** un cadeau, **toute** une réussite (par antiphrase)

---

somerset
  saut périlleux (dans des exercices de gymnastique) ; **galipette**, **culbute**

---

sonabébitche, *sonabégonne*, v. **son of a bitch, son of a gun**

---

son of a bitch, **son of a gun** (forme euphémique)
  qual.: **sacripant** ; juron: **nom de nom!**

---

soqueur [sucker (v. a.)]
  naïf, **poire**, **gogo**, **jobard** ; **parasite** (qui vit aux crochets des autres), **pique-assiette** (qui court les repas gratuits et, au fig., divers avantages matériels), **écornifleur** (qui cueille gratis de l'argent, de la nourriture, des biens auprès de personnes dont il profite de la mollesse ou de la tolérance consciente ou non), **resquilleur** (qui usurpe des avantages gratuits, p. ex. qui entre dans une salle de spectacle ou un moyen de transport en évitant de payer)

---

souampe, f., v. *souompe*

---

souigne [swing]
  giration (terme général et de niveau recherché) ; **ballant** (d'un bâton de golf) ; **virage brusque**, **crochet** (que fait une automobile pour éviter un obstacle) ; **tête-à-queue** (« l'auto a fait un souigne complet »)
souigner
  se balancer ; **virer brusquement** ; **tourner sur soi**, **pivoter** ; **pirouetter** (dans la danse d'un quadrille)

---

souiteur (Vx) [v. **sweater**]

---

souompe, f. [swamp]
  marais (terrain recouvert d'une nappe d'eau stagnante) ; **marécage** (terrain bourbeux, habit. recouvert, ici et là, de nappes d'eau stagnante)

---

souompeux
  marécageux

---

sour (Vx) [sewer]
  évier ; **égout**

---

spair [spare]
  « sortir / visser le spair »: la **roue de rechange** (Vi) / **de secours** ; « de spair » (a.s.d. tout objet): de **rechange** ; « un spair » (objet semblable à un autre et susceptible de le remplacer): un **rechange**

---

span
  (surt. R.P.) « amener un span de chevaux / atteler en span »: une / en **paire** ; par ext., « Y font un beau span, tous les deux! » (a.s.d. compagnons de petits méfaits): une belle **paire**, « Y feront pas un bon span » (en tant que mari et femme): un bon **couple**

(**spare**), v. *spair*

---

spare ribs
  côtes levées
    S. OLF

---

spark plugs
  bougies d'allumage, fam.: **bougies**

---

speakers
  haut-parleurs (de chaîne stéréo)

---

speech
  laïus (à l'occasion d'un banquet, d'un rassemblement qcq.) ; **remontrances**, **semonce** (« Y m'a fait un speech »)

---

speed
  « du speed » (comme drogue): des **amphétamines**, des **amphés** (pop., S. DFAP)

---

speedé
  (rare) « On t'a emmené au poste parce que t'étais speedé »: **drogué aux amphétamines** ; « T'es speedé à soir! »: **remuant**, **nerveux**, **excité** ; « de la musique speedée »: **trépidante**

---

speeder (a. pr. avec un *i* bref)
  prendre de la vitesse, **accélérer** (voiture) ; **accélérer** (conducteur), **appuyer sur le champignon** (fig.), **mettre pleins gaz**, **marcher à pleins gaz**, **gazer**, **foncer**, **bomber** (arg. S. DFAP)

(**speedometer**), v. *spidomètre*

spencer, v. steak

spidomètre [speedometer]
indicateur / compteur (de vitesse)

spikes
crampons (de chaussures de football)
S. Bibl. FTB 1.

spinner
centrifuger, faire tourner (du linge au tambour
centrifugeur servant à l'essorage dans une machine à laver
— « Les suits, faut pas les spinner ») ; **patiner** (tourner
sur soi-même, à cause de la neige ou de la glace, de la part
d'une roue d'automobile — « Les roues spinnaient »),
faire patiner (« Spinne pas tes roues ») ; **toupiller**
(Vi), **tourner** (de la part d'un objet lancé sur le sol)

spliff (probabl. une contraction de split et de sniff)
(drogue faite d'un mélange de chanvre indien et de tabac)
kif (S. DFAP)

split
en gymnastique, écartement maximum, à partir de la position debout, des jambes tenues droites en faisant glisser les
pieds jusqu'à ce que le tronc touche le sol, « faire le
split » : le **grand écart**

split level
maison à paliers / à ressaut (?), **biplan** (?)

spliter
partager (les dépenses, les profits, l'argent reçu)

sport
chic (adj. inv. — personne, attitude)

spot
cercle (de lumière sur le sol ou un mur, de liquide sur
une table ou un parquet, de couleur sur une feuille ou une
étoffe) ; **mouche** (de table de billard) ; **case** (d'un jeu
de scrabble, d'un échiquier qcq.) ; **place** (où un joueur
de volley-ball doit se tenir) ; **poste** (d'observation d'un
spectacle qcq.) ; **place, poste** (pour faire du racolage) ; **endroit, établissement** (favorable pour rencontrer des personnes de l'autre sexe) ; **emplacement**
(d'un restaurant, d'un kiosque de vente)

spotter
éclairer (qn en projetant sur lui un cercle de lumière à
l'aide d'une lampe de poche) ; **mettre sur la
mouche** (une bille de billard) ; **repérer** (un fugitif, qn
dans une foule, un objet que l'on cherche parmi d'autres) ;
détecter (p. ex. un trou dangereux dans une route) ;
déceler (une faille, une défectuosité dans un objet)

spotlight
projecteur

spray
« Veux-tu du spray sur tes cheveux? » : de la **laque
(invisible)***, du **fixatif*** ; « Ça se vend en spray »,

« un petit spray à parfum / à désodorisant » : **vaporisa-
teur, pulvérisateur, atomiseur** ; « Ça s'applique
sous forme de spray » : d'**aérosol** ; « peinturer au
spray »*** : peindre au **pistolet** : « un spray de peinture » : un **jet**
*S. La publicité publiée dans des revues françaises.
**« Produit permettant de fixer une coiffure », Le Petit
Robert.
***On dit aussi « au fusil ».

spread
(produit à consistance crémeuse (au chocolat, au caramel,
etc.) vendu dans les épiceries et destiné à tartiner du pain)
tartinade
S. OLF.

sprigne [spring]
ressort (de sofa, d'un appareil, d'un jouet, etc.) ;
sommier (d'un lit)

sprigner
rebondir (objet élastique) ; **danser, sauter** (enfant
en colère)

(spring), v. *sprigne*

springboard
tremplin (de piscine, de bains naturels)

squash, f.
• sous-entendant ou suivant le déterminant Hubbard:
potiron vert (de Hubbard)
D'après Quillet à *courge* et le Jardin Botanique de
Montréal.
• précédé ou suivi de bottle-gourd: **gourde-
bouteille, calebasse**
S. le Jardin Botanique de Montréal.
• suivi de *melon*: **pâtisson**, fam.: **bonnet d'élec-
teur / de prêtre, artichaut d'Espagne / de
Jérusalem**
S. Harrap et Quillet à *courge* et *pâtisson*.
• précédé de turban ou suivi de *turban*: **giraumon**
turban.
S. Bibl. ALM 2.

staff
personnel (d'un restaurant, d'un magasin) ; **services fonctionnels, services d'état-major**
(d'une entreprise — par oppos. à line: *services organi-
ques, services d'exploitation* — S. CETTF in OLF MD, 6ᵉ
année, nᵒ 3)

stag
**soirée entre hommes, fête pour hommes,
P.H.S.** (*pour hommes seulement*, S. R.C.)

stage
scène (d'une salle de spectacle, d'un collège, d'un
théâtre, ou en plein air), **planches** (fam.), **plateau**
(terme de la lg. techn. ou s'appliquant à un studio de
cinéma ou de télévision) ; **estrade** (pour un jury, des
vainqueurs, des orateurs, des invités d'honneur, etc.) ;

simple **tribune** (pour un animateur de cours ou d'assemblée, un conférencier, etc.)

***

stail (*ail* comme dans *détail* ; — région de Québec) [stag]
petit garçon ; **apprenti** ; **petit messager**, **commissionnaire**, **chasseur**

***

stainless steel
acier inoxydable, fam.: **inox** (n. m.)

***

stake (Vi)
« rester assis sur son stake »: sur son **gain**, son **acquis** ; p. ext.: sur son **derrière** (alors qu'il faudrait travailler, prendre des mesures qcq.)

***

stall, f.
espèce de **grande cellule**, dans une étable, où on met des animaux en liberté, p. ex. une jument avec son jeune poulain, une truie avec ses petits, des jeunes porcs ou encore des poules — par oppos. aux compartiments où sont placés individuellement et habit. attachés les autres animaux ; (plus rare) **loge**, **place**, **compartiment** (plutôt étroit, assigné à un animal dans une étable ou une porcherie) ; **stalle** (d'un cheval dans une écurie) ; **case** (compartiment d'un wagon-écurie dans un convoi ferroviaire)

***

staller, -é
s'arrêter, **caler** (moteur) ; **tomber en panne** (moteur, véhicule, machine qcq.) ; **s'enliser**, **s'embourber**, **se prendre** (véhicule)* ; - **calé** ; **en panne** ; **enlisé**, **embourbé**, **pris** ; **immobilisé** (voyageurs) ; **en station**, **accroché**, **collé** (« Y sont stallés chez Armand », y faisant un arrêt inopportun ou qui n'en finit plus)

*On dit « s'empanner » dans certaines régions du Québec.

***

stand
station (de taxis, d'autobus) ; **éventaire**, **étalage** (d'un vendeur de journaux, de fleurs, de fruits, etc.), **étal** (de marché public ou de boucherie) ; **présentoir** (à gâteaux, à pendentifs, etc.), **tourniquet** (à cartes postales, à lunettes de soleil, etc. — pivotant) ; **support** (de téléviseur, de bicyclette), **chevalet** (de tableau), **pied** (d'appareil de photo)
A C E F au sens d'emplacement aménagé pour le tir à la cible, réservé à un participant à une exposition ou servant au ravitaillement des coureurs cyclistes, et parf., de tablette de machine de bureau.

***

start, starter
« C'est là que les jeunes viennent faire des starts / starter » (en moto — Saguenay-Lac-Saint-Jean): **démarrer en trombe** ; « Y starte pas » (le moteur): **tourner**, **partir**, **démarrer** ; « starter son char »: **mettre en marche**, **démarrer** sa voiture

***

starter
démarreur
S Bibl. AUT 5

***

station-wagon
familiale
Note: Bibl. AUT 5 donne aussi *commerciale* et *break*. Toutefois, des Français qui connaissent bien les différents genres de véhicule en cause nous ont dit que le véritable équivalent français de station-wagon était *familiale*.

***

steady
« Alle a pas de chum steady »: d'ami **en titre**, **régulier** ; « Y sortent (*ensemble*) steady »: **régulièrement**

***

steak
- **bifteck**, **tranche** (morceau épais et moins tendre destiné à être poêlé ou cuit à chaleur humide — v. la source donnée plus bas) ; « *steak haché* »: **boeuf haché**
  S. Bibl. ALM 8.
- (différentes sortes) **club steak**: **côte d'aloyau** ; **rib steak**: **bifteck de côte**, **(bifteck d')entrecôte** (sans os) ; **sirloin**: **(bifteck de) surlonge** (f.)* ; **spencer**: **(bifteck de) faux-filet** ; **t-bone**: **(bifteck d')aloyau**** ; **tederloin**: **(bifteck de) filet*****
  *Le mot fr. *romsteck* s'applique au morceau légèrement apparenté résultant de la coupe française. (S. OLF)
  **On ajoutera la précision (*gros filet*) pour désigner le porterhouse.
  ***Terme de boucherie, à employer dans le commerce des viandes. L'expression « filet mignon » est le terme de cuisine (menus et livres de recettes), désignant la tranche épaisse prélevée dans le milieu du filet et accommodée d'une certaine façon.
  S. Bibl. ALM 8. — Cette source confirme les équivalences Boston steak — *bifteck Boston* et round steak — *bifteck de ronde* qui ont cours.
- « steak de jambon »: jambon **frit** ; « steak de saumon / d'esturgeon » (ou d'un autre gros poisson): **darne** de saumon, etc.
  Note: Le mot *steak* s'emploie en France (sous la pron. *stèk*), concurremment avec *bifteck*, mais à l'égard de la viande de boeuf seulement. — D'autre part, le mot *escalope* désigne une tranche mince (d'une viande ou d'un poisson — ex.: *escalope de gibier / de thon*), apprêtée d'une manière particulière ; il peut aussi sous-entendre, selon un usage courant, le déterminant « de veau » (ex.: *escalope sautée / panée / à la parisienne*).

***

steak house
grilladerie
S. Bibl. ALM 8

***

(steam), v. *stime*

***

steel band
orchestre de fer / de bidons
S. R. C.

***

(steer), v. *st,ire*

steering (a. *stérigne* et *stirigne*)
(auto.)
volant

step
« Y est entré / Y s'est levé rien que d'un step »: d'un **saut**, « Y s'est rendu là rien que d'un step »: d'un **bond** ; « Y a fait un step haut comme ça » (sous l'effet de la surprise): un **saut** ; « la façon de faire les steps » (de la gigue): les **pas**

stepper
sauter (sous l'effet de la surprise) ; **trépigner** (de joie, de colère) ; **giguer** (Vx), **danser une gigue**

steppage
sautillage ; **trépignement** ; **gigue**

steppette, f.
petite gigue

(step-ins), v. *stépines*

stépines, f. (Vx) [step-ins]
petite culotte (de femme)

stet
(inscription au-dessus d'un mot qu'on avait biffé, dans un texte à dactylographier ou à imprimer)
bon, à maintenir

stew
ragoût (de veau, de mouton, etc.)

sticker (souv. pr. *st,ik,é*)
rester, fig.: **s'incruster** (quelque part), **ne plus déloger de** (là, chez un tel)

sticker
(étiquette qui colle sans être humectée)
autocollant

stiff
à cheval sur les règlements / sur ses principes, raide (Vi), **rigide**.

st,ime, f. [steam]
vapeur ; « à full (v.) stime »: à toute **vitesse / vapeur** / (fam.:) **pompe** ; « pelle à stime » (Vi): **grue à vapeur** (S. Bibl. CST 2 et Robert)

st,imé
« hot dogs stimés »: **(à la) vapeur**

st,ire [steer]
bœuf (par oppos. au taureau non châtré — v. Quillet)

stock
• « du bon / beau stock »: de la bonne / belle **marchandise** ; « en stock »: en **magasin**, en **réserve**

• « As-tu du stock? »: de la **drogue**, de la **came / charge / défonce** (arg., S. DFAP)
A C E F au sens d'approvisionnement, de provisions, de quantité de marchandises en réserve (*stocks d'un magasin, constituer un stock, les stocks de sécurité prévus par l'administration*), de matières ou produits industreils détenus (*la rotation des stocks dans une usine*), ou de choses qcq, qu'on a en réserve ou qu'on possède (*un petit stock de cigarettes pour la durée du voyage, j'ai tout un stock de crayons chez moi*).

stocké
(Vx) **bien / richement pourvu de vêtements** ;
(Vi) **endimanché**
A C E F (ainsi que l'infinitif) au sens d'entreposé, d'emmagasiné ou de laissé / déposé (en grande quantité quelque part, p. ex. engins de guerre dans un pays d'une alliance).

stock car
voiture de série
S. Bibl. AUT 6.

stommebôte (Vx) [stone-boat]
traîneau à pierres (à fond plat en bois lisse, pouvant glisser sur le sol l'été)

stone
drogué, camé / accroché / ensuqué / envapé / chargé (S. DFAP)
A C E F. — Le véritable mot anglais est stoned, p.p. de to stone (soûler, droguer) probablement inspiré des expr. stone-cold / -dead / -deaf (froid comme le marbre, raide mort, sourd comme un pot).

stoner
avoir un effet (de la drogue qu'on a prise), **en venir à planer**

(stone-boat), v. *stommebôte*

stool
rapporteur, délateur, fam.: **mouchard**

stooler
dénoncer (un mari infidèle, un contrevenant à une règle)

stoppers
blocs (de ciment fermant un chemin aux automobiles)

storage [pron. francisée de **storage**]
magasinage, entreposage ; « en storage »: en **entrepôt / entreposage**

straight, adj.
juste, loyal, honnête, droit, franc (en affaires) ; **orthodoxe** (dans sa conduite, ses convictions morales) ; **strict** (quant à l'observation ou l'application des règlements) ; **hétérosexuel**, fam.: **hétéro**

straight, adv.

- « Y a mouillé trois jours straight »: il a plu trois jours **de suite / sans arrêt / sans interruption, sans débander** (vulg.) ; « Je les prends straight » (mes trois semaines de congé annuel): **à la suite, ensemble**
- « A'est (r)entrée straight » (la pièce, la cheville): **tout droit**
- « Y prend ça straight » (cet alcool): **sans eau, sec** ; « Y prend un coup straight »: il boit **ferme, intensément**, fam.: **sec**

straight, n. f.

à certains jeux, série de trois cartes ou plus dont les valeurs se suivent, de même couleur: **séquence** (terme général), **tierce / quatrième / quinte** (noms précis, suivant le nombre de cartes qui compose la séquence) ; au poker, série de cinq cartes dont les valeurs se suivent, de couleur quelconque: **séquence** ou **quinte**

straight-flush, f.

au poker, série de cinq cartes dont les valeurs se suivent, de même couleur: **quinte floche**

Note: On écrit a. *quinte flush* en France. — Les noms des autres jeux, au poker, sont les suivants: *paire* (deux cartes de même valeur), *deux paires* ou *double paire*, *brelan* (**three of a kind** — v. **trois pareilles** —: trois cartes de même valeur), *floche / flush* (m.) ou *couleur* (v. **flush**, n. f.: cinq cartes de même couleur dont les valeurs ne se suivent pas), *plein* ou *main pleine* (v. **full**, n.f. — ACEF au m.—: un brelan et une paire), *poker* (« o » et « er » pr. comme dans fr. « note » et « fer », rare) ou *carré* (**four of a kind** — v. **quatre pareilles** —: quatre cartes de même valeur) et *floche / flush royal* (**royal flush**: as, roi, dame, valet et 10 de la même couleur).

S. G.L.E. ; Quillet ; *Dictionnaire Encyclopédique Universel*, Paris, Librairie Aristide Quillet, Montréal, Grolier Limitée, 10 vol., 1965 ; *Encyclopedia Americana*, New York, Americana Corporation, 20 vol., 1973.

strap, f.

courroie (de transmission / d'entraînement) (d'un humidificateur d'appartement, d'une scie à table, de ventilateur dans une auto, d'une machine qcq.) ; **courroie** (qu'on passe sur l'épaule pour porter qch., qui retient un ouvrier à un point d'attache en poste de travail élevé, qui sert au reculement dans le harnais d'un cheval) ; (rare) **sangle, sous-ventrière** (d'un cheval de selle ou d'attelage) ; **étrivière** (par laquelle l'étrier est suspendu à la selle) ; **sangle** (servant à soulever ou transporter un fardeau, nouant les éléments d'un paquet) ; **lanière** (de retenue ou de suspension d'un objet) ; **bandoulière** (pour munitions de chasse), **bretelle** (d'un fusil) ; (Vx) **cuir (à rasoir)** ; (Vx) **martinet** ou simple **sangle** pour corriger les enfants indociles

strapper

attacher avec une courroie (un ouvrier, des éléments qcq. assemblés) ; (rare) **sangler** (un cheval) ; **sangler** (un paquet, une valise) ; (Vx) **repasser** (sur le cuir), **affiler, donner le fil à** (un rasoir) ; (Vx) **sangler** (un enfant qu'on veut corriger)

stra·qu₁é [de to **strike**, charmer, taper dans l'œil de]
« straqué sur » (une personne): **amouraché / entiché / toqué** de

stretch, f.
bout, portion, section (d'une route)

stretché
« des bas stretchés »: des chaussettes **extensibles** ; « des pantalons stretchés » (pour le ski): un / des pantalons **fuseaux**, un **fuseau** *ou* des **fuseaux** (S. Petit Robert)

strike, f.
(base-ball)
prise
S. Bibl. SP BSB 1.

striké, v. *stra·qu₁é*

stucco [pron. francisée de **stucco**]
substance composée de chaux éteinte, de colle forte, de poudre de marbre, de plâtre et de craie, utilisée surtout comme parement extérieur de maison: **stuc*** ; enduit utilisé comme revêtement en construction, composé de sable, de ciment et de chaux: **crépi****
*S. Bibl. CST 4 et G.L.E.
**S. R.C., qui accepte aussi, pour désigner la matière en cause ici, l'emprunt *stucco*.

stuck-up
« Y est trop stuck-up pour parler au monde »: **prétentieux, hautain** ; « Fais pas ta stuck-up »: ta **poseuse**, ta **mijaurée**

stuck₁é (suffixation de stuck, p.p. de to stick)
buté (dans une attitude, à une idée, à un choix) ; **embourbé** (dans des ornières)*, **en panne**
*On dit « empanné » dans certaines régions du Québec.

studs (Vi)
boutons de manchette

stuff
« du bon stuff »: de la bonne **étoffe** ; « un stuff que le docteur a mis sur sa plaie »: une **substance**, « un stuff contre les puces »: un **produit** ; « un stuff à saupoudrer su(r l)es plants »: un **insecticide**

stuffer
arroser / saupoudrer d'insecticide (des fraisiers, des pieds de concombre)

styrofoam [pron. francisée de **styrofoam** (« y » pr. comme dans « by-pass »)]
mousse de polystyrène (terme générique)*, **styromousse** (terme commercial)**
*S. R.C. d'après CETTF. Autre S., Bibl DIV 6 et 11.
**S. R.C.

subpoena (« oe » pr. *é*) [subpoena (« oe » pr. *i*)]
  citation (à témoin), citation (à comparaître)
  S. R.C.

_____

sucker
  flagorneur (envers les autorités), **lécheur** (S. DFC et DFV), **léchard** (pop. ou arg., S. DFAP), **lèche-bottes** (S. DFV et DFAP), **lèche-cul** (vulg., S. DFAP et Robert) ; **mouchard**
    Note: Sens dévié; sucker, en anglais (amér.), veut dire: blanc-bec, niais, poire, dupe, dindon de la farce, ou parasite, écornifleur. V. *soqueur*.

sugar-daddy
  (rare) **papa-gâteau** (père qui gâte ses enfants) ; **vieux protecteur, vieil entreteneur** (d'une jeune fille, d'un jeune garçon), « Alle a un sugar-daddy »: elle a un **vieux**

suit (de snow suit)
  tenue de sport d'hiver, pour skieur, motoneigiste, etc., d'une seule pièce: **combinaison** (S. Bibl. HAB2), d'une ou de deux pièces: **costume de neige** (S. R.C.) ; ensemble d'hiver, d'une ou de deux pièces, porté par les jeunes enfants pour jouer dans la neige: **esquimau** (S. Bibl. HAB 2)

_____

suitcase
  mallette

_____

sun-deck
  terrasse (d'un immeuble d'habitation)

_____

sun-tan
  hâle, bronzage

_____

sundae
  coupe glacée
    S. OLF.

_____

sunday driver
  promeneur, musard (qui conduit lentement, en examinant le paysage) ; **chauffeur du dimanche** (sans expérience, qui conduit mal)

_____

surf
  planche à voile
    A C E F.

_____

(**swamp**), v. *souompe*

_____

sweat shirt / suit
  pull d'entraînement / survêtement
    S. Bibl. HAB 2.

_____

sweater / sweateur (Vi)
  lainage, tricot (termes généraux) ; **chandail** (épais et à manches longues) ; (parf.) **veste de laine** (s'ouvrant sur le devant comme une veste de costume ou de complet) ; **pull** (pr. sur le modèle du mot fr. *bulle* ; tricot de laine ou de coton qu'on enfile en le faisant passer par-dessus la tête)

_____

swell
  chic (dans sa mise)

_____

swing, v. *souigne*

_____

switch, f.
  commutateur (pour modifier un circuit électrique ou les connexions entre circuits) ; **interrupteur, bouton** (pour allumer ou éteindre un appareil d'éclairage ou pour met une machine en marche ou l'arrêter de fonctionner) ; **interrupteur d'allumage***, fam.: **contact** (actionné par la clé de contact et permettant de mettre en marche ou d'arrêter de fonctionner le moteur d'une automobile)
    *S. Bibl. AUT 5.

_____

switcher
  « switcher le courant »: le **commuter** ; « switcher sur un autre sujet (de conversation) / sur un autre prétendant », etc.: **passer à** ; « switcher de partenaire »: **changer de** ; « on va switcher »: **changer de place** (l'un avec l'autre dans une balançoire, sur une banquette, etc.)

_____

switchboard
  (dans une administration ou une entreprise, dispositif permettant de brancher les postes téléphoniques intérieurs sur le réseau urbain ou de les mettre en communication entre eux)
  standard

_____

t-bar
  téléski à archet (remonte-pente où « la traction s'opère au moyen d'un archet en forme de « T » qui reste relié de manière permanente au câble tracteur. L'archet assure le transport de deux skieurs poussés de part et d'autre par la barre du T », Bibl. SP SKI 3), **archet** (?), **tire-fesses** (S. Bibl. SP SKI 1 — pop. ; générique pouvant s'appliquer aussi à **poma**, v.)
    Note: Certaines stations de ski du Québec appellent cette remontée « arbalète(s) », à cause de la ressemblance de son archet de traction avec l'arme de ce nom, ou d'après l'expression *cheval en arbalète* (« cheval attelé seul devant les deux chevaux de timon d'une voiture », Quillet) ou *remorquage en arbalète* (« se dit du remorquage lorsque le remorqueur tire le remorqué derrière lui au moyen d'une amarre (remorque) », ibid.).

_____

t-bone, v. steak

_____

ta-ta! (deux *a* antérieurs en québ., *a* final postérieur ouvert en anglais)
  (terme de salutation qu'on apprend aux enfants)
  au revoir!, tantôt! (de *à tantôt*)

_____

tack, f.
  broquette (pour fixer des tapis, des carpettes) ; **punaise** (pour affiches, dessins, plans, etc.) ; **agrafe** (pour feuilles de papier, appliquée au moyen d'une agrafeuse, — habit. staple en anglais) ; **point** (fait à un vêtement pour le réparer sommairement ou temporairement, « j'vas faire une tack à ta blouse »: *je vais faire un point à*)

tacker, -age, -eur
  clouer (un tapis) ; **fixer**, fam.: **punaiser** (une affiche, etc.) ; **joindre**, **attacher** ou **agrafer** (des feuilles — on dit souv. « brocher » au Québec) ; **pointer** (un vêtement pour le réparer temporairement — à l'aide d'un ou de quelques points d'aiguille — ou une étoffe pour en maintenir les plis en place, ou encore une couture que l'on veut assujettir en vue de son exécution à la machine), **empointer** (des plis à coudre) ; (parf.) **épingler** (les deux parties d'un vêtement déchiré ou décousu) ; (rare) **faufiler** (une manche, un ourlet, une couture), **bâtir** (une doublure qu'on posera de façon permanente, un vêtement dont on assemble provisoirement les pièces à grands points, p. ex. pour l'essayage), **baguer** (deux épaisseurs de tissu qu'on assemble à grands points invisibles sur l'endroit) ; **pointer** (deux pièces de métal, = **tack weld**), **-age**, **-eur***
    *S. Bibl. TCH 15.

tag
  cocarde (qu'on vend à l'occasion d'une collecte au profit d'une oeuvre et qui atteste le don du porteur) ; **insigne d'identité** (d'un congressiste — S. R.C. à name tag), **barrette** (S. *Entreprise*, 13 avril 1970, signalé par R.C.)

tag day
  jour de collecte, **jour de la cocarde**

tag
  étiquette (mobile), **fiche** (qu'on attache à une malle enregistrée ou à une marchandise vendue, ou qui est attachée à une veste en vente et porte p. ex. la mention d'un prix réduit)

taguer
  étiqueter (une marchandise)

tag, f., v. *taille*, f.

taïeur (Vi) [v. *tire*]

*taille**, f. (*a* antérieur comme dans « rail ») [**tag**]
  « jouer à la taille »: au **chat**, « à la taille barrée / croisée »: au / à **chat coupé**, « à la taille malade »: **chat blessé** ; « Taille! » (mot qu'on crie en touchant celui qu'on poursuit): **Chat!** ; « C'est toi qui a la taille »: qui **es chat**
    *Cette forme a dû passer par la phase *tag$_i$*, dont le *g* serait tombé ensuite.

taille [tie]
  traverse (de voie ferrée — a. **dormant** (v.) en ce sens) ; **entretoise** (maintenant l'écartement entre deux pièces parallèles, en construction)

taille, adj. et adv. (limité à certaines régions) [**tie**, n. (match à égalité: « It's a tie! »)]
  « On est tailles », « On a fini taille »: **égaux**, **à égalité**

  détailler (a cours dans toutes les régions, semble assimilé au vb fr. homonyme) [to play off **the tie**]

(jouer la partie qui doit départager les deux joueurs ou les deux équipes à égalité)
  jouer la belle
    Note: On dit *barrage* (v. Quillet) pour désigner l'épreuve supplémentaire à laquelle participent les concurrents qui n'ont pu se départager, en vue de leur classement définitif.

tailledé (Vx) [**tag day** pris au sens de **tag**, v., 1re entrée, 1er sens]

tan, v. **sun-tan**

(**tank**), v. *tinque*

tape
  • ruban de coton imprégné d'un mélange isolant composé principalement de goudron, de gutta-percha et de résine, employé pour protéger des fils conducteurs ou pour recouvrir différentes choses, telles certaines parties d'une crosse de hockey: **chatterton*** (« ch », « er » et « on » pr. resp. comme dans fr. *chat*, *fer* et *bon*) ; ruban aux mêmes usages mais en matière plastique: **ruban isolant****

    *S. G.L.E. et Quillet.
    **D'après G.L.E. à *chatterton* et à *ruban micacé* et Robert à *ruban*.

  • ruban à mesurer fait en une matière flexible et qui s'enroule dans une gaine ou un boîtier: **mesure (roulante / de poche)**, **mètre** (si le ruban est de la longueur d'un mètre ou un peu plus long — on dit *double mètre*, *triple mètre*, *décamètre* selon le multiple dont il s'agit)
    S. Bibl. DIV 15.

taper
  guiper (un conducteur — S. Robert et G.L.E.) ; **(en)ruban(n)er** (une crosse — inspiré de *enrubanner une canne à pêche*, v. G.L.E.)

task force
  groupe de travail / d'étude

tausse, f. [**toast**]
  toast (m.), **rôtie** (f.)*
    *Les définitions des dictionnaires ne permettent pas de distinguer ce terme du premier, malgré ce qu'en ont dit certains puristes. En particulier, le G.L.E. définit *rôtie* ainsi : « Tranche de pain grillé, que l'on sert avec le café au lait, le thé, le lait, le chocolat. »

(**tea-board**), v. *tébord*

(**tea-pot**), v. *tépot*

teach-in (Vi)
  conférence « sur le tas » (par métaphore), **assemblée d'information** (à l'occasion d'un mouvement de protestation, d'une manifestation)

(**team**), v. *t$_s$ime*

*tébord** (Vx) [tea-board]
plateau
*On dit maintenant surtout « cabaret » en ce sens.

---

teen-agers (Vi)
adolescents, moins-de-vingt-ans, jeunes
A C E F.

---

tenderloin, v. steak

---

tépot (Vi — pr. *tépo, tepo* ou *tépot'*) [tea-pot]
théière

Thanks, Thank you
Merci

---

three-decker sandwich
sandwich trois tranches
S. OLF.

---

thrill
« Ça donne un thrill » (p. ex. de faire telle ou telle manoeuvre dangereuse en motoneige ou en moto-cross, de passer sur une surface raboteuse en skis): un **frisson** ; « On fait ça pour le thrill de frôler le danger »: le **plaisir** ; « Ça donne un thrill spécial » (p. ex. de prendre une posture particulière dans une glissade sur la neige): une **sensation** spéciale

---

thrillé
« tout thrillé à l'idée de rencontrer une vedette »: **excité**

(ticket), v. *t*jiquette*

(tie), v. *taille*, 2ᵉ et 3ᵉ entrée

---

*t*jime*, habit. f. (surt. R. P.) [team]
paire (de chevaux)

Time!
(interj. pour interrompre le jeu dans les cours de récréation)
Pause!

---

timer
• général. — **chronométrer** (une course ou quelque compétition sportive, une action, une opération qcq., par métonymie: l'exécutant d'une action) ; **minuter** (un spectacle, une cérémonie, un travail, un emploi du temps — l'organiser selon un horaire précis) ; **synchroniser** (des phénomènes, des actions qcq. — les faire se produire ou s'accomplir simultanément) ; **faire coïncider** (des événements)
• auto. — **régler / caler l'allumage de / dans** (un moteur) ; **régler, ajuster, caler** (l'allumage — régler le point d'allumage avec l'avance initiale prescrite) ; **caler** (la magnéto, le distributeur d'allumage)
D'après Bibl. AUT 5 et Quillet.

---

timing
• général. — **chronométrage** ; **minutage** ; **synchronisation** ; **synchronisme** (de différents phénomènes, mouvements, gestes ou actions — leur réalisation ou leur exécution de façon simultanée),

concordance temporelle, coïncidence (de deux faits) ; **émission au bon moment, opportunité, à-propos** (d'une remarque — « J'ai admiré le timing! ») ; le **moment propice**, le **bon moment** (pour lancer un livre — « En octobre, c'est un bon timing pour lancer ça ») ; **rythme** (d'un spectacle, d'une émission — agencement et proportion de ses éléments, son déroulement de manière à obtenir un maximum d'effet — S. R.C.)
• auto. — **calage** (de l'allumage) ; **calage / réglage de distribution** (positionnement de l'arbre à cames) ; **distribution** (du fluide moteur, par courroie crantée, par pignons, etc.)
S. Bibl. AUT 5.

---

tinque, f. [tank]
réservoir (à / d'eau chaude, à / de mazout, d'huile, d'une station-service), « tinque à gaz » (d'une auto): **réservoir** d'essence, « tinque à eau » (d'une municipalité): **château** d'eau

---

tinquer
faire le plein (d'essence)

---

tip (habit. pr. avec un t affriqué: tₛ)
pourboire, arg.: **violette** (S. DFAP) ; **service** compris

---

tiper
donner un pourboire à, fam.: **donner la pièce à**

---

*t*jiquette* [ticket]
contravention (placée sur un pare-brise), **papillon** (fam.), **biscuit** (pop. ou arg., S. DFAP), **procès-verbal (de contravention), P.-V.** (fam.)

---

tire
pneu

---

toast, f., v. *tausse*

---

toaster, -é
faire griller (des tranches de pain à sandwich), **(avec) pain grillé** (sandwich)

---

toaster, toasteur*
grille-pain
*A C E F, donné comme rare par Le Petit Robert.

---

togne, f. [tongue]
timon, flèche (d'une charrette, d'une machine agricole)

(token), v. *tokène*

---

tokène, f. [token]
(Vi) **jeton** ; « pas une tokène »: pas un **sou / radis / rond / rotin**, arg.: pas un **kopeck**

(tongue), v. *togne*

---

top

toit (d'une automobile), **capote** (mobile, d'une décapotable) ; **dessus** (d'une caisse, d'une boîte d'emballage) ; **bout**, **mégot** (de cigarette — région de Québec ; v. a. *botche*) ; **maximum** (« Quand on a fait 50$ avec ça (*cette marchandise*), c'est le top ») ; **comble, bouquet** (« Ah ben! ça c'est l'top! »)

Top Priority

mention sur documents transmis, dans une entreprise, et signifiant au service ou à l'employé destinataire de s'en occuper avant tous autres: **Absolue priorité**

Top Secret

mention sur un document ou un dossier qu'un fonctionnaire ou un cadre d'une entreprise transmet à un autre: **Ultra-secret**, « C'est top secret »: C'est **strictement confidentiel**

---

topper, -é

étêter (un arbre en bordure d'une rue — lui couper la tête pour qu'il n'endommage pas les fils téléphoniques), **écimer** (un arbre d'un parc — lui enlever la partie supérieure pour favoriser la croissance des branches inférieures), - **découronné**, **décapité** (par le verglas, par la tempête — arbre, arbrisseau)

---

tough (pr. *tof*)

- planche, bois, matière qcq: **dur** (à scier, à fendre, à couper), **rebelle**
- tâche, effort: **pénible**, travail: **dur, difficile, malaisé** ; posture, exercice de gymnastique, épreuve sportive: **dur** ; problème de mathématiques: **difficile, dur**, fam.: **coton, trapu** ; punition: **sévère, salée** ; action à poser, malheur à supporter: **difficile, pénible** ; hiver: **rigoureux, dur**
- travailleur: **résistant, dur** (à la peine / à la tâche) ; sportif: **endurant** ; pers. quant à la douleur physique, aux traitements à subir sur son corps: **dur (au mal)** ; homme en affaires: **tenace, dur, coriace** ; enfant: **difficile (à élever), dur** ; élève: **dur (à cuire), coriace**, « Lui (*ce petit*), ça va être un gros tough »: **dur, effronté**, « un jeune tough »: **frondeur** ; blouson noir, malandrin: **hardi, qui n'a pas froid aux yeux**
- blague, histoire: **osée, corsée, poivrée, épicée**, mots: **crus, salés**

---

tougher (« toffer »)

« J'pourrai pas toffer ce bruit / ce train / ce grincheux / ce p'tit démon-là »: **endurer** ; « Y a toffé une semaine à pas fumer »: **persister**, « Y a toffé jusqu'à temps de rencontrer de l'aide »: **persévérer** ; « Y toffera pas longtemps » (dans sa résolution, son effort): **tenir**, « Y a toffé » (en face d'une difficulté): **tenir bon**, « toffer la run » (fournir jusqu'au bout l'effort exigé): **tenir le coup** ; « J'sais pas si j'vas toffer » (rester éveillé jusqu'à la fin de la soirée): **tenir (debout)** ; « J'espère qu'y va toffer plus longtemps que l'autre » (a.s.d. un lien, une pièce de secours): **durer, tenir**, « J'espère qu'y va toffer plus longtemps que Jean-Paul Ier »: **vivre, durer** ; « J'pense que j'tofferai pas la semaine » (à un endroit, dans un emploi): **faire** la semaine ; « J'les ai toffés » (dans une activité qcq.): je **les ai suivis jusqu'au bout**, j'**ai tenu jusqu'à la fin**

---

toune, f. [tune]

« Joue-nous une petite toune », « Y a composé des nouvelles tounes », « C'est toujours la même toune qui joue »: un petit / de nouveaux / le même **air**(s) ; « J'aime la toune qui vient avant le couplet »: la **ritournelle** ; « Une vieille toune usée / ennuyante »: une vieille **mélodie** usée / ennuyeuse ; « Les tounes qu'on entendait en 1930 »: les **ritournelles**, « Les tounes qu'on entend dans le Vieux-Montréal / qui reviennent à la mode »: les **chansons**, « Des tounes du bon vieux temps »: des **refrains**, « J'commence à être tanné de c'te toune-là, y jouent rien que ça à tous les postes » (à toutes les stations de radio): cette **rengaine**, cette **scie** ; « C'est toujours la même toune, avec lui » (propos rebattus): la même **rengaine**, la même **scie**, la même **ritournelle**, la même **chanson**, le même **refrain**, « Change de toune »: de **refrain**, de **disque**

---

towing

« faire venir le towing »: la **dépanneuse**

---

toxédo [d'après la graphie, plutôt que la pron., de **tuxedo** (sans quoi on aurait *toxido*)]

smoking, costume / veston de cérémonie

---

tracel [trestle]

(surt. Lac Saint-Jean)

viaduc (à chevalets de bois)

---

track, f. (pr. comme le fr. « traque »)

« passer su'es tracks / s'une track »: les / un **rail**(s), « traverser la track »: la **voie ferrée** ; « arriver s'a track »: la **piste (de course)** ; « la track du truck (v.) à fumier »: le **rail** ; « Tu perds la track »: la **raison**, la **boule** (fam.), « être à côté de la track »: **être dans l'erreur, dérailler, divaguer, déraisonner, déménager** (fam.)

---

trail, f.

sentier, piste (en forêt) ; **piste** (de ski de fond, de motoneige) ; **trace** (des roues d'une voiture, des patins d'un traîneau)

---

trailer, traileur (Vi)

remorque (de transport de marchandises, de matériel) ; **caravane, remorque** (de camping, de plaisance)*
Roulotte est vieilli en ce sens ; ce mot ne désigne plus guère aujourd'hui qu'une remorque aménagée en maison où vivent des nomades (forains, bohémiens).

(tramp), v. *trimpe*

---

tray

plateau (pour verres, pour hors-d'oeuvre) ; **plateau / moule*** (à glaçons d'un réfrigérateur — « tray à glace ») *S. Bibl. DIV 20.

(trestle), v. *tracel*

---

trimpe [tramp]

    (Vx) **vagabond, chemineau** ; **malandrin** (Vi ou litt., vagabond dangereux), **(petit) bandit**

trimper

    (Vx) **vagabonder** ; **faire des mauvais coups, faire le (petit) bandit**

trip

    état hallucinatoire dû à l'absorption d'une drogue, « faire / commencer un trip »: un **voyage**
        S. Petit Robert et DFAP.
        A C E F.

triper

    « triper au L.S.D. »: **faire un voyage, voyager** (S. Petit Robert — A C E F) ; « triper sur les disques des Bee-Gees / sur le fromage au piment »: **se délecter de, faire ses délices de**, « triper sur les mathématiques »: **se passionner pour**, « triper sur la secrétaire / sur Jeannine », etc.: **en pincer pour**

tripant

    à « voyages », **enivrante** (musique), **jouissif** (spectacle, oeuvre musicale, mets, etc.), **passionnante** (activité), **excitante** (personne)

bad trip

    voyage noir

troll, f.

    cuiller (à pêche)

troller

    pêcher à la cuiller

truck

    camion (routier) ; **chariot** (de déménageur), **camion** (chariot bas, à quatre roues de petit diamètre, pour le transport de marchandises pesantes), **fardier** (à deux ou quatre roues, pour fardeaux très lourds, pour matériaux pesants) ; sorte de **benne** (en forme de bac allongé à dessous convexe, suspendue à un rail et servant à sortir le fumier d'une étable — Vx, cet appareil cède la place à un convoyeur installé à demeure sur le plancher derrière les bêtes)
        A C E F, sous la pron. et souv. la graphie *truc*, aux sens de chariot à plate-forme pour marchandises et de wagon à plate-forme servant à transporter des véhicules.

truckeur

    camionneur, routier (conducteur de poids lourds effectuant de longs trajets)

truster

    faire confiance à

trustable

    digne de confiance, fiable

tub, f.

    cuve (pour l'abreuvement du bétail au champ)
        Note: Le mot « cuvette » est aussi beaucoup répandu au Québec.

tubeless

    (pneu) **sans chambre, increvable**

(tune), v. *toune*

tune-up

    mise au point (du moteur d'un véhicule — S. Bibl. AUT 5)

turn-up (le 1ᵉʳ « u » parf. pr. *e* ou *a*, Vx)

    revers (de pantalon)

turtleneck

    col roulé (Désigne aussi bien tout le vêtement que son col — S. Bibl. HAB 2)

(tuxedo), v. *toxédo*

twist, f. (souv. pr. sans *t* final)

    « T'as pas la twist » (pour faire qch.): la **façon (de s'y prendre)** ; « avoir / attraper la twist » (pour exécuter qch. de délicat ou de professionnel): le **coup**, le **truc**, le **tour de main** ; « avoir plus qu'une twist dans son sac »: plus d'un **tour**

twister

    tordre, tortiller (ensemble les brins du bout d'un câble, les fils d'un conducteur, les deux bouts d'une attache) ; **tortiller** (un ruban) ; **torsader** (une frange) ; **tresser, cordonner** (du fil, de la soie) ; **natter** (des crins) ; **câbler** (des fils métalliques, des torons) ; **commettre** (un cordage)

type (abrév. de **typewriter**)

    machine à écrire

typer

    dactylographier, fam.: **taper**

typist, f.

    dactylo

u-turn

    demi-tour (de la part d'un automobiliste), **demi-volte** (S. Bq des m. nᵒ 3)

ultra vires [pron. latino-francisée de **ultra vires**]

    au delà des pouvoirs dévolus, antistatutaire*
        *V. **constitution**.

underpass

    (« Ouvrage, y compris ses accès, qui permet à une route, en abaissant son profil, de passer sous une autre route ou sous un obstacle »*.
    passage inférieur*
        *S. OLF, Gazette officielle du Québec, 9 février 1980, 112ᵉ année, nᵒ 6, p. 1964.

Note: On dira *passage souterrain* s'il s'agit d'un tunnel (v. Petit Robert et Bibl. AUT 1)

---

vacancy, No
(affiche de motel, d'hôtel)
Complet
Note: Quant à l'affiche **Vacancy**, elle n'a pas d'équivalent français attesté, tout simplement parce qu'elle est inutile.

---

valance, f. [pron. francisée de **valance**]
(bande horizontale faisant partie de rideaux de cuisine (entre autres) et qui se place perpendiculairement aux deux pans latéraux, dans le haut de la fenêtre)
bandeau (terme générique), **lambrequin** (à festons, à franges, à houppes, etc.)
D'après Bibl. AMB 1.

---

veneer (pr. comme vb fr. « venir » ; région de Québec et du Saguenay)
(bois / feuille de) placage ; **contreplaqué** ; **revêtement** (de bois mince)
D'après Bibl. CST 4 et TCH 1 et 6.

---

versus [pron. francisée de **versus**]
dans les actions en justice: « Joseph Lefort versus Jules Lebel »: **contre** ; abrév. dans la langue écrite, « J... L... vs J... L... »: **c.**

(waggon), v. *ouaguine*

---

waiter, waiteur
garçon, **serveur** (de table), « Waiter! »: **Garçon!**

---

waitress, waitrice
fille de salle (restaurant), **serveuse** (restaurant ou café), « Waitress! »: **Mademoiselle!**

---

walkie-talkie
mobilophone* (fam.: **mobilo**), **émetteur-récepteur portatif****, **interphone portatif*****
*L'usage de ce mot en France se limite aujourd'hui aux appareils installés dans les véhicules, V. Meta, vol. 22, n° 4, p. 270.
**V. id.
***Utilisable par ext. de sens du mot *interphone*. V. id.

---

warm-ups
(pantalon chaud, habit. en nylon doublé de fibre de polyester, que l'on porte en principe par-dessus un pantalon de ski pour se protéger contre un froid intense)
surpantalon
S. Bibl. HAB 2 à warm-up pants.

---

wash-and-wear
(vêtement) **infroissable**, **sans repassage** (S. OLF)

---

washer, washeur
rondelle (en caoutchouc et se plaçant dans le manchon d'un tuyau d'arrosage, en métal et se plaçant entre l'écrou d'un boulon et la surface qu'il serre)

---

wasp (Vi)
abrév. de White Anglo-Saxon Protestant, appellation voulant marquer le caractère xénophobe prêté au groupe anglo-saxon québécois de religion protestante auquel elle s'applique, parfois étendue aux Anglo-Québécois de toute confession (espèces de « *pieds-blancs* » du Québec)
V. a. **wop**.

(waste), v. *ouise*

---

watcher
surveiller (une personne au travail, un adversaire au jeu ou une personne dont on veut prévenir un geste, un rival audacieux ou une amie frivole, un prisonnier de la part d'un gardien, une proie de la part d'un animal, des enfants qui courent des risques, une personne qui doit suivre un régime alimentaire, son langage, ses mouvements, etc.) ; **guetter, avoir à l'oeil**, fig.: **avoir / prendre dans son collimateur** (une personne dont on veut se venger) ; **observer, épier** (un couple d'amoureux, une scène qcq.) ; « se watcher »: **faire attention, prendre garde, se surveiller, être sur ses gardes**

---

watch out
Gare!, Prends / Prenez garde!, Attention! ; « Si tu fais ça, watch out, y peut te le faire payer »: **gare à toi**

---

waterproof
étanche (montre) ; **imperméable** (matière qcq.) ; **hydrofugé** (mur)

---

weight-watchers
obèses anonymes, club des obèses
S. R.C.

---

wet dream
pollution nocturne

---

whip
(parlementarisme)
chef / secrétaire de groupe
S. Bibl. DIV 18.

(whistle), v. *ouisse*

---

wild
« une fête / une soirée wild »: **délirante**

---

winch
treuil (à moteur, équipant une grue ou un autre appareil de levage, ou une jeep pour lui permettre de se tirer hors d'un bourbier par la fixation de l'extrémité libre du câble à un arbre)

---

windbreaker, v. **coupe-vent** et **coat** 3e sens

---

windshield
(auto.)
pare-brise

wiper
(auto.)
essuie-glace

(wire), v. *ouair*

---

wise
habile, malin, futé

wishful thinking
« C'est / Faire du wishful thinking »: c'est / **prendre ses désirs pour des réalités**

---

wop, pl. **wops** (déformation phonétique et sémantique de wasp, abrév. de **White Anglo-Saxon Protestant**)
Italien (fam., au sens d'Italo-Canadien)

Wow!
(interj. de surprise, d'ébahissement)
Ouâ ouâ!

---

wrench (le « w » non pr. en angl. et en québ.)
« wrench (à tuyau) »: **clé anglaise** ; (usité surt. dans l'industrie) **clé (à écrous)**

(wrench, to), v. *dérennecher*

(yeast), v. *iste*

---

zip*, zipper, xippeur
(fermeture à) glissière (S. Bibl. HAB. 2)
*Figure au Petit Robert, avec la mention *anglicisme*. — Cet ouvrage donne aussi *fermeture éclair*, en signalant qu'il s'agit d'une marque déposée.

---

zipper*
remonter le curseur de, fermer (sa robe), « se zipper »: **fermer sa glissière**
*A C E F au sens de munir (un vêtement) d'une fermeture à glissière.

2. MOTS FORMÉS D'UN RADICAL FRANÇAIS ET D'UN AFFIXE FRANÇAIS PAR CALQUE DE MOTS ANGLAIS RESSEMBLANTS

acter [to act]: **tenir un rôle**, **jouer** (au théâtre, au cinéma) ; **faire semblant**, **jouer la comédie**

applicant (« pour un emploi ») [applicant]: **postulant**, **candidat** (à un emploi)
V. application.

auditer (les comptes, les livres d'une compagnie) [to audit]: **apurer**, **vérifier**
V. auditeur.

aviseur (technique / « légal ») [advisor]: **conseiller** (technique / juridique)
V. aviser.

céduler, -é [to schedule, -ed]: **faire le programme de**, **établir l'horaire de** ; **inscrire à l'horaire**, **placer au programme** ; « il est cédulé à 3 heures »: il est **de service** à 3 heures, il a **été affecté / inscrit** pour 3 heures ; « la visite est cédulée à 2 heures »: la visite est **prévue** pour 2 heures / **fixée** à 2 heures ; « Au centre sportif X, c'est tout cédulé pour des groupes »: **réservé / retenu** pour, **réparti** entre
V. cédule.

chambreur [roomer]: **locataire**

clairer [to clear]: **disculper**, **acquitter** (un accusé) ; se **libérer** (de ses dettes) ; **dédouaner** (des marchandises) ; **compenser** (un chèque) ; **écouler** (la marchandise qu'on a apportée au marché) ; **congédier** (un ouvrier) ; **quitter** (la place) ; **dégager** (une route) ; « clairer le chemin à »: **frayer la voie à ; « le temps se claire »:** s'éclaircit ; **désencombrer** (un local), **vider** (une armoire, un tiroir), **débarrasser** (la table, le bureau), **déblayer** (la ruelle) ; **faire un bénéfice net de** (10%) ; **gagner / se faire** (200 $) **net** (par semaine) ; **éviter** (le poteau, un obstacle qcq. pour un véhicule)

compétitionner (avec qn) [to compete]: **faire concurrence** à, **rivaliser** avec

complémenter (un ensemble d'avantages sociaux) [to complement]: **servir de complément à**, **compléter**

complimentaire (billet) [complimentary]: **de faveur**

contracteur [contractor]: **entrepreneur**

cosméticienne (Vi) [cosmetician]: **esthéticienne**
V. cosmétiques.

défranchiser (un citoyen, une classe de citoyens) [to disfranchise]: **priver du droit de vote / du droit électoral / de ses droits civiques / de ses droits de représentation**
V. franchise.

démotion (d'un employé, d'un ministre) [demotion]: **rétrogradation**

développeur [developer]: **promoteur (immobilier)** (personne physique ou morale qui « s'occupe de tous les aspects de la mise en valeur d'un fonds de terre (financement, achat des terrains, choix des entrepreneurs, location, etc.) dans un but spéculatif »*) ; **lotisseur** (personne qui achète des terrains, les munit de l'équipement d'infrastructure nécessaire et y érige des constructions**) ; **aménageur (foncier)** (celui qui s'occupe, dans toute une région, de « l'organisation de l'espace, de manière à mettre en valeur, par des équipements appropriés, les ressources naturelles du lieu et de satisfaire les besoins des populations intéressées »)**

*S. Charles Dupont, *Le terme « développeur » est-il un néologisme?*, in Meta, vol. 23, n° 2.

**D'après id.
V. développement.

discarter [to discard]: **se défausser** ; **écarter** (certaines cartes pour en prendre de nouvelles), **se défausser de** (cartes qu'on juge indésirables)

déchargé (soldat — R.P.) [discharged]: **démobilisé**

disconnecter [to disconnect]: **débrancher** (la radio, le fer à repasser, etc.), **déconnecter** (deux systèmes conducteurs), **débrancher** (un numéro de téléphone), **couper** (une communication de la part d'une standardiste)

dissatisfaction, dissatisfait [dissatisfaction, dissatisfied]: **mécontentement, mécontent** ; **insatisfaction, insatisfait**

énumérateur (des citoyens aptes à voter) [enumerator]: **recenseur**
V. énumération.

estimé [estimate]: **estimation** (de travaux à exécuter), **devis** (pour la construction d'un bâtiment), **évaluation** (de dommages, de pertes)

finaliser [to finalize]: **mettre au point, parachever, mettre la dernière main à**

initialer [to initial]: **parafer/pher** (une convention), **viser** (un bordereau)

insécure [insecure]: **anxieux, inquiet**

investiguer [to investigate]: **examiner, étudier** (une question, des possibilités), **enquêter sur** (un crime)
A M C E F.

---

libelleux (écrit, article) [libellous]: **diffamatoire**
V. **libelle.**

---

maller [to mail]: **mettre à la poste, poster**
V. **malle.**

---

naturopathe* [naturopath]: **naturopraticien****
*Le suffixe *pathe* veut dire *malade de* (comme dans *névropathe*) ; l'assemblage *naturopathe* n'a donc pas de sens.

**Sur le modèle de *chiropraticien* ; on a là la seule solution qui reste, car il faut écarter aussi *naturologue / logiste*, qui voudrait dire: personne qui étudie la nature. A M C E F.

---

originer [to originate]: **provenir** (fait, phénomène qcq.), **remonter à** (coutume), **prendre naissance** (feu)

---

paniquer [to panic]: **s'affoler, être pris de panique**
A M C E F.

---

paqueté, -er [packed]: **bondée** (salle) ; « être paqueté »: être **ivre, bourré, noir, paf, plein, rond, raide,** avoir **une pistache** (arg., S. DFAP), « se paqueter »: se **soûler,** se **pistacher** (arg.) ; **faite, noyautée** (assemblée) ; **truqué** (jeu de cartes, élection), « se paqueter un jeu » (en battant les cartes): se **faire** un jeu

---

paqueter (« On a commencé à paqueter, il faut quitter le logement demain ») [to pack]: **faire ses bagages / ses valises**

Note: Il peut s'agir ici d'une extension du sens du vieux mot *paqueter* (signifiant empaqueter — des objets, des marchandises).

---

plasticine [plasticine]: **pâte à modeler**

---

possiblement [possibly]: **peut-être (bien)**

---

postgradué (étudiant, études) [postgraduate]: **de troisième cycle**
V. **gradué.**

---

prérequis (cours qu'un élève doit avoir suivi pour être admis dans un certain programme d'études) [prerequisite]: **préalable**

S. OLF, Gazette officielle du Québec, 16 janvier 1982, 114ᵉ année, nº 3, p. 401.

---

promissoire (billet) [promissory note]: billet **à ordre**

---

publiciser [to publicize]: **rendre public, -ique** (une décision), **faire connaître** (une initiative), **annoncer, faire de la publicité pour** (un nouveau service offert à la clientèle)

---

reconditionné (machine, voiture) [reconditioned]: **remis en état / à neuf**

---

registraire (A.A.) [registrar]: **archiviste** (de l'État) ; **greffier** (d'un tribunal) ; **secrétaire général / -archiviste** (d'une université), « Bureau du registraire »: Secrétariat

---

registrateur (A.A.) [registrator (Vi)]: **conservateur des hypothèques ; conservateur des actes**

---

secondeur [seconder]: **deuxième parrain** (d'une candidature) ; a.s.d. une motion, « Proposeur M. Viau, secondeur Mme Blois »: Proposé par M. Viau, **appuyé par** Mme Blois, « C'est M. X qui est le secondeur »: C'est M. X qui **a appuyé**
V. **seconder.**

---

sécure [secure]: **tranquille, qui se sent en sécurité**, « l'enfant est plus sécure dans ces conditions-là »: l'enfant **se sent** davantage **en sécurité**

---

séniorité (dans un emploi, chez un employeur) [seniority]: **ancienneté**
AMCEF, au sens de prééminence et garanties déterminées par l'ancienneté.

---

sous-gradué [undergraduate]: **(du niveau) du baccalauréat** (étudiant), **du premier cycle** (étudiant, études)
V. **gradué.**

---

supplémenter (des indemnités, des informations) [to supplement]: **ajouter (un supplément) à**

---

tabaconiste (Vi) [tobacconist]: **marchand de tabac, magasin de tabac** ; comme enseigne: **Tabacs**

---

technicalité [technicality]: **détail technique, question de forme, détail d'ordre pratique, point de détail**

SUPPLÉMENT

AUTRES

ANGLICISMES

1. Anglicismes syntaxiques

1.1 De mot-lien

à Edmunston, Nouveau-Brunswick [in Edmunston, New Brunswick]: à Edmunston, **au** Nouveau-Brunswick, à Edmunston **(**Nouveau-Brunswick**)**

avoir qch. **à** la main [to have sth. **at** hand]: **sous** la main

Ce numéro est changé **à** 731-0499 [this number is changed **to**]: est changé **pour**

X Y a été échangé **aux** Black Hawks de Chicago [has been exchanged **to** the Black Hawks]: a été échangé **avec** un joueur des Black Hawks, a été cédé aux B. H.

avec intérêt **à** 3% par année [with interest **at** 3% per annum]: avec intérêt **de** 3% par année

Il perd le disque **à** Lafleur [he loses the puck **to**]: **aux mains de**

sans préjudice **aux** droits du requérant / **aux** héritiers [without prejudice **to** the plaintiff's rights / **to** the heirs]: sans préjudice **des** droits du requérant / **pour** les héritiers

aider X **avec** le triage / **avec** son problème / **avec** ses valises [to help s.o. **with**]: **au** triage / **dans** son problème / **à porter** ses valises

il a été vingt ans **avec** cette compagnie-là / **avec** ce service-là [he was **with** that company / **with** that department for twenty years]: il a été vingt ans **à, chez** cette compagnie / **dans** ce service

nous vendons **avec** perte [**with** loss]: **à** perte

vérifier **avec** l'administration centrale [to check **with**]: vérifier **auprès de**

durant les quatre premiers jours **d'**un accident [during the first four days **of** an accident]: **qui suivent** un accident

il est **en** accord avec ses associés sur ce point-là [in agreement with]: **d'**accord

arriver **en** temps [in time]: **à** temps

les Tigers mènent 20 à 15, les Éperviers ont battu les Lions 7 à 4, ont triomphé des Giants 10 à 1 [lead 20 to 15, defeated the Lions 7 to 4, overwhelmed the Giants 10 to 1]: mènent **par** 20 à 15, ont battu les Lions **par** 7 à 4, ont triomphé des Giants **par la marque de** 10 à 1.

il joue du piano **par** oreille [he plays **by** ear]: **d'**oreille

la table mesure six pieds **par** trois [six feet **by** three]: **sur** trois

Il y a un besoin **pour** de nouvelles installations [there is a need **for** new facilities]: un besoin **de** nouvelles installations

on a fait une commande **pour** 100 tubes [an order **for**]: **de**

les demandes **pour** du matériel [requisitions **for**]: demandes **de**

il est impossible **pour** la Compagnie d'accorder cela à son personnel [it is impossible **for** the Company to grant this privilege to its employees]: il est impossible **à** la Compagnie d'accorder cela

Réservé **pour** les ingénieurs municipaux [Reserved **for** City Engineers]: Réservé **aux** ingénieurs municipaux

nos meilleurs voeux **pour** une bonne année [our best wishes **for** a happy new year]: **de** bonne année

un camionneur est mort noyé cet après-midi **quand** son véhicule a plongé dans le fleuve [a trucker drowned this afternoon **when** his vehicle dived into the river]: **après que** son véhicule eut plongé

une recommandation du bureau des commissaires **que** le gouvernement soit prié d'adopter cet emblème [a recommendation **that**]: **voulant que**

le projet est **sous** discussion [**under** discussion]: **en** discussion

le plan **sous** étude [**under** study]: **à** l'étude

la proposition est **sous** examen [**under** examination]: **à** l'examen

garder un patient **sous** observation [**under** observation]: **en** observation

le malade est **sous** traitement [**under** treatment]: **en** traitement

la radio est **sur** l'A.M. [**on** the A.M.]: **à** l'A.M.

voyager **sur** un Boeing 747, **sur** les trains du CN [**on** a Boeing 747, **on** CN trains]: **à bord de**

il a été **sur** le comité des finances, il est **sur** le jury [he has been **on** the finance committee, he is **on** the board]: il a été **dans** le comité, il est **membre du** / il fait **partie du** jury

travailler **sur** la construction [**on** construction]: **dans** la construction, dans le bâtiment

X Y ne sera pas **sur** l'émission ce soir [will not be **on** the program]: ne sera pas **à** l'émission, ne participera pas à l'émission

X Y a été choisi **sur** l'équipe des étoiles [has been selected **on** the star team]: a été choisi **comme membre de** l'équipe des étoiles

c'est tout ce qu'on a **sur** cet étage [**on** this floor]: **à**

notre émission est changée de place **sur** l'horaire [**on** the schedule]: **dans** l'horaire

passer **sur** la lumière rouge [to pass **on** the red light]: **sous** le feu rouge, **au** feu rouge, brûler / griller le feu rouge

il est **sur** l'ouvrage à cette heure-là [**on** the job]: **à** l'ouvrage il y a trop de monde **sur** la rue à cette heure-là [**on** the street]: **dans** la rue

> Note: On dit cependant *sur la route*.

il reste **sur** la rue Panet [he lives **on** Panet street]: il habite rue Panet

> Note: On peut dire cependant: *Vous trouverez une pharmacie sur cette même rue.*

il est occupé **sur** le téléphone [he is busy **on** the telephone]: **au** téléphone

je vais lire ça **sur** le train, **sur** l'autobus, **sur** l'avion [**on** the train, **on** the bus, **on** the plane]: **dans**, **à bord de**

sur le voyage, on a pas pris une goutte [**on** the trip]: **pendant** le voyage

---

1.2 De régime

commenter sur l'attitude du président [to **comment on** s.o.'s attitude]: **commenter** l'attitude du président, faire des commentaires sur l'attitude du président

les études **compensent pour** le manque d'expérience pratique [academic training **compensates for** lack of experience]: les études **compensent** le manque d'expérience

contribuer 100 $ [to **contribute** 100 $]: **contribuer pour** 100 $, fournir 100 $

> Note: *Contribuer* n'est pas un verbe transitif direct ; il est dans le même cas que, p. ex., le verbe *obéir*.

il l'a **divorcée** l'année passée ; si je fais ça, ma femme va ben me **divorcer** [to **divorce** one's wife / one's husband]: il a **divorcé avec** elle / **d'avec*** elle ; ma femme va divorcer

> *Quillet qualifie d'incorrecte cette tournure pourtant courante. Il dit d'autre part que le participe passé se construit avec *de*: « *Il est divorcé de…* »

notifier qn de qch. [to **notify** s.o. of sth.]: **notifier qch. à qn**

s.v.p. **payer** la serveuse (sur additions de restaurant) [Please **pay** waitress]: **payer à** la serveuse

réfléchir: ces faits ont été soumis **pour réflexion** aux membres [were submitted **for reflection** to the members]: ont été soumis aux membres pour qu'ils **y réfléchissent**, ont été **soumis à l'attention des** membres

répondre: est-ce que tout le monde a **été répondu**? [has everybody **been answered**? (to **answer** s.o.)]: est-ce qu'on **a répondu à** tout le monde?, est-ce que tout le monde a reçu une réponse?

soumissionner pour des travaux [to **tender for** works]: **soumissionner** des travaux

---

1.3 De construction

brochures **à être distribuées** aux membres ; tâche **à être exécutée** en entier ; travail **à être terminé** pour le 1er mars [to be distributed ; to be performed ; to be completed]: **à distribuer** ; **à exécuter** ; **à terminer**

l'équipe a **comme une de** ses tâches principales la surveillance… [as one of its main assignments]: **parmi** ses tâches principales

notre attitude **en est une de** collaboration ; la question **en est une d'**importance [our attitude **is one of** co-operation ; this matter **is one of** importance]: notre attitude **est une attitude de** collaboration, notre attitude **est celle de la** collaboration, nous cherchons à collaborer ; **c'est là une** question importante ; la question a beaucoup d'importance / est fort importante

hâtez-vous à notre vente gigantesque [**hurry to** our sale]: **hâtez-vous de (venir) profiter de** notre solde

plus: la **deuxième plus grande** ville du monde ; la **troisième plus importante** industrie de notre temps ; la **deuxième plus populeuse** ville au monde [the **second largest** city in the world ; the **third most important** industry of our time ; the **second most populous** city in the world]: la **deuxième grande** ville du monde ; la **troisième** industrie **en importance** de nos jours ; la **deuxième** ville au monde **pour la population**, la ville **qui vient au deuxième rang**, dans le monde, **au point de vue de la population**

ce nouveau produit aide à **prévenir** les bactéries **de se propager** [prevent bacteria from propagating]: **prévenir la propagation** des bactéries, empêcher les bactéries de se propager

procéder à envoyer une mise en demeure [to **proceed to** do sth.]: **procéder à l'envoi de**

Ne pas dépasser ce véhicule **quand arrêté** [do not pass this bus **when stopped**]: **quand il est arrêté, à l'arrêt**

Donner la suite voulue, **si approuvé** [if approved]: **si le projet / le rapport est approuvé, moyennant approbation, après approbation**

Si non réclamé, retourner à l'expéditeur [**If not claimed**]: **En cas de non-livraison**

> Note: On remarquera toutefois qu'on rencontre en français l'expression *si possible*, au sens de *si c'est possible*.
>
> V. Le Petit Robert au mot *si*, I, A, 2°.

1.4 De détermination

appeler: quand on l'appelle **un** espion [when one calls him **a** spy]: quand on l'appelle espion

choisir comme : les libéraux ont choisi M. X comme **leur** chef national [as **their** national leader]: comme chef national

entrevoir comme: ils entrevoient comme **une** solution intermédiaire de fusionner les deux organismes [they consider as **an** intermediate solution]: ils entrevoient comme solution intermédiaire la fusion

être: son frère est **un** arpenteur [his brother is **a** surveyor]: est arpenteur

plaider folie [to plead insanity]: plaider **la** folie

trouver: je l'avais trouvé **un** bon étudiant [I had found him **a** good student]: je l'avais trouvé bon étudiant

ville: les revendications contre Ville de Laval [Laval City]: contre **la** ville de Laval, contre Laval

---

1.5 D'ordre

Auto-lave Rivard, Masson, etc. [Car Wash (v.)]: **Lave-auto**

un **autre quinze** dollars, un **bon vingt** minutes [another fifteen dollars, a good twenty minutes]: **quinze autres** dollars, **vingt bonnes** minutes

avenue: sur **Parc avenue** [on Park Avenue]: **avenue du Parc**

je vous verrai **lundi le** 31 courant [I shall see you on **Monday the** thirty-first inst.]: je vous verrai **le lundi**, 31 courant

pharmacie: **Lemieux Pharmacie** [Western Pharmacy]: **Pharmacie Lemieux**

Jean se classe parmi les **premiers dix** compteurs de sa ligue ; les **derniers dix** jours ; au cours des **prochaines douze** années ; les **autres deux** semaines [the **first ten** scorers of his league ; the **last ten** days ; during the **next 12** years ; the **other two** weeks]: les **dix premiers** marqueurs de sa division ; les **dix derniers** jours ; au cours des **douze prochaines** années ; les **deux autres** semaines

restaurant: **Bel-Air Restaurant** [Sweet Home Restaurant]: **Restaurant Bel-Air**

1.6 De rapport

commençant le 1ᵉʳ juillet, il y aura une série de conférences... [commencing july 1st, there will be...]: une série de conférences, **commençant** le 1ᵉʳ juillet, sera donnée... ; **à partir / à compter du** 1ᵉʳ juillet, il y aura...

> Note: En français, un participe, présent ou passé, placé au début de l'énoncé, se rapporte nécessairement au sujet du verbe de la proposition principale. Or tel n'est pas le cas ici (ce n'est sûrement pas le « il » impersonnel qui fait l'action de commencer) ; le participe est plutôt traité comme une préposition, ce qui est fautif. Remarquer que la seule préposition française qui ait la forme du participe présent est *concernant*.

comparé à l'année passée, j'ai fait des bonnes affaires [compared with last year, i've made good business]: **comparativement / à comparer** à l'année dernière, j'ai fait de bonnes affaires ; **comparées** à l'an-

née dernière, mes affaires ont été bonnes
V. la note à **commençant**.

dépendant de ce que vous voulez faire, nous pouvons…
[**depending** on what you want to do, we can…]:
selon ce que vous voulez faire, **selon** l'intention que
vous avez
V. la note à **commençant**.

dû à un fâcheux contretemps, le comité n'a pas pu tenir sa
séance [**due to**]: **par suite de**, **à cause de**, **en
raison de**
V. la note à **commençant**.

dû au fait que les principaux intéressés étaient malades, j'ai
contremandé la réunion [**due to the fact that** the most
concerned people were sick]: **du fait que** les principaux intéressés étaient malades, j'ai… ; l'annulation de

la réunion est due au fait que les principaux intéressés
étaient malades
V. la note à **commençant**.

parlant de politique, on nous confirme que le premier
ministre donnera une conférence de presse dans quelques
heures [**speaking of**]: **à propos de**
V. la note à **commençant**.

plus d'une vingtaine de films ont été co-produits au Québec,
représentant un investissement de 23 millions de dollars
[**representing**]: **ce qui représente**
Note: Le p. pr., en français, ne peut pas se rapporter à
une proposition, mais seulement au sujet de celle-ci ou
encore à un autre élément s'il le suit sans en être séparé
par une virgule. C'est pourquoi il faut ici avoir recours
au pronom *ce* pour représenter la proposition.

2. Anglicismes morphologiques

2.1 De désinence

addendum (à une étude, à un rapport d'enquête) [**addendum**]: **addenda**

complétion (d'un dossier) [**completion**]: **complètement**

inflationnaire (tendance, poussée) [**inflationary**]: **infla-
tionniste**

médicamentées (pastilles contre l'irritation de la gorge)
[**medicated**]: **médicamenteuses**

patroler (dans le centre-ville, en périphérie) [to **patrol**]:
patrouiller

pyromaniaque [**pyromaniac**]: **pyromane**

tartarique (acide) [**tartaric**]: **tartrique**

vitaminisé (médicament, aliment) [**vitaminized**]: **vita-
miné**

voteur [**voter**]: **votant**

2.2 De nombre

actif**s**:
les actif**s** de cette compagnie [the **assets**]: l'acti**f**

argent**s**:
ces argent**s** (A.A.) sont destinés à un fonds spécial [these
moneys]: cet argen**t**

douane**s**:
cet achat-là passera pas aux douane**s** [the **customs**]: la
douan**e**

politique**s**:
les politique**s** économiques du gouvernement [the economic **policies**]: la politiqu**e**
Note: Une politique est un ensemble de moyens appli-
qués à une certaine situation ; on ne saurait donc dire *les*

politiques que s'il s'agit de plusieurs de ces ensembles.

rayon X:
technicien en rayon X [X ray technician]: en rayon**s** X

scienc**e** politique [political **science**]: science**s** politiques

spaghetti:
je vais manger **du** spaghetti au dîner [I'll eat spaghetti]:
des spaghettis

vacanc**e**:
je prends **une** vacance [a vacation]: **des** vacances, un
congé, de petites vacances

3. Anglicismes phonétiques

cantaloup, pr. en faisant entendre le « p » comme dans « loupe »: le « p » est muet comme dans « loup »

cents (pièces de monnaie), pr. *sèns*: se prononce *sènt*, le « s » du pluriel ne se prononçant jamais en français

chèque, pr. *tchèc*: le « ch » se prononce comme dans « chaise »

Magog, pr. *mégog*: le « a » de ce nom d'origine indienne se prononce comme dans « magie »

maths (abrév. de « mathématiques »), pr. en faisant entendre le « s » final: comme toujours en français, le « s » du pluriel ne se prononce pas
 Note: L'abréviation peut aussi s'écrire « math ».

photostat, pr. en faisant entendre le « t » final: ce « t » ne se prononce pas, comme dans « avocat »

pyjama, pr. *pidjama*: le « j » se prononce comme dans « déjeuner » ou « rajeunir »

revolver, pr. *rivolveûr*: se prononce *révolvèr*, avec la finale comme dans « enfer » ou « mer »

slogan, pr. *slôgunn*: le « o » et le « an » se prononcent comme dans « roman »

standard, pr. *stèndeûrd*: se prononce sur le modèle de « brancard »

thermostat, pr. en faisant entendre le « t » final: ce « t » ne se prononce pas, comme dans « achat »

volt, pr. *vôlt*: le « o » se prononce comme dans « bol »

zoo, pr. *zou*: se prononce *zo-o* ou (fam.) *zo*

4. Anglicismes graphiques

4.1 D'orthographe

addresse [address]: **adresse**

baggage [baggage]: **bagage**

connection [connection]: **connexion**

dance [dance]: **danse**

encourru [incurred]: **encouru**

language [language]: **langage**

professionel [professional]: **professionnel**

sulphurique [sulphuric]: **sulfurique**

4.2 De symbolisation

a.m., p.m.:
 Défense de stationner - 7 à 9 **A.M.**, 4 à 6 **P.M.** [no parking - 7 to 9 **A.M.**, 4 to 6 **P.M.**]: 7 à 9 **h**, 16 à 18 **h**
 Note: Si l'on tient à diviser la journée en deux périodes de douze heures, on dit alors: *du matin*, *de l'après-midi*. Les expressions ante meridiem et post meridiem, que l'anglais a empruntées au latin, n'existent pas en français.

Joseph Ledur, **D.D.S.*** [Joe Armstrong, **D.D.S.**]: Joseph Ledur, **dentiste**
 *Signifie doctor of dental surgery.

M. Jean Laverse, 1142 rue Labri... (dans l'en-tête ou sur l'enveloppe d'une lettre) [**Mr.** John Rain...]: **Monsieur** Jean Laverse
 Note: L'abréviation *M.* s'emploie à l'égard d'une personne dont on parle ; lorsqu'on s'adresse à la personne elle-même, les règles de déférence exigent qu'on écrive au long le titre qu'on lui donne.

m.d.:
 Jean Ladroit, **M.D.*** [John Right, **M.D.**]: Jean Ladroit, **médecin** ; **Dr** Jean Ladroit
 *Signifie medical doctor.

m.p.:
 Jean Lepur, **M.P.*** [John Straight, **M.P.**]: Jean Lepur, **député**
 *Abréviation de **membre du parlement**, traduction littérale de member of parliament. On ne dit pas, en français, *les membres du parlement* mais *les députés*.

n.p.:
 Jean Lavisé, **N.P.*** [John Wise, **N.P.**]: Jean Lavisé, **notaire**
 *Abréviation de **notaire public**, calque de notary public, qui se rend par *notaire* tout court.

p.h.:
 20 **P.H.** (sur panneaux de signalisation) [20 **P.H.**]: 20/**h**

 Note: Alors que l'anglais dit *20 miles per hour*, le français dit *20 milles à l'heure* et non *20 milles par heure*.

4.3 D'abréviation

Note générale: En français, on coupe le mot après la consonne qui précède la voyelle de la deuxième syllabe, et on fait suivre d'un point ou de la consonne finale en position surélevée ; on peut aussi abréger avec la première consonne et la dernière en position surélevée ; quand on emploie ainsi la dernière lettre du mot, on ne met pas de point, vu que celui-ci a pour rôle d'indiquer que des lettres sont sous-entendues ensuite.

appartement:
  apt [apt.]: **app.**, **app^t**

avenue:
  ave. [ave.]: **av.**

boulevard:
  blvd [blvd]: **b^d**, **boul.**

Québec:
  Qué. [Que.]: **Qc**
  Note: On peut abréger les noms de pays ou de province par exemple dans un tableau statistique où tous les noms de lieu sont abrégés pour gagner de l'espace, mais dans une adresse ces noms s'écrivent au long.

4.4 De ponctuation

point à la fin de la date, en tête d'une lettre:
  15 janvier 1979. [January 15th, 1979.]: 15 janvier 1979

ponctuation à l'intérieur d'une adresse:
  408 rue Leblanc [408 **White** Street]: **408, rue** Leblanc

ponctuation dans la suscription d'une lettre:

Monsieur Joseph Fox,
Les Produits Excellence Ltée,
1112 rue Star,
Saint-Félix.

Mr. J. Fox,
Excellence Products Ltd,
1112 Star Street,
St. Felix.

Monsieur Joseph Fox
Les Produits Excellence Ltée
1112, rue Star
Saint-Félix
  Note: l'absence de ponctuation en français provient de ce que l'adresse se classe parmi les titres plutôt que d'être vue comme une phrase.

ponctuation dans les nombres entiers:
1,294,346 [1,294,346]: 1 294 346

Ponctuation décimale:
8.15 [8.15]: 8,15

Ouvrages et périodiques généraux consultés

« Bq des m. »: Conseil international de la langue française, *La Banque des Mots* (revue de terminologie française), Paris, Presses Universitaires de France, semestriel.

« CETTF »: fiches du Comité d'étude des termes techniques français.

« Dagenais »: Dagenais, Gérard, *Dictionnaire des difficultés de la langue française au Canada*, Québec-Montréal, Editions Pedagogia inc., 1967, 679 p.

« Daviault »: Daviault, Pierre, *Langage et traduction*, Ottawa, l'Imprimeur de la Reine, 1963, 397 p.

« Deak »: Deak, Étienne et Simone, *Grand dictionnaire d'américanismes*, 5ᵉ éd. augmentée, Paris, Éditions du Dauphin, 1973, 823 p.

« DFAP »: Caradec, François, *Dictionnaire du français argotique et populaire*, Paris, Librairie Larousse, coll. « Les dictionnaires de l'homme du XXᵉ siècle », 1977, 255 p.

« DFC »: Dubois et autres, *Dictionnaire du français contemporain*, Paris, Librairie Larousse, 1966, 1224 p.

« DFV »: Davau, Maurice, Marcel Cohen et Maurice Lallemand, *Dictionnaire du français vivant*, Paris-Bruxelles-Montréal, Bordas, 1972, 1338 p.

« Dupré »: Dupré, P., *Encyclopédie du bon français dans l'usage contemporain*, Paris, Éditions de Trévise, 1972, 3 tomes, 2 716 p.

« Gilbert »: Gilbert, Pierre, *Dictionnaire des mots nouveaux*, Paris, Hachette-Tchou, 1971, 572 p.

« G.L.E. »: *Grand Larousse encyclopédique*, Paris, Librairie Larousse, 1972, 10 tomes et 1 supplément, 2ᵉ supplément 1975.

« G.L.L.F. »: *Grand Larousse de la langue française*, Paris, Librairie Larousse, 1971-1978, 7 tomes.

« Gloss. »: Société du parler français au Canada, *Glossaire du parler français au Canada*, Québec, Les Presses de l'Université Laval, 1968, XIX-709 p.

« Harrap »: *Harrap's Standard French and English Dictionary*, edited by J. E. Mansion, Part two: English-French, London-Toronto-Wellington-Sydney, George G. Harrap and Company Ltd, 1962, 1538 p.

« La clé des mots »: Conseil international de la langue française, *La clé des mots* (revue de terminologie technique et scientifique présentée sous forme de fiches détachables).

« L'act. term. »: Centre de terminologie, Bureau des traductions, *L'actualité terminologique*, Ottawa, Secrétariat d'État, Gouvernement du Canada, mensuel.

« (Le) Petit Robert »: Robert, Paul, *Le Petit Robert (Dictionnaire alphabétique et analogique de la langue française)*, 2ᵉ éd., Paris, Société du Nouveau Littré, 1977, 2171 p.

« Lexis »: *Larousse de la langue française, Lexis*, Paris, Librairie Larousse, 1977, 1950 p.

« MDV »: Giraud, Jean, Pierre Pamart et Jean Riverain, *Les mots « dans le vent »* et *Les Nouveaux mots dans le vent*, Paris Librairie Larousse, coll. « La langue vivante », resp. 1971, 251 p et 1974, 272 p.

« Meta »: (*journal des traducteurs, organe d'information et de recherche dans les domaines de la traduction et de l'interprétation*), Montréal, Les Presses de l'Université de Montréal, trimestriel.

« NEOL. E. M. »: Office de la langue française, Gouvernement du Québec, *Néologie en marche*, Québec, l'Éditeur officiel du Québec, périodique.

« OLF MD »: Office de la langue française, *Mieux dire*, Québec, Ministère des Affaires culturelles, mensuel, octobre 1962 à mai 1969.

« Quillet »: *Dictionnaire encyclopédique Quillet*, Paris, Librairie Aristide Quillet, 1968-1970, 8 tomes.

« R.C. »: Comité de linguistique de Radio-Canada, fiches annexées au bulletin *C'est-à-dire*, Montréal, Société Radio-Canada, bimestriel.

« R.C. C.A.D. »: Comité de linguistique de Radio-Canada, bulletin *C'est-à-dire*, Montréal, Société Radio-Canada, bimestriel.

« Robert »: Robert, Paul, *Dictionnaire alphabétique et analogique de la langue française*, Paris, Société du Nouveau Littré, 1972, 6 tomes et 1 supplément.

« Robert-Collins »: *Robert-Collins, dictionnaire français-anglais, anglais-français, Collins Robert, French-English, English-French Dictionary*, Paris, Société du Nouveau Littré, London & Glasgow, Cleveland & Toronto, Collins, 1978, 1498 p.

« Tr. lg. fr. »: Centre de Recherche pour un Trésor de la Langue Française (Nancy), *Trésor de la langue française, Dictionnaire de la langue du XIXᵉ et du XXᵉ siècles (1789-1960)*, publié sous la direction de Paul Imbs, Paris, Éditions du Centre national de la recherche scientifique, 1971-1979, 7 tomes parus.

« Webster »: *Webster's Third New International Dictionary of the English Language*, Springfield (Massachusetts), G & C Merriam Company, 1971, 2662 p.

INDEX PAR DOMAINE

des termes spécialisés
avec BIBLIOGRAPHIE élémentaire
pour chaque domaine
donnant les ouvrages auxquels il est fait
référence dans le corps du dictionnaire
et quelques ouvrages complémentaires
de manière à constituer une documentation
de base à l'intention des lecteurs
qui peuvent désirer se perfectionner
dans la terminologie française d'un domaine

« ADM », ADMINISTRATION PUBLIQUE

accrédité
amusement (taxe d')
assurance-santé
back-pay
bumper
Bureau de santé
Bureau du revenu
chambre
champ (dans le)
cité
compensation
département
déportation
député-*registrateur*
détective

disqualification, -er
éligible
émettre
enregistrement
incorporé, -ation
licence
malle
officier
per diem
police montée
red tape
registraire
registrateur
sous-ministre
top secret

1 - Conseil international de la langue française et l'Agence de coopération culturelle et technique, *Vocabulaire de l'administration*, Paris, Hachette, 1972, 187 p.

2 - Detton, Hervé, et Jean Hourticq, *L'administration régionale et locale de la France*, 5ᵉ éd. mise à jour, Paris, Presses Universitaires de France, « Que sais-je? » nᵒ 598, 1968, 128 p.

3 - Donnedieu de Vabres, Jacques, *L'État*, 3ᵉ éd. refondue, Paris, Presses Universitaires de France, « Que sais-je? » nᵒ 616, 1967, 127 p.

4 - Gandouin, Jacques, *Correspondance et rédaction administrative*, 3ᵉ éd. mise à jour et augmentée, Paris, Librairie Armand Colin, 1970, 392 p.

5 - *Répertoire permanent de l'administration française, 1974*, 34ᵉ éd., Paris, La Documentation française, 1975, 557 p. et index 16-LIX p.

« AFF », AFFAIRES

accru
actif tangible / intangible
agressif
amalgamation
approcher
backer
banque à charte
bider
billets payables / recevables
blanc
branche
broker
bureau-chef
cash
casser égal
cédule
clair
clearing
collecter
compagnie de finance
comptes payables / recevables
conditions de contrat
conservateur
contracteur
corporation
cotation
couper
couvert
dans... de
dénomination
Depuis
développeur
domestique
draft
dropper

dû (devenir / passé / tomber)
encouru
entrepreneurship
estimé
établi
extension
follow-up
fonds
fonds de contingence
gambler
item
littérature
maturité
merchandising
money-maker
montant de (au)
N.S.F.
overdraft
pamphlet
partir
partner
parts
passer
plan
préférentiel
promissoire
re
réconcilier
rencontrer
rouge (être dans le)
rough, -ement
termes
termes et conditions
transiger
voûte

1 - Bernard, Yves, Jean-Claude Colli et Dominique Lewandowski, *Dictionnaire économique et financier*, Paris, Éditions du Seuil, 1975, 1168 p. et annexes.

2 - Clas, André, et Paul A. Horguelin, *Le français, langue des affaires*, 2ᵉ éd., Montréal, McGraw-Hill, éditeurs, 1979, XX-391 p.

3 - *Kettridge's Financial and Mercantile French Dictionary*, French-English and English-French, London, Routledge & Kegan Paul Limited, 1971, 288 p.

4 - Letullier, André, *Petit lexique de termes financiers américains*, Mena-Press, 1975, 61 p.

5 - Office de la langue française, *Lexique anglais-français de la bourse et du commerce* des valeurs mobilières, Cahiers de l'OLF nᵒ 17, Québec, Gouvernement du Québec, 1973, 76 p.

6 - Office de la langue française, Gouvernement du Québec, *Lexique de la banque et de la monnaie* (anglais-français), Cahiers de l'OLF nᵒ 14, Québec, l'Éditeur officiel du Québec, 1978, 87 p.

7 - Sylvain, Fernand, avec la collaboration de Murielle Arsenault, c. a., et de Marie-Eva de Villers-Sidani, chef de la terminologie de la gestion à la Régie de la langue française, *Dictionnaire de la comptabilité* (terminologie recommandée par la Régie de la langue française du Québec), Toronto, L'Institut canadien des comptables agréés, 1977, 258 p.

« AGR », AGRICULTURE

average, -er, *abrége*, -er
(back), *bèque*
(back up), *bèquoppe*
bale, -eur/euse
(balk), *boquer*
bee
bender
(bucket), *bâquette*
bunch
bushel
(canister), *canisse*
cleaner
(clevis), *clévisse*
cliper, -eur
crate, *crète*
gee!
(get up), *guédoppe*
(grubber), *grobeur*, -er
(horse-power), *orspore*
jardinier-maraîcher
kick, -er
(loose), *lousse*
marron

matcher
(neck-yoke), *néquiouque, niquiouque*
pan
(pry), *praille*, -er, *praguer*
rack
(ring-bone), *riboule*
rip
séparateur
shed
sleigh
snap
span
squash
stall
(steer), *stire*
(stone-boat), *stommebôte*
strap, -er
stuff, -er
(team), *time*
(tongue), *togne*
tub
(waggon), *ouaguine*
(wire), *ouair*

1 - Agence de coopération culturelle et technique avec la collaboration du Conseil international de la langue française, *Dictionnaire d'Agriculture et des sciences annexes* (avec index anglais et espagnol), Paris, La Maison Rustique, Librairie de l'Académie d'agriculture, 1977, X-219 p.

2 - *Agriculture* (publié sous la direction de E. Quittet), 15ᵉ éd., Paris, Dunod, « Aide-mémoire Dunod », 1969, 4 tomes.

3 - Association pour le Développement et la Vulgarisation des Techniques Agricoles, *Techniques agricoles (encyclopédie agricole permanente)*, Paris, Éditions techniques, 5 tomes.

4 - Balu, T., *Machines agricoles*, 2ᵉ éd., Paris, Baillière, 1948.

V. a. ALM 9.

« ALM », ALIMENTATION

(y compris commerce des aliments et boissons)

all dressed
almond cookie
assiette froide
avocado
barbecue
barley, *barli*
batch
(bean), *bine*
blanc-mange
blender
(bologna), *baloné*
breuvage
broiled steak
brunch
(bull's eye), *boulzaille, bourzaille*
buns
bus-boy
butterscotch

candy
canne, -er, -age
carton
casserole
charcoal
charcoal broiled steak
chips
chop
chowder
clam
clam chowder
club sandwich
club steak
cocoa
coconut
cole slaw
cook, -rie
corn flakes

corn starch, *conistache*
cottage
coutellerie
crackers
cream puff, *crimepoffe*
cream soda, *crimesoda*
cuiller à table
cuiller à thé
cup
(custard), *cossetarde*
delicatessen, *delicatesses*, (delicatized), *délicatisé*
diète
dill
dîner à la dinde
(dipper), *d̦ippeur*
egg-nog
egg-roll
évaporé
extracteur de jus
fried rice
frosté
fudge
fudgesicle
gâteau-éponge
gin
ginger ale
(gravy), *grévé*
grilled cheese
haddock, *hadèque*
ham and egg
hamburger, + steak
heater
hot chicken (sandwich)
jam
jelly beans
kiss
(klondyke), *clanedaque*
life-saver
liqueur douce
lunch
(marsh-mellow), *mâchemâlo*
milk bar
milk shake
mixer, -er
muffin
napkin

opener
orange (de) Séville
orégano
pan
patates sucrées
pâtés
(peanut), *pinotte*
(pecan), *pécane*
pêche à noyau adhérent
pêche à noyau libre
(peppermint), *paparmane*
perche de mer
plain
pop-corn
popsicle
poudre à pâte
pretzel
pudding, *poutine*, *pôtine*
puffé
ravel
roast beef, *rosebive*
roll
root beer
(rye), *rail*
sauce aux pommes
saucepan, *chassepane*, *chassepinte*
(sea-pie), *cipaille*
set
shortening
sirloin, *sarlagne*
(slice), *slaille*
sloe-gin
snack
soda à pâte
spare ribs
spencer
spread
steak, + house
(steamed), *sțimé*
stew
sucre blanc/brun
sundae
t-bone
tenderloin
toast, *tausse*
toaster, -er
(yeast), *iste*

1 - Lalanne, Raymond, *L'alimentation humaine*, 8ᵉ éd., Paris, Presses Universitaires de France, « Que sais-je? » nᵒ 22, 1967, 128 p.

2 - Office de la langue française, Gouvernement du Québec, *Lexique anglais-français des fruits et légumes*, éd. revue et corrigée, série « Terminologie de l'alimntation », Québec, l'Éditeur officiel du Québec, 1974, 129 p.

3 - Office de la langue française, Gouvernement du Québec, *Lexique anglais-français des produits de la pêche*, 2 fascicules, Cahiers de l'OLF nᵒˢ 8 et 13, Québec, l'Éditeur officiel du Québec, 1975, 36 et 35 p.

4 - Office de la langue française, Gouvernement du Québec, *Lexique des pâtes alimentaires*, Québec, l'Éditeur officiel du Québec, 1978, 70 p.

5 - Régie de la langue française, Gouvernement du Québec, *Lexique anglais-français de la chimie alimentaire*, éd. provisoire, série « Terminologie de l'alimentation », Québec, l'Éditeur officiel du Québec, 1975, 70 p.

6 - Régie de la langue française, Gouvernement du Québec, *Lexique des boissons gazeuses (anglais-français)*, série « Terminologie de l'alimentation », Québec, l'Éditeur officiel du Québec, 1976, 59 p.

7 - Régie de la langue française, Gouvernement du Québec, *Lexique des épices et assaisonnements (anglais-français)*, éd. provisoire, série « Terminologie de l'alimentation », Québec, l'Éditeur officiel du Québec, 1976, 72 p.

8 - Régie de la langue française, Gouvernement du Québec, *Lexique du boeuf (anglais-français)*, série « Terminologie de l'alimentation », Québec, l'Éditeur officiel du Québec, 1977, 140 p.

9 - Sauvage, Antoine, *Techniques de commercialisation, Les produits alimentaires*, Paris, Dunod, coll. « Dunod Économie », série « La vie de l'entreprise », n° 103, 1971, 120 p.

« AMB », AMEUBLEMENT

(+ accessoires, décoration, intérieur de maison)

air-foam
arborite
blind, *blagne*, *blingne*
(boiler), *bâleur*
bol
cabinet
chambre de bain
chambre simple / double
chesterfield
(closet), *clâsettes*, *éclâsette*
(comforter), *confiteur*
confortable
cooler
(cupboard), *cobette*
fixtures
frame
freezer
hide-a-bed
horloge grand-père
lit double / simple

locker
(loose), *lousse*
masonite
matcher
off-white
pad
(pantry), *pènetré*, *bènetré*
pole
salle à dîner
(screen), *scrigne*
set
shellac, -*quer*, *chalac*, -*quer*
(side-board), *saillebord*, *saillebôte*
(sink), *signe*
table à cartes
table à extension
tapis mur à mur
tuile
valance

1 - Berthoin, M.-H., *L'habitation et son décor*, éd. revue et corrigée, Paris, Librairie Larousse, « Encyclopédie pratique Larousse », 1969, 616 p.

2 - Hosch, X., *Traité de dessin de construction de meuble*, 3ᵉ éd., Paris, Dunos, 1970, 136 p.

3 - *Idées et créations d'aujourd'hui*, Hachette littérature, 1975 (pagination multiple).

4 - *La décoration de A à Z, 1000 renseignements*, Paris Denoël, coll. « Les grands dictionnaires de la maison », 1973, 543 p.

5 - *Larousse ménager*, publié avec la collaboration de Mme R.-E. Chancrin et de nombreux techniciens, Paris, Larousse, 1955, 1168 p.

6 - Magnani, Franco, *Meubles et intérieurs rustiques anciens et modernes*, Paris, Société Française du Livre, Fribourg, Office du Livre S.A., coll. « Idées et décors », 1966, 144 p.

7 - *Regarnissez vos sièges, faites vos rideaux, posez tentures murales et moquettes vous-même*, 6ᵉ éd. mise à jour, Paris, Éditions Eyrolles, coll. « Faites-le vous-même », n° 2, 1974, 63 p.

« ASL », ASSEMBLÉES

agenda
division (sur)
formel, in-
item
lever sur (se)
mérite (au / à son)
minutes (livre des)
nommé

ordre (dans l', hors d', être hors d', être dans l', soulever un point d')
plancher (avoir le, prendre le, revenir sur le)
rapporter progrès
référer
seconder, -*eur*
session (être en)
vote (mettre au, prendre le)

1 - Comité d'étude des termes de médecine en collaboration avec l'Office de la langue française, *Vocabulaire de la langue des assurances sociales et des assemblées délibérantes*, Montréal, Les Laboratoires Ayerst, circa 1970, 35 p.

2 - Geoffrion, Louis-Philippe, *Notre vocabulaire parlementaire* (conférence faite à la séance publique de la Société du Parler français le 14 mars 1918), Québec, Imprimerie de l'Action Sociale, Limitée, 1918, 16 p.

3 - Nations-Unies, Secrétariat, Department of Conference Services, *Termes relatifs à la procédure dans les organes délibérants et termes les plus souvent employés dans les résolutions* (anglais-français), bulletin de terminologie n° 117, New York, ONU, 1956, 24 p.

4 - Parlement européen, Direction de la traduction et de la terminologie, Bureau de terminologie, *Terminologie du Règlement du Parlement européen, Terminology of the Rules of Procedure of the European Parliament*, document n° PE 32.566, Luxembourg, Parlement européen, pagination variée.

« ASS », ASSURANCES

acheter	estimé
ajusteur, -ement, -er	incidence
amender	maturité
application	non révocable
assurance-feu	non transférable
bénéfice	occurrence
compréhensif	période d'attente
conversion, -tible	privilège
déductible	réclamation
détenteur	souscripteur
dette	valeur au comptant

1 - Association française de normalisation, *Assurance, Vocabulaire général*, norme K 40-001, 1970, 25-X p.

2 - Barthe, Roger, *Dictionnaire de l'assurance et de la réassurance*, Paris, Annales de l'idée latine, 1965, 271 p.

3 - Dailcroix, Michel, *Toutes les clauses et options de l'assurance-vie, contrats d'épargne et de prévoyance*, J. Delmas et Cie, coll. « Ce qu'il vous faut savoir », 1971 (sans pagination).

4 - La Conférence européenne des services de contrôle des assurances privées, *Lexique international d'assurance* (multilingue), Berne, Les Hoirs C.-J. Wyss S.A., 1959, 1083 p.

5 - Lesobre, Jacques, et Henri Sommer, *Assurance et réassurance, Insurance and Reinsurance*, Paris, Berger-Levrault, 1972, 255 p.

6 - Office de la langue française, Gouvernement du Québec, *Vocabulaire bilingue des assurances sur la vie*, par Jean-Paul De Grandpré, Cahiers de l'OLF n° 3, Québec, l'Éditeur officiel du Québec, 1969, 39 p.

7 - *Office de la langue française, Gouvernement du Québec, Vocabulaire correctif des assurances*, par Louis-Paul Béguin, Cahiers de l'OLF n° 16, Québec, l'Éditeur officiel du Québec, 1972, 126 p.

8 - Office de la langue française, Gouvernement du Québec, *Vocabulaire des assurances sociales*, Cahiers de l'OLF n° 12, Québec, Ministère des affaires culturelles du Québec, 1966, 26 p.

9 - Régie de la langue française, Gouvernement du Québec, *Vocabulaire technique anglais-français des assurances sur la vie*, série « Terminologie des assurances », Québec, l'Éditeur officiel du Québec, 1976, vol. I, 309 p.

« AUT », AUTOMOBILE

(y compris types de véhicules)

alignement	camper
(antifreeze), *antifrise*	casser
balancement	changer, changement d'huile et lubrification
blow-out	char
body, + shop, + work	checker
brake, -er	check-up
bucket-seat	choke
bumper	citron

clutch
convertible
dash
démonstrateur
(exhaust), *exásse*
fan
fast back
flasher, -er
flat
frame
frein à bras
frosté, **défroster**, dé- -eur, de- -er
gas bar
gaz, -er, -oline
hard top
hatch back
(heater), *iteur*
hood
ignition
jack
kick-back
kick-down
lift-back
lighter, *lacteur*
low
lumières
muffler, *mofleur*
nozzle
overhaul, -er
pad
panel, *panèle*
partir
patch
pédale à gaz
pick-up
pin, -ouche
pointes
power-brakes
power-steering
rack

reconditionné
régulier
renverse
rim
roue
(rubber), *robeur*
scrap, -per
scraper
sedan
set
shaft
shifter
shock absorber
skider
(slide), *slaille*, -er
(spare), *spair*
spark plugs
speeder
(speedometer), *spidomètre*
spinner
staller, -é
start, -er
starter
station de gaz
station-wagon
steering
stock car
strap
switch
(tank), *tinque*, -er
timer, -ing
tire, *taïeur*
top
trailer/eur
tubeless
tune-up
valise
véhicule-moteur
windshield
wiper

1 - Carnelutti, Daniele, *Dizionario tecnico dell'automobile* (italien, français, anglais, allemand, espagnol), Milan, Edizione Dizionario tecnico dell'automobile, 1963, 580 p.

2 - Delanette, Maurice, *L'auto-école moderne. La conduite des automobiles et des poids lourds*, Paris, Éditions Eyrolles, coll. « L'enseignement technique et professionnel », 1957, 336 p.

3 - Duval, Jacques, *Le guide de l'auto 77*, Montréal, Les Éditions La Presse, Ltée, 1976, 446 p.

4 - Guerber, Roger, *Dictionnaire de l'automobile*, nouvelle éd. revue et augmentée, Paris, Flammarion, 1967, 172 p.

5 - Office de la langue française, Gouvernement du Québec, *Vocabulaire de l'automobile (français-anglais), fascicule I: le moteur, fascicule II: l'entretien et la réparation, fascicule III: la transmission, fascicule IV: le châssis et la carrosserie*, Québec, l'Éditeur officiel du Québec, 1973-1978, resp. 156, 90, 61 et 80 p.

6 - Zlatovski, George, et Peter R. D. Russek, *Distionnaire technique de l'automobile* (français, anglais, allemand), Paris, Dunod, 1973, 3 tomes, 58, 57 et 61 p.

« BUR », BUREAU (TRAVAIL DE)

ball-point
buzzer
carbon

clip
étampe, -er
filière

initialer
intercom
ledger
oblique
pad
Paragraphe
plume-fontaine

punch, -er
rack
référer
refill
scotch tape
set
tack

1 - Centre d'étude et de documentation mécanographiques, *Dictionnaire analytique du matériel de bureau*, par Jean Breuil, Daniel Maybon et Pierre Blet, Paris, Éditions de la revue fiduciaire, 1965, 123 p.

2 - Genest, Françoise, *Le travail de bureau*, Montréal, McGraw-Hill, éditeurs, 1971, 438 p.

3 - Germain, Jean, et Albert Turbide, *Bureau, classement, mécanographie (Matériel et mobilier, la pratique du classement et du calcul mécanographique)*, 4ᵉ éd., Paris, Dunod, 1967, 171 p.

4 - Ministère des Travaux publics du Canada, *Lexique bilingue de termes et expressions utilisés dans les bureaux (français-anglais), Bilingual Glossary of Terms and Expressions used in the Office (English-French)*. Ottawa, Information Canada, 1972, 39 p.

5 - Office de la langue française, Gouvernement du Québec, *Le français au bureau*, Cahiers de l'OLF nᵒ 26, Québec, l'Éditeur officiel du Québec, 1977, 112 p.

6 - Office de la langue française, Gouvernement du Québec, *Vocabulaire des imprimés administratifs*, Cahiers de l'OLF nᵒ 28, série « Terminologie de la gestion », Québec, l'Éditeur officiel du Québec, 1978, 139 p.

« CDF », CHEMIN DE FER

caboose
char, + à fret / à malle / à passagers / dortoir / palais / parloir
check, -er
conducteur
dormant
engin
express
locker

passe
plate-forme
rack
rail
siège de première classe
station
train local
vanne à bagages

1 - Bohl, Georges, *Chemins de fer*, tome 1: *traction*, 62ᵉ éd., Paris, Dunod, « Aide-mémoire Dunod », 1954, XV-328-XLVIII p.

2 - Bureau International de documentation des chemins de fer, *Chemins de fer* (glossaire des termes ferroviaires, français, anglais, allemand, espagnol, italien, suédois), Amsterdam, Elsevier Publishing Company, « Glossaria Interpretum » nᵒ G3, 1960, 413 p.

3 - Devaux, Pierre, *Les chemins de fer*, 4ᵉ éd., Paris, Presses Universitaires de France, « Que sais-je? » nᵒ 86, 1971, 128 p.

4 - *Vocabulaire du service voyageurs (Anglais-Français)*, 3ᵉ éd., Montréal, Chemins de fer Nationaux du Canada, Service de linguistique, 1973, 35 p.

« CIN », CINÉMA

cartoon
chanson-thème
ciné-caméra
close-up
flash-back

lip-sync
previews
slow motion
thème

1 - Bessy, Maurice, et Jean-Louis Chardans, *Dictionnaire du cinéma et de la télévision*, Paris, Jean-Jacques Pauvert, 1965-1971, 4 tomes, 509, 482, 536 et 537 p.

2 - Conseil international de la langue française, *Lexique photo-cinéma*, série « Enregistrement, restitution des images et des sons », fascicule 1, Paris, La Documentation française, 1972, (sans pagination).

3 - Régnier, Georges, *Le cinéma d'amateur*, Paris, Librairie Larousse, Publications Paul Montel, 1969, 326 p.

4 - Ryle Gibbs, C., *Dictionnaire technique du cinéma: français-anglais, anglais-français, Motion Picture Technical Dictionary: English-French, French-English*, Paris, Film et technique, 1959, 106 p.

« COM », COMMERCE

aider
ajustement
allocation d'échange
approbation (en)
aussi peu que
back order
back-store
backlog
balance
bargain, -er
bill
bon (faire du)
blanc
boomer
breakdown
bum, f.
bunch
business, *bésenisse*
call
cash
cash and carry
centre d'achat
charge, -er, + extra
cheap
clair, -er
c.o.d.
corriger
couper les prix
courtoisie
crédit (pour)
demande (en)
dépôt, + (Pas de) ni retour
disposer de
drop
échanger
échantillon de plancher
enregistré
Entrée des marchandises
entrepôt
escompte, + (magasin d'), + (prix d')
final
follow-up
franchise

gérant de plancher, / des fruits, / des viandes
inventaire
item
ligne
magasin à rayons
manufacturier
marchandises sèches
opérer
ordre
Payé
payer ou charger? (Pour)
peddler, -eur
placer
prix de liste
probation
Reçu paiement
régulier
remplir
résidu
(round), *ronne*, -er, -eur
runner, -eur
rush
safe
scrap
set
settler
shiper, -ment
shop
slack
slip
solliciteur
spécial
stand
stock
storage
sujet à (être)
tabaconiste
tag
Termes faciles
usagé
venir
vente, + d'entrepôt, + d'écoulement

1 - Cohen, M., *La dynamique commerciale, Application aux produits industriels*, Paris, Dunod, coll. « Dunod économie », n° 40, série « La vie de l'entreprise », 1969, 112 p.

2 - Cohen, Maurice, *La vente visuelle*, Paris, Dunod, coll. « Gestion commerciale et marketing », 1974, XII-111 p.

3 - Dauger, André, *L'acte de vente*, Paris-Bruxelles-Montréal, Dunod, coll. « Dunod entreprise », n° 157, 1973, 124 p.

4 - Dreyfus, G., et M. Wiéviorka, *Techniques commerciales*, tome I: *la fonction commerciale dans le cadre de l'économie, la fonction commerciale dans le cadre de l'entreprise, les approvisionnements*, Paris, Librairie Istra, coll. « Sciences et techniques économiques », série « Formation », 1971, 256 p.

5 - Hazebroucq, Pierre, *Techniques commerciales*, Éditions techniques, (sans date), 6 vol. (sans pagination).

6 - Masson, Jean-Émile, et Alain Wellhoff, *Qu'est-ce que le merchandising?*, Paris, Dunod, coll. « Dunod entreprise », 1973, 124 p.

7 - Office de la langue française, Gouvrnement du Québec, *La vente promotionnelle*, série « Vocabulaire général de la vente en magasin », Québec, l'Éditeur officiel du Québec, 1977, 31 p.

8 - Servotte, J.-V., *Dictionnaire commercial et financier, français-anglais / anglais-français*, Verviers (Belgique), Éditions Gérard et Cie, coll. « Marabout Service », n° MS 20, 1963, 446 p.

9 - Uhrich, René, *Super-marchés et usines de distribution*, Paris, Librairie Plon, 1962, 204 p.

10 - Wellhoff, Alain, *Lexique du « commerce moderne » (Les 700 mots-clés)*, Paris, Les éditions d'organisation, 1977, 299 p.

V. a. ALM 9.

« CST », CONSTRUCTION

batch	pin
bay-window	pitch, -er
beam, *bime*	plate
brace, *braisse*	plug
(bracket), *braquette*	plywood
(clapboard), *clabord*	primer
filage, + (gros / petit)	ready-mix
fixtures	rough, dérougher
flush	split level
foam	*stucco*
footing	*styrofoam*
frame	(tie), *taille*
gyprock	veneer

1 - Barbier, M., R. Cadiergues, G. Stoskopf et J. Flitz, *Dictionnaire du bâtiment et des travaux publics*, 3ᵉ éd., Paris, Éditions Eyrolles, 1968, 147 p.

2 - Bucksch, Herbert, *Dictionnaire pour les travaux publics, le bâtiment et l'équipement des chantiers de construction (français-anglais)*, 5ᵉ éd., 1976, et *Dictionary of Civil Engineering and Construction Machinery and Equipment (English-French)*, 3ᵉ éd., 1970, Paris, Éditions Eyrolles, resp. 547 et 419 p.

3 - Delebecque, R., A. Chevalier et R. Cluzel, *Bâtiment*, vol. 1: *Design*, 1970, 127 p. et annexes, vol. 2: *Éléments de construction*, 1969, 151 p. et annexes, Paris, Librairie Delagrave.

4 - Lefebvre, Marcel, *(Nouveau) Dictionnaire du bâtiment, Building Terms Dictionary (New)*, Montréal, Éditions Leméac, 1971, 412 p.

5 - Mondin, Ch., et B. Boulet, *Bâtiment, 70ᵉ éd.*, Paris, Dunod, coll. « Aide-mémoire Dunod », tome I: 1969, XII-203-XL p., tome II: 1970, X-174-XL p.

6 - *Moreau, J., Dictionnaire technique américain-français de construction, bâtiment et travaux publics*, Paris, Dunod, 1960, 191 p. et annexes.

7 - Service d'Analyse Industrielle de l'Ambassade de France aux États-Unis, *Terminologie en usage dans l'industrie du bâtiment* (américain-français), Washington, l'Ambassade, 1953, 135 p.

« DRG », DROGUE

acide	dope
(burst), *boster*	down
coke	fix

flipper, -ant
freaker, -ant
goof balls, goofer
joint
pot
puff
pusher
shooter

shot
sniff, -er
speed, -é
spliff
stock
stone, -er
trip, -er, -ant

1 - Boudreau, André, *Connaissance de la drogue*, Montréal, Éditions du jour, 1970, 224 p.

2 - Hanus, Michel, *Drogues et drogués*, Paris-Montréal, Bordas, coll. « Bordas-Connaissance », série « Information », n° 29, 1971, 160 p.

3 - Kalant, Dr Harold, et Oriana Josseau Kalant, *Drogues: société et option personnelle*, Montréal, Les Éditions La Presse, 1973, 215 p.

4 - Parlement européen, Division de la traduction et de la terminologie, Bureau de terminologie, *Terminologie des drogues et stupéfiants* (français, italien, anglais, allemand, néerlandais), 1973 (sans pagination).

5 - Porot, Dr Antoine, et Maurice Porot, *Les toxicomanies*, 3ᵉ éd. remaniée et mise à jour, Paris, Presses Universitaires de France, « Que sais-je? » n° 586, 1968, 128 p.

« DRT », DROIT ET JUSTICE

affidavit
arrêt (sous)
attention et réponse (pour)
avocat de la Couronne
avocat et procureur
banc (sur le, être sur le, monter sur le)
boîte aux témoins
bona fide
bref
changement de venue
charge, + du juge
code criminel
confesser jugement, confession de jugement
conspiration
cour criminelle
Cour du Banc de la Reine
cour juvénile
cour municipale
Cour supérieure
Cour suprême
député-protonotaire
envoyer à son procès
et al
ex officio
exhibit
fighter, -er
final
gouverner (se)
hit-and-run
légal

libelle, -*eux*
loger
manslaughter
matériel
mépris de cour
minutes du procès, minutes (livre des)
nolle prosequi
objecter (s')
offense
opinion légale
ordre de la cour
peines et souffrances
possessions
prendre des procédures contre
prendre (une) action (contre)
probation (officier de, système de la)
record
référer
registraire
renverser
satisfait
sentence, + suspendue, -s + concurrentes
servir
soumettre
subpoena
témoin de la Couronne
terme
ultra vires
versus

1 - Baleyte, J., A. Kurganski, C. Laroche et J. Spindler, *Dictionnaire juridique (nouveau dictionnaire Th. A. Quemmer, français-anglais, anglais-français)*, Paris, Éditions de Navarre, 1977, 726 p.

2 - Barraine, Raymond, *Dictionnaire de droit*, 3ᵉ éd. entièrement refondue, Paris, Librairie générale de droit et de jurisprudence, 1967, 325-XXXII p.

3 - Centre d'étude et de promotion de la lecture, *Le droit aujourd'hui*, Paris, Hachette Littérature, coll. « Les sciences de l'action », 1973, 510 p.

4 - Dalloz, *Nouveau répertoire de droit*, 2ᵉ éd., Paris, Jurisprudence générale Dalloz, 1964, 5 tomes.

5 - Jéraute, Jules, *Vocabulaire français-anglais et anglais-français de termes et locutions juridiques*, Paris, Librairie Générale de Droit et de Jurisprudence, 1953, 414 p.

6 - Le Docte, Edgar, *Dictionnaire des termes juridiques en quatre langues* (français, néerlandais, anglais, allemand), Bruxelles, Oyez, 1978, 696 p.

7 - Lemeunier, F., *Dictionnaire juridique, économique et financier*, Paris, Éditions J. Delmas et Cie, 1970, 366 p.

« EDC », ÉDUCATION

académie, -ique
break
come-back
compléter
conseiller d'orientation
curriculum
drop-out, dropper, dropping-out
étudiant
faillir
flop, -per
foolscap

foxer
gouverneur
graduer, -é, -ation
majeure
mineure
postgradué
prérequis
quiz
registraire
sous-gradué
syllabus

1 - Dran, Pierre, *Le guide pratique de l'enseignement en France*, Verviers (Belgique), Gérard et Cie, « Marabout Service », 1965, 346 p.

2 - Frank, Helmar, *Pédagogie et cybernétique (ce que la théorie de l'information apporte à la pédagogie)*, Paris, Gauthier-Villars, coll. « Information et cybernétique », 1967, 170 p.

3 - Henry, Ronald, *Terminologie des grades universitaires*, in *Meta (journal des traducteurs)*, Les Presses de l'Université de Montréal, vol. 15, nᵒˢ 3 et 4, et vol. 16, nᵒ 3.

4 - *La pédagogie*, Paris, Centre d'étude et de promotion de la culture, coll. « Les dictionnaires du savoir moderne », 1972, 544 p.

5 - Ministère de l'Éducation, Gouvernement du Québec, *Vocabulaire de l'éducation au Québec*, Québec, l'Éditeur officiel du Québec, 1968, 63 p.

« ELT », ÉLECTRICITÉ

armature
breaker
disconnecter
filage
filerie
fuse
ground, -er, *gronde, -er*

jumper
meter, *miteur*
pin
plug, -er
socket, *sâquette*
switch
(wire), *ouair*

1 - Commission électrotechnique internationale, *Vocabulaire électrotechnique international, Index général*, cahier nᵒ 50: *Production, transport et distribution de l'énergie électrique*, 2ᵉ éd., Genève, Bureau Central de la Commission électrotechnique internationale, groupe 25, 1970, 141 p.

2 - *Encyclopédie de l'électricité*, publié sous la direction de P. Dejussieu-Pontcarral, Paris, Larousse, tome I: *Production et distribution*, 1969, 731 p., tome II: *Applications*, 1971, 1023 p.

3 - Longpré, Marcel, *Dictionnaire électrotechnique* (anglais-français et français-anglais), 7ᵉ éd., Montréal, Hydro-Québec, 1977, 68 p.

4 - Piraux, Henry, *Dictionnaire anglais-français des termes relatifs à l'électrotechnique, l'électronique et aux applications connexes*, 10ᵉ éd., Paris, Eyrolles, 1972, VII-390 p.

5 - Sizaire, Pierre, *Dictionnaire technique de la construction électrique*, Paris, Eyrolles, 1968, 170 p.

« GST », GESTION D'ENTREPRISE

année fiscale
auditer, *-eur*
backlog
balance en main
bureau-chef
bureau des systèmes et procédures
cash flow
complémenter
département
dépenses capitales
dette préférentielle
directeur
entrée
exécutif
feuille de balance
flow chart
follow-up
fonds de pension
gérant
inventaire, + de plancher, + physique

item
joint venture
marketing
nil
officier
pool
publiciser
red tape
représentant des ventes
réquisition
runner
rush
staff
superviseur
supplémenter
surintendant
surveillant
task force
top priority
top secret

1 - Argenti, John, *Aide-mémoire des techniques de gestion*, Paris, Éditions Eyrolles et les Éditions d'organisation, 1971, 265 p.

2 - Dubuc, Robert, *Vocabulaire de gestion*, Ottawa, Éditions Leméac Inc., Éditions Ici Radio-Canada, 1974, 135 p.

3 - Gélinier Octave, *Fonctions et tâches de direction générale*, 5ᵉ éd., Puteaux, Éditions Hommes et Techniques, 1971, 458 p.

4 - Lauzel, Pierre, *Lexique de la gestion*, Paris, Entreprise moderne d'édition, 1970, 237 p.

5 - Office de la langue française, Gouvernement du Québec, *Gestion des imprimés administratifs, organisation administrative et réalisation technique*, Cahiers de l'OLF nᵒ 25, série « Terminologie de la gestion », Québec, l'Éditeur officiel du Québec, 1975, 92 p.

6 - Office de la langue française, Gouvernement du Québec, *Les organigrammes, Désignations et descriptions de fonctions*, par Léopold Larouche, Jean-Yves Pilon, Marcel Côté et autres, Cahiers de l'OLF nᵒ 24, série « Terminologie de la gestion », Québec, l'Éditeur officiel du Québec, 1974, VII-223 p.

7 - Tézenas du Montcel, Henri, *Dictionnaire des sciences de la gestion*, Maison Mame, 1972, 331 p.

8 - Tezenas, J., *Dictionnaire de l'organisation et de la gestion*, Paris, Les Éditions d'Organisation, 1971, 270 p.

« HAB », HABILLEMENT

baby dolls
bloomers
bonnet boudoir
bourse
braid, *-er*
brassière
broadcloth
(bustle), *bossel*
car-coat
charcoal
corduroy, *corderoy*

coupe-vent
cuff
double/single-breast
fiter
floss, *flâse*
(fly), *flaille*
frock
hot pants
jack strap
jacket
jumper, *djommepeur*

jumpsuit
kid
lime, *lingne*
loafer
(loose), *lousse*
matériel
overalls, *avaráles*
pad, -er
patch, -er
patron
permanent press
pin, -ouche
plain
puff, -er, -é
(rigging), *réguine*
running shoes, *ronignes*
rust
(scarf), *scaffe*
seal
shoe-claque
shorts
(sling), *sligne*, *sline*

slip
smock
snap
sneakers, *snic*
(snow) suit
(step-ins), *stépines*, *slépines*
stocké
stretché
studs
sweat shirt / suit
sweater / eur. *souiteur*
tack, -er
turn-up
turtle-neck
(tuxedo), *toxédo*
veste
vêtements de base
warm-ups
wash-and-wear
wind-breaker
zip(per), -er

1 - Beaulieu, Michèle, *Le costume moderne et contemporain*, 4ᵉ éd. mise à jour, Paris, Presses Universitaires de France, « Que sais-je? » nᵒ 505, 1968, 128 p.

2 - Office de la langue française, Gouvernement du Québec, *Vocabulaire de l'habillement, français-anglais*, Québec, l'Éditeur officiel du Québec, 1980, 195 p.

« MED », MÉDECINE, PHARMACIE, SANTÉ, HÔPITAUX

band-aid
case load
check-up
conscience, -ent, in-
département
direction
fièvre des foins
follow-up
médicamenté
médication
naturopathe
pace-maker

pad
per diem
plaster
prescription
rayon X
référer
réhabilitation
remplir
screening (test)
système
tablette
vitaminisé

1 - Bonvalot, Marie, et l'équipe de programmation de l'O.I.P., *Le vocabulaire médical de base*, Paris, Société d'Études Fiduciaires et de Participations, 1970, 2 vol., 447 p.

2 - Bureau fédéral de la statistique, Division de la santé et du bien-être, Section de la santé publique, *Classification internationale des maladies, adaptée (CIMA)*, vol. I, 8ᵉ révision, Ottawa, l'Imprimeur de la Reine, 1970, XXXVIII-716 p.

3 - Comité d'étude des termes de médecine, avec la collaboration de l'Office de la langue française, *Travaux du Comité d'étude des termes de médecine du Québec*, Montréal, Les Laboratoires Ayerst, 1970, 143 p.

4 - Gladstone, W. J., *Vocabulaire de médecine et des sciences connexes* (anglais-français, français-anglais), Paris, Masson et Cᴵᴱ, Éditeurs, 1971, 298 p.

5 - Nappée, M.-L., *Manuel pratique de l'infirmière soignante*, 6ᵉ éd. refondue et complétée, Paris, Masson et Cᴵᴱ, Éditeurs, 1957, 723 p.

6 - Perlemuter, L., et A. Cénac, *Dictionnaire pratique de médecine clinique*, Paris, Masson, 1977, 1832 p.

« POL », POLITIQUE

administrer
agence
aviser, -eur
back-bencher
back-lash
bargaining power
bill
boomer
candy
capital politique avec (se faire du)
caucus
ce, cette
comité des Voies et Moyens
confiance (de non-)
congrès à la chefferie / au leadership
conseil exécutif
convention
couper
crédit aux consommateurs
dépôt
dummy
effectif
énumération, -eur
feed-back
final
force (en)
formel
franchise, défranchiser
gazette officielle
hustings

intention
introduire
juridiction
législation
ministère des Affaires extérieures
ministre associé de la Défense
nomination, + (jour de)
officier rapporteur, + (sous-)
orateur
ordre en conseil
package deal
passer
patronage
payeur de taxes
plan conjoint
poll
question de privilège
Secrétaire d'État
Secrétaire d'État aux Affaires extérieures
société de la Couronne
solliciteur général
soumettre
spécial
statuts
supporter
terme
terres de la Couronne
vote populaire
voteur
whip

1 - Aquistapace, Jean-Noël, *Dictionnaire de la politique*, Paris, Éditions Seghers, 1966, 349 p.

2 - Jabin, André, et Janine Vacherand, *Le guide pratique des élections*, Paris, Éditions Europa, 1971, 367 p.

3 - *Les institutions politiques de la France*, Paris, La Documentation française, coll. « Le monde contemporain », 1959, 2 vol., 532 et 742 p.

4 - Office de la langue française, *Vocabulaire des élections*, Cahiers de l'OLF n° 5, Québec, Gouvernement du Québec, 1970, 36 p.

5 - Parodi, Jean-Luc, *La politique*, Paris, Hachette, coll. « Les sciences de l'action », 1971, 511 p.

6 - Serres, Jean, *Manuel pratique de protocole*, Vitry-Le-François (Marne), Éditions de l'Arquebuse, 1965.

« SP », SPORTS ET JEUX

« GEN », GÉNÉRAL

aréna
billets de saison
booker
boomerang, *bombragne*
briser
buck
(bull's eye), *boulzaille*, *bourzaille*
cédule
checker
club-ferme
coach
combat à finir
contester
courir

course sous harnais
couvrir
curve
dard
disposer de
dumb-bell
dummy
facilités
fake, -er
fine!
(fluke), *flouxe*
franchise
free-for-all
fun

gambler	reel, *ril*
game	rough, -(e)ment
go!	safe
hit	sauver
jack-pot	score, -er
jogging	semi-finale
(luck), *loque*	shoot, -er
net	shot
officier (vb)	skidoo
opposant	spot
out	springboard
pack-sack	tag, *taille*
pad	(tie), *taille : détailler*
piste et pelouse	time!
pratiquer	timer
punching bag / ball	troll, -er
ralliement	

1 - Brahic, H., et Y. Jeanbrau (avec la collaboration de P. Courtois), *Guide des sports*, Paris, Larousse, « Collection pratique de poche », 1967, 196 p.

2 - Caillois, Roger (sous la direction de), *Jeux et Sports*, Paris, Éditions Gallimard, « Encyclopédie de la Pléiade », 1967, 1826 p.

3 - Clidière, Martine, *Le guide Marabout des jeux de société*, Verviers, Éditions Gérard et Cⁱᵉ, 1968, et Les Nouvelles Éditions Marabout s.a., 1978, coll. « Marabout Service », nᵒ MS 80, 381 p.

4 - Corhumel, Jean, et Jean-Marie Sandron, *Le Guide Marabout de tous les sports*, Verviers, Gérard et Cⁱᵉ, coll. « Marabout Service », nᵒ MS 136, 1970, 416 p.

5 - Dauven, Jean (sous la direction de), *Encyclopédie des sports*, Paris, Librairie Larousse, 1961, 582 p.

6 - Demarbre, André, *350 nouveaux jeux et variantes avec jeux d'intérieur éducatifs*, Paris, Berger-Levrault, 1970, 211 p.

7 - Hepp, Ferenc, *Sports Dictionary in Seven Languages* (anglais, allemand, espagnol, italien, français, hongrois, russe), Budapest, Terra, and Berlin, Sportverlag, 1962, 1109 p.

8 - Le Roy, Bernard, *Dictionnaire encyclopédique des sports, des sportifs et des performances*, Paris, Éditions Denoël, 1973, 863 p.

« BLR », BILLARD

caller	scratcher
cross, -er, cross-side	sheer, -er
kiss, -er	shot
pool	side
rack	spot, -er

1 - Duteil, Jean, *Le billard*, Paris, Éditions Bornemann, 1969, 47 p.

2 - Gabriels, René, et Ir. C. Haaren, *Le livre du billard*, Bruxelles, Les Éditions du Jour, 1960, 333 p.

« BSB », BASE-BALL

arrêt-court	*flaille*
back-stop	fly, flaille
(balloon), *balloune*	home-run
bat, -er	mitt
bunt, -er	pitcher
catcher, -eur	plate
drop	strike
hit	

1 - Comité de linguistique de Radio-Canada, *Vocabulaire du baseball* (anglais-français), vol. XI, nᵒ 1 de *C'est-à-dire*, Montréal, Société Radio-Canada, 1978, 27 p.

2 - Lafont, Paul, *Le base-ball, le volley-ball*, Paris, S. Bornemann, éditeur, 1974, 31 p.

3 - *Le baseball* (en collaboration), Montréal, Éditions de l'Homme, coll. « L'homme et le sport », 1969, 112 p.

« CRT », CARTES

discarter
flush
full
gambler
game

pareilles (trois, quatre)
partner
(piece), *pisse*, *-er*
pot
straight, straight-flush

1 - Gervers, Frans, *Le Guide Marabout de tous les jeux de cartes*, Verviers, Gérard et Cⁱᵉ, coll. « Marabout Service », 1966.

« FTB », FOOTBALL

drop
game
kicker

pad
spikes

1 - Dufour, Jean, Le football, 8ᵉ éd., Paris, Éditions Bornemann, 1972, 111 p.

2 - Ligue canadienne de football, *Le français au football*, Montréal, Les Éditions de l'homme, 1976, 63 p.

3 - Régie de la langue française et Haut-Commissariat à la jeunesse, aux loisirs et aux sports, Gouvernement du Québec, *Lexique du football (soccer)* (français, anglais, allemand, espagnol), Québec, l'Éditeur officiel du Québec, 1976, 46 p.

« GLF », GOLF

caddie
driver, -ing

ronde
(swing), *souigne*

1 - Brien, Luc (avec la collaboration de Jacques Barrette), *Techniques du golf*, Montréal, Les éditions de l'homme, 1973, 172 p.

2 - Office de la langue française, *Vocabulaire technique du golf*, Cahiers de l'OLF nⁿ 9, Québec, Gouvernement du Québec, 1971, 39 p.

« GMN », GYMNASTIQUE

push-up
sit-up

somerset, *saut morissette*, (somersault), *samarsatte*
split

1 - Clerc, P. et autres, *Éducation physique pour tous*, Paris, Amphora, 1964, 296 p.

2 - Fédération internationale de gymnastique, *Précis de terminologie gymnastique*, 2ᵉ éd., publié par le Comité technique de la F.I.G., 1971, 32 p.

3 - Régie de la langue française et Haut-Commissariat à la jeunesse, aux loisirs et aux sports, Gouvernement du Québec, *Lexique de la gymnastique*, (français, anglais, allemand, espagnol), Québec, l'Éditeur officiel du Québec, 1976, 44 p.

4 - Robert, Luis, *La gymnastique chez soi*, 8ᵉ éd., Verviers, Gérard et Cⁱᵉ, « Marabout Flash », 1962, 148 p.

« HCK », HOCKEY

body-check
chambre des joueurs
check, -er
club-ferme
coach, -er
game

goal, -er, -er, -eur
jouer les deux positions
puck
semi-finale
slap-shot
Soviets

1 - Comité de linguistique de Radio-Canada, *Vocabulaire du hockey*, (anglais-français) série « Vocabulaire », Montréal, Société Radio-Canada, 1 p.

2 - Fédération internationale de hockey, *Règles du jeu de hockey*, Bruxelles, F.I.H., 1974, 64 p.

« QLL », QUILLES

bowling

pin

1 - Office de la langue française, *Vocabulaire technique des quilles*, Cahiers de l'OLF nⁿ 15, Québec, Gouvernement du Québec, 1972, 25 p.

« SKI », SKI

chair-lift
cire, -er, -age
first-aid
gondola, v. chair-lift

pole
poma
ski-tow
t-bar

1 - Gautrat, Jacques, *Dictionnaire du ski*, Paris, Éditions du Seuil, coll. « Microcosme », 1969, 252 p.

2 - Ismael, Marc, *Le ski de fond*, Paris, Presses Universitaires de France, « Que sais-je? » nᵒ 1525, 1973, 128 p.

3 - Lang Serge, *Le ski et autres sports d'hiver*, Paris, Larousse, 1967, 415 p.

« TNS », TENNIS

back-hand
(balloon), *balloune*

drop
net

1 - Talbert, William R., *Le tennis*, traduit et adapté par Lucien Laverdure, Montréal, Les Éditions de l'Homme, 1968, 100 p.

2 - Tran, Hung, *Vocabulaire du tennis*, (anglais-français) in *C'est-à-dire*, vol. XI, nᵒ 6, publié par le Comité de linguistique de la Société Radio-Canada, 1979, 15 p.

« TCH », TECHNIQUE — GÉNÉRAL ET DIVERS

ajustement
attachement
bolt, *bôte*
(butter), *botteur, -er*
(clevis), *clévisse*
clip
contrôle
(copper), *coppe*
coupling, *coplène*
crane
(crank), *crinque*
cutter, *cotteur*
engin
feeder, *fider, filer*
fire-proof
fixture
fiter
frame, -er
gear, -er, -é
gears
grader
groove
heater
jamer
heavy duty
jack
kicker
kit
(loose), *lousse*
low
machiner
machiniste

mixer
off
on
opérer
pad
partie
partir
pilote
pin, -ouche
plate
plug
pole
(pry), *praille, -er*
punch
reconditionné
remover
rough
run, -er, -eur
scrap
scraper
screening
seal, -er
set
settler, dé-, re-
shaft
shears, *chire*
size
(sling), *sligne, sline*
strap
washer /eur
winch
wrench

1 - Belle-Isle, J.-Gérald, *Dictionnaire technique général anglais-français*, 2ᶜ éd. entièrement refondue, Montréal, Beauchemin, Paris, Dunod-Bordas, 1977, 553 p.

2 - Brigaux, Guy, et Maurice Garrigou, *La Plomberie. Les équipements sanitaires*, 5ᶜ éd. mise à jour, Paris, Éditions Eyrolles, coll. « Traité du bâtiment », 1970, 579 p.

3 - Cusset, Francis, *Vocabulaire technique anglais-français et français-anglais*, 8ᶜ éd., Paris, Berger-Levrault, 1968, 434 p.

4 - Gabay, A., et J. Zemp, *Les engins mécaniques de chantier*, 3ᵉ éd. entièrement revue et augmentée, Lausanne, Éditions Spes S.A., Paris, Bordas, 1971, XVIII-390 p.

5 - Linger, Jean, *Les chantiers*, Paris, Éditions Eyrolles, coll. « L'école chez soi », 1971, 2 tomes, 194 et 271 p.

6 - Malgorn, Guy, *Dictionnaire technique anglais-français*, nouveau tirage revu et corrigé, Paris, Gauthier-Villars, 1972, XXXIV-493 p.

7 - Office de la langue française, *Lexique anglais-français de l'industrie minière*, fascicule 1: *L'exploitation*, Cahiers de l'OLF nⁿ 18, Québec, Ministère de l'Éducation, Gouvernement du Québec, 1973, 91 p.

8 - Office de la langue française, *Lexique anglais-français des appareils de mesures électriques*, Québec, Gouvernement du Québec, 1973, 44 p.

9 - Office de la langue française, *Lexique anglais-français du compteur d'électricité (principes et pièces composantes)*, Québec, Gouvernement du Québec, 1973, 40 p.

10 - Office de la langue française, *Lexique anglais-français du programmateur de cuisinière (fonctionnement et pièces composantes)*, Québec, Gouvernement du Québec, 1973, 36 p.

11 - Office de la langue française, Gouvernement du Québec, *Nomenclature des appellations d'emplois dans l'industrie papetière québécoise*, éd. provisoire, coll. « Terminologie technique et industrielle », Québec, l'Éditeur officiel du Québec, 1977, 114 p.

12 - Office de la langue française, Gouvernement du Québec, *Petit lexique de la manutention*, Québec, l'Éditeur officiel du Québec, 1974, 37 p.

13 - Office de la langue française, Gouvernement du Québec, *Petit lexique de la plomberie*, Québec, l'Éditeur officiel du Québec, 1974, 32 p.

14 - Office de la langue française, Gouvernement du Québec, *Petit lexique du soudage*, Québec, l'Éditeur officiel du Québec, 1974, 47 p.

15 - Régie de la langue française, Gouvernement du Québec, *Lexique anglais-français de l'aciérie électrique*, Québec, l'Éditeur officiel du Québec, 1975, 135 p.

16 - Régie de la langue française, Gouvernement du Québec, *Lexique anglais-français de l'industrie pétrolière (raffinage)*, Québec, l'Éditeur officiel du Québec, 1976, 143 p.

17 - Régie de la langue française, *Lexique de la fabrication du réfrigérateur*, coll. « Terminologie technique et industrielle », Québec, Gouvernement du Québec, 1975, 67 p.

18 - Trillat, H., *Technologie générale et de spécialité. Menuiserie. Ébénisterie*, Paris, Dunod, tome I: 3ᵉ éd., 1969, VIII-152 p., tome II: 3ᵉ éd., 1970, VII-227 p., tome III: 2ᵉ éd., 1968, IX-194 p.

« TEL », TÉLÉPHONE

appelle? (Qui)
disconnecter
échange
engagé
extension
intercom
ligne (ouvrir la, fermer la, être sur la, Gardez la, Tenez la)

local
loger
longue-distance
opératrice
retourner l'appel

1 - Besson, René, *Téléphone privé et interphone*, 2ᵉ éd., Paris, Technique et vulgarisation, 1961, VI-165 p.

2 - Blanchard, A., et A. Cabantous, *Cours de téléphonie automatique*, tome I, 9ᵉ éd., Paris, Éditions Eyrolles, coll. « Cours professionnels techniques des P.T.T. », 1968, 164 p.

3 - Blanchard, André, et Raymond Croze, *Le Téléphone*, 3ᵉ éd., Paris, Presses Universitaires de France, « Que sais-je? » nⁿ 251, 1964, 128 p.

4 - Katz, Paul, « Attention! des oreilles amies vous écoutent », in *Réalités*, Paris, nⁿ 354/5, juillet/août 1975, p. 51.

5 - *Lexique du téléphone* (anglais-français), Montréal, Centre de terminologie, Bell Canada, 1971, 201 p.

6 - Office de la langue française, *Vocabulaire élémentaire du téléphone*, Québec, Gouvernement du Québec, (sans datation), 14 p.

« TRV », TRAVAIL (MONDE DU)

ajuster
aller en grève
application, -er pour, *applicant*
assigner
background
backlog
bénéfices, + marginaux
boni du coût de la vie
booker, -é
boss, -er
botch, -er
boxing day
break
briefing, -er
call
certificat
checker
clair, -er
classification
clinique
coffee-break
comité conjoint
compensation
compléter
convention-maîtresse
démotion
devoir (en)
dispute
entraîné, -ement
exécutif
feuille de temps
fit, -er
fonds de pension
(foreman), *fâremane*
helper
job
joindre
junior
lay-offer
lever

local
loger
monétaire
notice
off
officier
opportunité
overtime
perte de temps
plan de pension
poinçonner
position
pousse
probation
professionnel
puncher
pushing
qualifications
racké, -er
rapporter (se)
retirer
ronde
rough
runner, -eur
scab
senior
séniorité
séparation
shift, chiffre
shop
slack, -er
slip
straight
temps de la Compagnie (sur le)
temps double / et demi
terme
tough
unité de négociation
vote de grève

1 - Bureau international du travail, *Introduction à l'étude du travail*, Genève, 1970, XV-380 p.

2 - Dion, Gérard, *Vocabulaire français-anglais des relations professionnelles, Glossary of Terms Used in Industrial Relations (English-French)*, Québec, Les Presses de l'Université Laval, 1972, 302 p.

3 - *Le travail et les travailleurs dans la société contemporaine*, Lyon (France), Chronique sociale de France, coll. « Semaines sociales de France », 51ᵉ semaine sociale, 1965, 422 p.

4 - Office de la langue française, *Prévention des accidents*, (lexique anglais-français avec index des termes français) Québec, Ministère de l'Éducation, Gouvernement du Québec, (sans datation), 137 p.

5 - Régie de la langue française, Gouvernement du Québec, *Les horaires de travail*, 2ᵉ éd., Québec, l'Éditeur officiel du Québec, 1975, 16 p.

6 - *Travail et maîtrise*, Paris, Entreprise moderne d'édition, 10 numéros par année.

7 - *Vocabulaire des conventions collectives, anglais-français / Collective Agreement Vocabulary, English-French*, Montréal, Service linguistique, Chemins de fer nationaux du Canada, 1972, 111 p.

« DIV », DIVERS

1 - Berthoin, M. H., *Vie quotidienne*, Paris, Larousse, « Encyclopédie pratique Larousse », 1966, VIII-616 p.

2 - Bureau international du Travail, *Classification internationale type des professions, International Standard Classification of Occupations*, éd. révisée, Genève, 1968, 2 vol., 415 et 355 p.

3 - Centre de terminologie, Bureau des traductions, Bulletin de terminologie n° 147, *Vocabulaire général (Glossaire anglais-français)*, Ottawa, Secrétariat d'État, Gouvernement du Canada, 1973.

4 - Conseil international de la langue française, *Enrichissement de la langue française (audiovisuel — bâtiment, travaux publics, urbanisme — techniques nucléaires — industrie pétrolière — techniques spatiales — transports — informatique — économie et finances — santé et médecine)*, Paris, 1976, 75 p.

5 - Conseil international de la langue française, *Vocabulaire de la radiodiffusion*, Paris, Hachette, 1972, 100 p.

6 - Delorme, Jean, *Dictionnaire des matières plastiques et de leurs applications*, Paris, Éditions Amphora, 1962, 62 p.

7 - *Encyclopédie du bricoleur*, Paris, Librairie Aristide Quillet, 1970, 496 p.

8 - Giteau, Cécile, *Dictionnaire des arts du spectacle* (français, anglais, allemand), Paris, Dunod, 1970, 429 p.

9 - *Intimité du foyer*, Paris, Les Éditions Mondiales, revue hebdomadaire.

10 - *Jardins de France*, Paris, Société Nationale Horticole, bulletin mensuel.

11 - Jousset, J., *Matières plastiques*, 2ᵉ éd., Paris, Dunod, « Aide-mémoire Dunod », 1961, 3 tomes, 316, 206 et 222 p.

12 - Lafontaine, Gérard-H., *Dictionary of Terms used in the Paper, Printing and Allied Industries* (anglais-français), Toronto, Howard Smith Paper Mills, 1948, 109 p.

13 - *L'architecture d'aujourd'hui (recherche — formes intérieures — arts — urbanisme)*, Paris, Ch. Rambert, éditeur, bimestriel.

14 - *La Recherche*, Paris, La Société d'éditions scientifiques, mensuel.

15 - *Manufrance*, Saint-Étienne, société Manufrance, « Manufacture Française d'Armes et Cycles », catalogue annuel.

16 - *Médias et langage*, Paris, Secrétariat permanent du langage de l'audiovisuel, mensuel.

17 - Morand, Annie, Jean Delamare et Michel Galy, *L'encyclopédie du bricolage*, Paris, Denoël, 1967, 510 p.

18 - Office de la langue française, *Guide de terminologie à l'intention des journalistes*, Québec, Ministère des Affaires culturelles, Gouvernement du Québec, circa 1963, 6 p.

19 - Office de la langue française, *Lexique de la machine à coudre familiale*, Québec, Ministère de l'Éducation, Gouvernement du Québec, 1974, 12 p.

20 - Office de la langue française, *Terminologie des appareils électroménagers*, Québec l'Éditeur officiel du Québec, 1974, 98 p.

21 - Pessis-Pasternak, Guitta, *Dictionnaire de l'audio-visuel* (français-anglais, anglais-français), Montréal, Flammarion Limitée, 1976, 372 p.

22 - *Québec Science*, Sillery (Québec), Université du Québec, mensuel.

23 - Raaf, J. J., *Index Vocabularum Quadrilinguis, Peintures et vernis / Paint and Varnish*, (anglais, français, allemand, néerlandais) 2ᵉ éd. revue et augmentée, La Haye, Van Goor Zonen, 1965, 1129 p.

24 - Régie de la langue française, *Lexique anglais-français des petits appareils électroménagers*, Québec, l'Éditeur officiel du Québec, 1975, 183 p.

25 - Secrétariat d'État aux Affaires étrangères (Gouvernement de la République française), *Les différents modes de transport*, distribué par Eyrolles, Paris, 1970, 238 p.

26 - Uphof, J. C. Th., *Dictionary of Economic Plants*, 2ⁿᵈ edition revised and enlarged, Lehre (Allemagne), Verlag von J. Cramer, 1968, 591 p.

Imprimé sur les presse de
L'IMPRIMERIE LEFRANÇOIS INC.
Montréal, 1985